Bouillon de Poulet pour l'âme
livre de
Cuisine

Soupe populaire
pour l'âme

Un des résultats les plus excitants des livres *Bouillon de poulet pour l'âme*, c'est l'impact que la série a créé chez des lecteurs qui reçoivent de l'aide sociale, des sans-abri, ceux qui vivent dans des refuges et dans des centres de réadaptation, ou qui sont incarcérés dans des prisons. Voici d'ailleurs un extrait d'une lettre que nous avons reçue d'un prisonnier :

J'ai reçu un exemplaire de Un 1er Bol de Bouillon de poulet pour l'âme *alors que j'assistais à un cours de dix semaines sur les solutions de remplacement à la violence. Depuis que j'ai lu ce livre, ma conception en tant que prisonnier qui côtoie d'autres prisonniers a changé du tout au tout. Je n'ai plus de violence en moi, ni de haine envers quiconque. Mon âme a été bénie par ces merveilleuses histoires. Je ne peux tout simplement pas vous remercier assez.*

Sincèrement, Phil S.

Une adolescente écrit :

Je viens juste de terminer la lecture de votre livre Un 1er Bol de Bouillon de poulet pour l'âme. *J'ai le sentiment d'avoir la force de faire ce que je veux après cette lecture.*

Voyez-vous, j'avais renoncé à beaucoup de mes rêves — voyager autour du monde, aller à l'université, me marier et avoir des enfants — mais après la lecture de ce livre, je sens que j'ai le pouvoir d'absolument tout faire. Merci!!

Erica Lynn P., 14 ans

Jack Canfield
Mark Victor Hansen
Diana von Welanetz Wentworth

Bouillon de Poulet pour l'âme

livre de Cuisine

Des recettes et des histoires

Traduit par
Fernand A. Leclerc et Lise B. Payette

SCIENCES ET *CULTURE*
Montréal, Canada

L'édition originale de cet ouvrage a été publiée sous le titre
CHICKEN SOUP FOR THE SOUL COOKBOOK
© 1995 Jack Canfield, Mark Victor Hansen
et Diana von Welanetz Wentworth
Health Communications, Inc., Deerfield Beach, Floride (É.-U.)
ISBN 1-55874-354-5

Réalisation de la couverture : Alexandre Béliveau

Tous droits réservés pour l'édition française
en Amérique du Nord
© 2002, *Éditions Sciences et Culture Inc.*

Dépôt légal : 4e trimestre 2002
Bibliothèque nationale du Québec
Bibliothèque nationale du Canada

ISBN 2-89092-302-9

 Éditions Sciences et Culture
5090, rue de Bellechasse
Montréal (Québec) Canada H1T 2A2
(514) 253-0403   Fax : (514) 256-5078
Internet : www.sciences-culture.qc.ca
Courriel : admin@sciences-culture.qc.ca

Nous reconnaissons l'aide financière du gouvernement du Canada par
l'entremise du Programme d'Aide au Développement de l'Industrie de
l'Édition pour nos activités d'édition.

IMPRIMÉ AU CANADA

À la grande énergie nourricière
que sont nos mères...

Nous dédions ce livre à toutes les mères
et particulièrement à nos trois mères :

Ellen Taylor Angelis (Jack Canfield)

Una Petersen Hansen (Mark Victor Hansen)

Marguerite Rufi Schneider
(Diana von Welanetz Wentworth)

Nos mères incarnaient l'amour de la cuisine
et de la nourriture qui persiste avec tendresse
dans nos souvenirs et sur nos papilles gustatives.

Table des matières

Les citations

Pour chacune des citations contenues dans cet ouvrage, nous avons fait une traduction libre de l'anglais au français. Nous pensons avoir réussi à rendre le plus précisément possible l'idée d'origine de chacun des auteurs cités.

Remerciements

୬♣

La préparation de ce livre de recettes fut une œuvre d'amour et une fête dès son début. Nous avons reçu beaucoup d'appuis chaleureux et nous aimerions remercier les personnes suivantes pour leur contribution.

Nos conjoints, Georgia, Patty et Ted.

Peter Vegso et Gary Seidler de Health Communications, pour nous avoir vendu l'idée en premier lieu. Merci aussi d'avoir continué à partager le rêve d'un monde rempli d'amour qui touche chaque personne.

Le programme Reading Is Fun, pour avoir distribué *Bouillon de poulet* aux enseignants du pays et, conséquemment, à leurs étudiants. Nous apprécions aussi votre encouragement dans ce projet unique.

Christine Belleris, Matthew Diener et Marcia Ledwith, nos brillants directeurs de la publication à HCI, pour avoir amélioré constamment notre manuscrit. Marsha Donohoe, Mim Harrison, Erica Orloff et Christine Winter, pour leur lecture d'épreuves consciencieuse. Ileana Wainwright, pour sa magnifique conception, et Lawna Oldfield, pour avoir mis en page ce texte jusqu'aux petites heures du matin.

Patty Aubery, qui a utilisé les disquettes d'ordinateur de Diana contenant toutes les histoires et les recettes, pour donner au manuscrit sa forme finale.

Nancy Mitchell, qui s'est occupée d'obtenir la multitude de permissions et de biographies d'auteurs.

Wanda Pate, qui a dactylographié beaucoup d'histoires, de poèmes et de bénédicités.

Kerrie Callaham, qui a testé plusieurs des recettes et qui a tout nettoyé dans la joie autour de nous.

Mary et Don Kelly, qui ont lu avec enthousiasme et écouté la lecture du manuscrit à chaque phase de son évolution, qui nous ont constamment encouragés et félicités. Bobbie Probstein, qui a donné une opinion très valable sur l'édition et qui a entretenu notre bonne humeur avec ses télécopies humoristiques.

Julia Cameron, auteure du livre *The Artist's Way* (J. P. Tarcher), pour avoir écrit les textes devenus les histoires de Diana dans ce livre.

Susie Gross, Pat Rypinski, Kiki Leusebrink, Jodi Olsen, Louise Carrter, Marilyn Poliquin et les autres femmes du cours de peinture de Diana, pour leur enthousiasme et leur joie constante.

Lexi von Welanetz et Christy et Kathy Wentworth, pour toutes les caresses données à « m'man » et à leur « malicieux monstre-nourricier ». Et à Mimi, Jack Schneider et Alice Wentworth, parce qu'ils sont là, simplement.

L'introduction
de Jack et Mark

❧

Quand *Bouillon de poulet pour l'âme, des histoires pour ouvrir le cœur et remonter le moral* a été publié pour la première fois, on le classait souvent par erreur dans la section des livres de recettes en librairie. Bien des gens (dont plusieurs libraires) pensaient que ce devait être un livre de recettes de bouillon de poulet.

Comme nous sommes deux conférenciers professionnels, nous donnons plus de 100 présentations par année dans des hôtels et centres de conférence. Nous faisons généralement parvenir nos livres et nos cassettes audio au site de la conférence une semaine avant l'événement. Un jour, nous avons dû chercher 33 boîtes de *Bouillon de poulet pour l'âme* qui avaient été envoyées à l'hôtel avant notre arrivée. Une fois sur les lieux, nous avons communiqué avec le concierge pour prendre possession de nos livres et le personnel n'a pas pu les trouver. Nous avons regardé dans la pièce d'entreposage des bagages, dans la salle de réception, dans le bureau du chef des approvisionnements et dans les bureaux du service des conférences, mais les livres étaient introuvables. Après avoir vérifié avec UPS, ces derniers ont confirmé que les livres avaient bel et bien été livrés à l'hôtel et qu'un dénommé George avait signé le bon de réception. L'hôtel ne pouvait pas du tout expliquer où se trouvaient les livres puisque personne du nom de George ne travaillait au service des approvisionnements ou à la réception.

Comme nous savions que les livres devaient être quelque part, nous avons fait le tour de tout l'hôtel avec une personne de la sécurité afin de les chercher. Après deux heures de recherche, nous les avons finalement trouvés — entreposés à la cuisine avec toutes les autres boîtes de soupe en conserve. Puisque les boîtes étaient étiquetées BOUILLON DE POU-

LET, le préposé aux livraisons, qui n'était pas au courant, les avait transportées à la cuisine!

Cet incident s'étant produit d'autres fois par la suite, nous nous sommes demandé si les dieux n'essayaient pas de nous dire quelque chose. Notre éditeur nous a alors suggéré de faire un livre de recettes de bouillon de poulet. Après tout, les livres de cuisine étaient des best-sellers perpétuels. Un de ces livres, *In the Kitchen with Rosie,* a été sur la liste des best-sellers pendant plus d'un an! Comme il s'est imprimé plus de deux millions d'exemplaires de *Chicken Soup for the Soul,* son succès commercial était indiscutable. Notre éditeur a dit qu'un de ses distributeurs pourrait vendre 200 000 exemplaires d'un livre de cuisine intitulé *Chicken Soup for the Soul.* Malgré tout, l'idée de préparer un livre de recettes ne nous souriait pas vraiment. Nous n'avions pas rédigé et édité *Bouillon de poulet pour l'âme* à des fins lucratives. Nous avions suivi un élan du cœur pour réunir dans un livre nos histoires les plus touchantes afin de les partager avec plus de gens qu'il serait jamais possible de rejoindre par nos conférences.

C'est alors que notre éditeur a suggéré la possibilité d'un livre de recettes bouillon de poulet par des célébrités — un livre de cuisine par des célébrités avec le poulet comme thème principal. Nous n'étions pas très chauds non plus à cette idée. Que savions-nous sur les livres de cuisine, sur les recettes et sur la nourriture? Avec notre peu d'expérience dans le domaine, quelqu'un pourrait bien proposer une recette qui serait très mauvaise au goût, ou pire. Comment pourrions-nous savoir?

Heureusement pour vous, Patty, la femme de Mark, nous a suggéré d'écrire un livre avec Diana von Welanetz Wentworth, une amie de longue date qui a cosigné six livres de recettes très populaires. Nous connaissions Diana par son travail avec Inside Edge, un groupe qu'elle avait fondé il y a dix ans à Beverly Hills, Californie, et qui se réunissait au petit-déjeuner pour se conscientiser davantage. Elle nous avait demandé de faire partie de son conseil d'administration

avec beaucoup d'autres leaders dans le mouvement du poten-
tiel humain, tels Norman Cousins, Barbara DeAngelis, Ken
Blanchard, Susan Jeffers, Nathaniel Branden, Louise Hay et
Dennis Weaver.

Nous avons donc invité Diana à une réunion, et c'est là
que le bal a commencé. Diana a suggéré l'idée d'un livre
d'histoires émouvantes et drôles axées sur la nourriture et
accompagné d'une recette reliée à l'histoire par son auteur.
Nous avons aussitôt été d'accord. Après tout, nous disions-
nous, nous mangeons trois repas par jour. Autour de la table
pendant les dîners en famille, il s'y passe beaucoup de la vie
— le bon et le mauvais, le douloureux et le joyeux, le positif et
le négatif.

Pendant les repas, il y a eu des histoires racontées, des
journées passées en revue, de la sagesse communiquée, des
leçons apprises, des traditions transmises, des rêves analy-
sés, des chagrins partagés et des problèmes résolus. Les
petits amis venaient à la maison rencontrer les parents, on
annonçait des fiançailles, on tenait des réunions de famille,
on célébrait des fêtes et on mettait en réserve bien d'autres
souvenirs mémorables. Dans la cuisine familiale, il y avait
souvent trois générations qui préparaient ensemble le même
repas. Les recettes secrètes étaient transmises avec soin et
on discutait de sentiments complexes tout en les analysant.
Les biscuits et le lait, au retour de l'école, aidaient enfants et
parents à « revenir sur terre » à la fin de ce qui pouvait avoir
été une journée d'expériences difficiles et de découvertes merveilleuses. La préparation d'un mets favori était souvent une
œuvre d'amour, on mangeait les soupes spéciales que seule
grand-maman préparait dans la sécurité de la maison, et on
consolait plusieurs cœurs blessés avec une tasse de chocolat
chaud de maman. Nous pouvons tous nous identifier aux souvenirs évoqués par l'odeur du pain au four, d'une dinde rôtie
de l'Action de grâce, ou d'une tarte aux pommes fumante.

Soudainement, nous étions tous stimulés par la direction
que le livre avait prise. Encore une fois, nous pouvions créer
un livre qui pourrait parler avec le cœur et du cœur, un livre

qui marquerait profondément les gens de tout âge, de toutes les couches de la société, qui les ferait rire d'eux-mêmes et de la vie, et qui les inspirerait à faire plus d'efforts et à s'exprimer plus pleinement dans la poursuite du bonheur et de la réalisation de soi.

En plus de nous, les auteurs de la série *Bouillon de poulet pour l'âme,* nous avons dressé une liste des auteurs de livres de recettes célèbres, des chefs et des célébrités que nous connaissions mutuellement, et nous leur avons envoyé à chacun une lettre demandant une histoire et une recette pour le livre.

Un mois plus tard, les histoires et les recettes arrivaient en grand nombre. Nous étions surpris et ravis de la profondeur des sentiments, de l'étendue des sujets et des superbes recettes soumises. Nous en avons reçu beaucoup plus que nous pouvions en utiliser. Chez Diana, nous avons passé des journées à lire ces merveilleux récits venus du cœur et des cuisines, et Diana a préparé des plats à partir des recettes reçues. Diana s'est engagée à tester toutes les recettes contenues dans ce livre et nous étions des cobayes tout à fait consentants et satisfaits.

Après avoir nous-mêmes lu et édité toutes ces histoires, et après nous être régalés d'un grand nombre de plats décrits dans le livre, nous savons qu'un vrai régal vous attend en le lisant et en partageant les histoires et les repas avec votre famille et vos amis.

Nous sommes enthousiastes à l'idée de partager ces histoires et ces recettes spéciales avec vous; toutefois, nous devons vous mettre en garde. Tout comme il est impossible de manger ou de préparer toute cette délicieuse nourriture décrite dans ce livre en une seule fois, vous ne devriez pas non plus essayer de lire toutes les histoires d'un seul trait. Il y a beaucoup de matière à digérer dans ce livre — au propre comme au figuré. Prenez votre temps et savourez chaque histoire comme vous le feriez pour chaque repas. Ne vous pressez pas. Que ce livre soit un compagnon et un ami de tous les

jours. Consultez-le quand vous avez besoin d'une caresse chaleureuse, de réconfort, de force ou d'inspiration.

Nous espérons qu'après avoir lu ce livre, vous aurez l'idée
de partager vos anecdotes préférées sur la nourriture, et que
vous y joindrez une recette appropriée. Nous avons tous
connu des moments spéciaux dans notre vie qui nous ont profondément marqués. Nous entrons en contact avec notre
humanité la plus profonde quand nous partageons nos histoires.

Tout comme le cuisinier ou la cuisinière attend des réac-
tions de sa création culinaire, nous souhaitons que vous nous
donniez vos impressions sur ce livre. Nous espérons que vous
l'aimerez autant que nous avons aimé le préparer. Dites-nous
ce que vous en pensez. Et d'ici là… *bon appétit!*

L'introduction de Diana

ॐ

Ce que vous aimez constitue un signe de votre essence supérieure qui annonce ce que vous devez faire.

— Sanyana Roman

Toute ma vie, j'ai ressenti un besoin urgent de partager la nourriture avec d'autres. Enfant, j'aimais aller dans des restaurants avec ma famille. Ignorant que papa payait la note, je pensais que les serveuses étaient des anges qui, par pure bonté, éprouvaient de la joie à nous servir ce que nous voulions. Un jour, quelqu'un m'a demandé ce que je voulais faire plus tard et j'ai répondu : « Une actrice de cinéma ou une serveuse! » Ces deux vocations étaient à mes yeux tout aussi séduisantes et prestigieuses. Comme le veut l'adage, soyez prudents dans vos désirs!

Mon restaurant préféré était Little Joe's, un grand restaurant italien au centre-ville de Los Angeles, près du quartier chinois. Little Joe, le vrai personnage, un homme corpulent et bon, se tenait près de la porte de la cuisine et surveillait la salle. Son aura de satisfaction tranquille m'inspirait un sens indéfinissable de détermination qui, joint à l'amour de maman pour la cuisine, semblait me propulser vers une carrière en service alimentaire. Beaucoup plus tard dans la vie, toutefois, j'ai découvert que l'appel profondément ancré en moi n'était pas vraiment axé sur la nourriture elle-même.

Au début de la vingtaine, j'ai entrepris cinq années de cours de cuisine avec un chef français réputé de Beverly Hills. Par la suite, jeune mère cherchant à me distraire et à m'exprimer, j'ai enseigné dans ma propre cuisine l'art culinaire et celui de recevoir. Dans ces cours au début, il régnait une telle camaraderie et un tel esprit de fête que feu mon mari, Paul, et moi nous sommes construit une carrière d'enseignants, d'auteurs de livres de cuisine et d'animateurs d'une série télévisée. Pendant cette période de 20 ans, je suis, bien sûr, devenue un mélange de serveuse/étoile de cinéma.

Comme il arrive si souvent quand jouer devient un travail, notre passion première s'est émoussée. Finalement, par suite d'une recherche intérieure, Paul et moi avons compris que notre vraie passion toutes ces années avait été celle de recevoir — nous avions le sentiment commun de rassembler des gens que nous aimions.

L'un des résultats surprenants de mes années d'animation avec Paul est que deux êtres spirituels et nobles, Jack Canfield et Mark Victor Hansen, se sont rencontrés, ont uni leurs forces pour écrire *Bouillon de poulet pour l'âme* et sont entrés dans l'histoire de l'édition. Quand ils ont téléphoné un matin pour me dire que leur éditeur croyait qu'il faudrait produire un livre de cuisine et que j'étais la personne avec qui ils voulaient travailler, mon cœur a souri et j'ai dit « OUI! »

Ce fut un pur délice que d'écrire ce livre. Mes six livres précédents ont joué le rôle de répétition pour celui-ci. Dans le processus très agréable de ce travail, l'âme affamée de la petite de cinq ans assise près de Little Joe a trouvé une immense satisfaction.

Le bénédicité

Avant de goûter à quoi que ce soit , rendez grâce.

— Rabbi Akiva

Dire le bénédicité avant un repas, c'est vous bénir, vous, le repas et, plus important, Dieu. Le bénédicité donne l'occasion de se souvenir, cette seconde isolée de remerciement simple et sincère pour les nombreux bienfaits reçus. Plus nous sommes reconnaissants, plus nous aurons raison de l'être...

Un bénédicité exprimé privément est aussi valable qu'un discours solennel, pompeux, ronflant et pontifiant. Peu importe que personne d'autre ne dise le bénédicité avant son repas, c'est une bonne habitude de fermer doucement les yeux, aussi brièvement que ce soit, et de communier ouvertement avec l'Infini.

Un sage m'a enseigné qu'après avoir dit le bénédicité, on devrait se frotter les mains ensemble pour générer ce qu'on appelle « l'énergie thérapeutique », et ensuite ouvrir les mains à l'extérieur du périmètre de la nourriture pour donner cette énergie aux aliments. Il est bien aussi de demander à son soi profond si la nourriture est bonne à prendre. Votre Moi supérieur vous dira quoi éviter. Depuis que j'ai appris cette simple méthode, je n'ai jamais souffert d'empoisonnement alimentaire. Que ce soit de l'intuition ou de la superstition, il semble qu'elle soit efficace dans mon cas et je vous la recommande de tout cœur. Plus vous entraînerez votre conscience et votre Moi supérieur sur les aliments qui sont bons ou non pour vous, plus vous serez en santé, heureux, et mieux vous mangerez.

À travers le livre, nous avons ajouté des bénédicités et des grâces de différentes cultures et traditions spirituelles. Nous vous invitons à les utiliser afin d'approfondir votre conscience et de mieux apprécier l'abondance de la nourriture, l'amitié et l'amour qui circulent dans votre vie.

— *Mark Victor Hansen*

Quelques mots sur les recettes

Les recettes dans ce livre sont entrelacées de souvenirs chers, et elles existent depuis très longtemps, bien avant qu'on sache mieux se comporter par rapport aux gras dans notre diète.

Nous implorons les critiques d'adopter l'idée que certains plats peuvent être si nourrissants pour l'âme que l'amour qu'on y trouve l'emporte largement sur les gras qu'ils contiennent!

Toutes les recettes du livre ont été testées et aucune n'a été modifiée pour lui donner une meilleure valeur nutritive.

1

La cuisine de maman

On ne peut pas faire de grandes choses dans cette vie. On peut seulement faire de petites choses avec beaucoup d'amour.

— Mère Teresa

L'ingrédient le plus indispensable de toute bonne cuisine maison, c'est l'amour envers ceux pour qui vous cuisinez.

— Sophia Loren

Prière
pour notre maison

Dieu miséricordieux,

Dieu de grâce,

Qu'il te plaise de bénir

Cette demeure.

Puissions-nous y trouver

Paix et gestes de bonté;

Puissent la gratitude et l'amour y abonder.

— Norma Woolbridge

La cuisine de Mimi

Diana von Welanetz Wentworth

*Un seul mot nous libère du fardeau et de la souffrance
de la vie : ce mot est amour.*

— Sophocle

Ma mère adorait être dans sa cuisine — c'était son sanc-
tuaire. Comme la plupart des familles de l'époque, nous mangions toujours les mêmes plats qui revenaient en rotation
semi-régulièrement : spaghetti avec sauce tomate, rôti en
cocotte avec pommes de terre en purée et sauce, tarte tamale,
poulet frit avec pommes de terre en purée et sauce, gigot
d'agneau avec sauce à la menthe et pommes de terre rôties à
la poêle (le lendemain, les restes étaient transformés en
agneau au curry), steaks de poulet frit, côtelettes de porc
avec sauce aux pommes maison et crêpes de pommes de
terre, et côtes levées polynésiennes avec ananas, ail et sauce
soja. La répétition ne nous dérangeait pas, car en même
temps que les épices et l'assaisonnement, Mimi ajoutait cet
ingrédient spécial que seule une mère possède : l'amour.

Les moments que nous avons partagés dans la cuisine de
Mimi et les saveurs et arômes de son répertoire de menus
m'ont suivis jusqu'à ce jour. Mimi me mettait un tablier et me
demandait d'écaler les noix et de les hacher pour son fudge
au chocolat (toujours le meilleur), que nous placions dans des
boîtes en métal et conservions dans l'antique commode française bombée de la salle à manger. Mon frère et moi avions la
permission de nous servir.

J'étais par contre la plus heureuse quand maman faisait
sa sauce à spaghetti pour le dîner. Pendant que la sauce
piquante aux tomates mijotait et éclaboussait le dessus de la
cuisinière blanche émaillée, j'en prenais de petites cuillerées
dans une soucoupe, j'ouvrais le congélateur tout près de la

cuisinière et je mettais la soucoupe sur le dessus des légumes congelés (Berk! les fèves de lima), je fermais la porte, et j'attendais impatiemment que la sauce soit assez refroidie pour y goûter. Nous sourions encore aujourd'hui en nous rappelant la fois où j'ai mangé tant de sauce qu'il n'en restait plus assez pour le dîner! J'ai été surprise de ne pas avoir été réprimandée.

J'avais comme tâche de tenir la portion de spaghettis et de la plonger dans l'immense casserole d'eau bouillante (avec un soupçon de beurre en surface pour éviter que l'eau ne renverse); j'aimais regarder les longs brins tomber sur les côtés de la casserole, comme des rayons de soleil.

Il y a quelques années, Mimi m'a donné le plus beau cadeau dont je pouvais rêver. La famille était réunie dans le salon, mais elle et moi étions seules dans la cuisine. Elle m'a pris le bras et a dit : « Viens avec moi, j'ai quelque chose à te dire. » Elle m'a emmenée dans le garde-manger où elle pouvait parler en toute discrétion. Mimi m'a pris les deux mains et m'a regardée dans les yeux. « Écoute-moi bien, chère petite. Tu as été la fille la plus merveilleuse dont une mère puisse rêver. Je suis fière de toi plus que je saurais le dire. Quand je serai partie, je veux que tu me promettes de ne pas passer un seul instant à te sentir coupable à mon sujet! J'ai passé des années à me sentir coupable à propos de ma mère — à propos de choses que je n'ai pas pensé à faire pour elle… aux paroles que je n'ai pas dites. J'ai toujours voulu en faire plus pour elle — je ne savais tout simplement pas comment.

« J'ai décidé que je ne voulais *jamais* que tu te sentes coupable à mon sujet, même pour une seconde. Tu as été parfaite et tu n'as aucune raison de te sentir coupable. Promets-le-moi! »

J'ai promis. Ce moment est devenu l'un des grands trésors de ma vie — absoute par ma mère de tous mes manquements!

Mimi, ma chère maman — sa présence a imprégné chaque instant de ma vie. Elle a maintenant 89 ans. Je crains le jour où je la perdrai, où je ne l'aurai plus près de moi ou qu'elle ne sera plus physiquement disponible. Son esprit, par contre, vivra dans toutes mes actions. De même que sa sauce à spaghetti et le meilleur fudge au monde.

Sauce à spaghetti de Mimi

4 portions

ۑ

Une sauce sans prétention selon les standards actuels. Elle date d'un temps où les herbes fraîches n'étaient pas disponibles partout. Les herbes fraîches peuvent être substituées dans tou-tes ces recettes dans une proportion de trois parties d'herbes fraîches pour une partie d'herbes séchées.

1 gros oignon haché
¼ tasse [50 ml] d'huile d'olive
4 gousses d'ail, coupées en petites tranches
1 boîte [5,5 oz / 156 ml] de pâte de tomates
1 boîte [19 oz / 540 ml] de tomates broyées
1 ½ c. à thé [7 ml] de poudre chili
½ c. à thé [2 ml] de basilic séché

¼ c. à thé [1 ml] de thym séché
1 feuille de laurier
Sel et poivre
Spaghettis au beurre (préparés avec 16 oz [500 g] de pâtes sèches) ou autres pâtes de votre choix
Parmesan fraîchement râpé pour servir

1. Dans une grande casserole en acier inoxydable ou dans une poêle en fonte émaillée, sauter l'oignon dans l'huile d'olive jusqu'à ce qu'il commence à brunir. Ajouter l'ail et sauter briè-vement. Ajouter en brassant le reste des ingrédients, sauf les pâtes et le parmesan.

2. Faire mijoter la sauce à feu doux pendant 30 à 45 minutes ou jusqu'à obtention de la consistance voulue. Saler et poivrer au goût. Servir sur des spaghettis au beurre et sau-poudrer de parmesan.

Fudge à l'ancienne de Mimi

Une livre [500 grammes]

~~

Mimi avait tellement de talent qu'elle pouvait quadrupler la recette dans une grande casserole. Nous vous suggérons de pratiquer en suivant tout d'abord la recette telle que donnée ici. Elle devient plus facile à faire avec l'expérience.

Beurre pour le moule
¾ tasse [175 ml] de lait
2 carrés [55 g] de chocolat
   Baker non sucré
1 tasse [250 ml] de sucre
1 c. à table [15 ml] de sirop
   de maïs

⅛ c. à thé [1 pincée] de sel
2 c. à table [30 ml] de beurre
1½ c. à thé [7 ml] de vanille
½ tasse [125 ml] de noix
   hachées

1. Beurrer un moule à gâteau carré de 8 ou 9 po [20 ou 23 cm]. Combiner le lait et le chocolat dans une casserole épaisse de 4 litres; brasser à feu doux jusqu'à ce que le chocolat soit fondu. Ajouter le sucre, le sirop de maïs et le sel; brasser sans arrêt sur feu moyen-fort jusqu'à ce que le sucre soit dissous. Dès que le mélange commence à bouillir, cesser de brasser. Utiliser un chiffon mouillé pour enlever tous les grains de sucre qui ont adhéré à la paroi intérieure de la casserole. Diminuer la chaleur, insérer un thermomètre à bonbons et faire bouillir doucement, sans brasser, jusqu'à ce que la température du thermomètre atteigne 234°F [112°C] (boule molle).

2. Retirer la casserole du feu et la déposer sur une grille sans brasser. Ajouter doucement le beurre et la vanille sur le dessus du mélange et laisser le fudge refroidir sans brasser jusqu'à ce que le thermomètre indique 110°F [45°C]. Enlever le thermomètre, ajouter les noix hachées et commencer à battre le mélange avec une cuillère de bois. Quand le fudge commence tout juste à perdre son aspect brillant et qu'il épaissit, le verser rapidement dans le moule. À l'aide d'une spatule, étendre rapidement le mélange vers les coins et laisser reposer — si vous le remuez trop, le fudge ne sera pas crémeux.

3. À l'aide d'un large couteau trempé dans l'eau chaude, découper le fudge en 36 carrés ou plus. Laisser refroidir complètement et couper de nouveau. Entreposer dans un contenant hermétique. Pour un meilleur goût et une meilleure texture, entreposer le fudge à la température de la pièce pendant 24 heures avant de servir.

Que jamais personne ne vienne vers vous sans repartir meilleur et plus heureux.

Mère Teresa

Conseil d'une mère

Chris Cavert

*Un aliment n'est pas nécessairement essentiel pour la
simple raison que votre enfant le déteste.*

— Katherine Whitehorn

Il n'y a toujours eu que maman et moi. À l'époque, certains auraient pu dire que j'étais malchanceux. D'autres
auraient pensé : « Ce garçon a besoin d'un père. » Je ne me
souviens pas d'avoir éprouvé de problème quant à la situation, et si j'en ai eu, ma mère doit m'avoir aidé à passer à travers sans séquelles. En y repensant maintenant, j'en suis
venu à comprendre tout ce qu'elle m'a enseigné et combien
j'ai utilisé ses conseils dans mon travail auprès de nombreux
jeunes.

Je me souviens d'une des premières fois où j'ai compris le
plus important conseil qu'elle m'a jamais donné. Nous avions
déménagé à une cinquantaine de kilomètres au nord d'une
grande ville, ce qu'à l'époque nous appelions « la campagne ».
Je me rappelle quand nous avons eu notre premier réfrigérateur avec congélateur. Nous étions impatients de faire des
glaçons. Maman et moi mettions de l'eau très tôt et nous véri-
fiions l'évolution de temps en temps, jusqu'à ce que la transformation en glace s'opère. Quel régal pour nous ! Maman ne
tenait jamais pour acquis les choses simples de la vie.

Une fois, je suis rentré à la maison affamé alors que
maman essayait de nouvelles recettes. Je sentais une odeur
différente dans la cuisine. Mais maman refusait de dire ce
qu'il y avait dans le chaudron. Je pouvais voir ses merveilleux
muffins aux dattes et au son lever dans le four, ceux qu'elle
faisait souvent pour accompagner le plat principal. (Je crois
qu'elle les faisait comme mesure de sécurité au cas où le plat
principal ne soit pas réussi, parce que les muffins étaient tou-

jours parfaits.) Je me suis installé près de la cuisinière au moment du dévoilement. Quand j'ai vu, j'ai pensé : « Pour l'amour, qu'est-ce que c'est ça? » pendant que je disais : « Qu'est-ce que c'est? » d'un ton qui, j'en suis certain, ma mère n'a pas apprécié. « Un potage aux choux-fleurs », a-t-elle répondu.

Je ne voulais certainement pas y goûter. « Y a-t-il autre chose? » ai-je demandé.

« Non, m'a-t-elle répondu calmement. Je veux que tu y goûtes. Si tu ne l'aimes pas, tu n'es pas obligé de le manger. Mais il ne faut jamais dire que tu n'aimes pas quelque chose si tu n'y as jamais goûté. »

Je me souviens d'avoir pleuré et fait une scène plutôt ridicule pendant ce qui m'a semblé un long moment, mais ma mère n'a jamais cédé. Mon estomac a dû gagner la bataille sur mon cerveau parce que j'ai lentement pris la cuillère, je l'ai trempée dans la substance laiteuse et grumeleuse, et j'y ai goûté. C'était très bon. (Si un de mes amis avait été là, toutefois, j'aurais dit que je détestais cela après toutes mes simagrées!)

Encore aujourd'hui, le potage aux choux-fleurs et les muffins aux dattes et au son de maman sont toujours mes mets favoris. Le conseil de maman à propos de ne pas aimer quelque chose avant d'y avoir d'abord goûté est une règle que j'observe, pas seulement avec la nourriture mais avec des expériences d'emploi, des voyages, des amis, et mes projets et rêves d'avenir. Je n'ai pas peur de faire de nouvelles expériences parce que je sais que, plus souvent qu'autrement, j'en profiterai. De plus, il y a toujours les muffins aux dattes et au son pour me dépanner.

Potage aux choux-fleurs

6 portions (8 tasses/2 litres)

*1 chou-fleur moyen, séparé
 en bouquet*
4 c. à table [60 ml] de beurre
*⅔ tasse [150 ml] d'oignons
 hachés finement*
2 c. à table [30 ml] de farine
*2 tasses [500 ml] de bouillon
 de poulet*

*2 tasses [500 ml] de crème
 légère (moitié / moitié)*
Sel au goût
*½ c. à thé [2 ml] de sauce
 Worcestershire*
Fromage cheddar râpé
*Ciboulette fraîche pour
 garnir*

1. Faire cuire le chou-fleur dans assez d'eau bouillante salée pour couvrir, jusqu'à ce qu'il soit tendre; égoutter et conserver le liquide. Dans un grand chaudron, faire fondre le beurre sur feu doux. Ajouter les oignons et sauter jusqu'à ce qu'ils soient tendres et transparents.

2. Ajouter la farine, cuire une minute ou deux et verser le bouillon de poulet. Cuire sur feu moyen en brassant constamment jusqu'à ébullition. Ajouter une tasse du liquide réservé du chou-fleur, la crème légère, le sel et la sauce Worcestershire, puis ajouter le chou-fleur.

3. Juste avant de servir, amener la soupe au point d'ébullition, retirer du feu et incorporer du cheddar râpé au goût. Servir dans des bols en ajoutant encore du fromage râpé et un peu de ciboulette fraîche ciselée.

Muffins aux dattes et au son

18 muffins

1 tasse [250 ml] de son
½ tasse [125 ml] de beurre
1 ½ tasse [375 ml] de sucre
2 œufs
2 tasses [500 ml] de
    babeurre
2 ½ tasses [625 ml] de farine

2 ½ c. à thé [12 ml] de
    bicarbonate de soude
2 tasses [500 ml] de céréale
    All Bran
1 à 2 tasses [250 à 500 ml]
    de dattes dénoyautées,
    hachées (au goût)

1. Préchauffer le four à 400°F [205°C]. Dans un petit bol, mettre le son et verser dessus une tasse [250 ml] d'eau bouillante. Dans un grand bol, défaire le beurre en crème avec le sucre. Ajouter les œufs et bien mélanger. Ajouter le babeurre, le mélange de son refroidi, la farine et le bicarbonate de soude en mélangeant bien. Incorporer le All Bran dans le mélange. Ajouter les dattes hachées à la pâte.

2. Mettre des coupes en papier dans les moules à muffins; remplir les moules au ⅔. Cuire de 15 à 20 minutes. Le surplus de pâte peut être couvert et réfrigéré jusqu'à trois semaines — l'utiliser pour faire seulement la quantité nécessaire de muffins à chaque repas.

La recette de gâteau aux fruits

Gino Sky

Pour cuisiner avec réussite et bonheur, il faut plus que du savoir-faire; il faut y mettre le cœur, exiger beaucoup des papilles gustatives et avoir de l'enthousiasme et un grand amour de la nourriture pour lui donner vie.

— Georges Blanc
tiré de *Ma cuisine des saisons*

Après le quatre-vingtième anniversaire de ma mère, j'ai décidé que sa fameuse recette de gâteau aux fruits ne devrait pas tomber dans l'oubli. Je savais qu'elle l'avait dans sa tête ou, comme elle le disait, elle « la savait par cœur ». Elle avait une mémoire photographique, ce qui lui permettait une grande liberté dans sa façon de faire la cuisine. J'ai compris qu'il ne serait pas facile de lui extirper cette recette, mais il me fallait essayer.

J'ai pris quelques jours de congé à mon travail et j'ai conduit de San Francisco jusqu'à Pocatello, en Idaho. C'était un voyage de 12 heures, où il fallait traverser en grande partie le désert élevé et semi-aride du Nevada, mais j'avais une mission et le temps passait rapidement pendant que j'essayais de me souvenir le plus possible de ma mère, une femme qui avait quitté son foyer à six ans parce qu'elle n'aimait pas la façon dont sa propre mère tenait la maison.

Il était 21 h quand je suis arrivé à notre maison familiale, sur les rives de la rivière Porneuf. Comme toujours, elle était dans la cuisine. Elle venait de faire cuire six douzaines de petits pains à la cannelle pour des amis qui étaient en maison de retraite. J'ai hésité à lui faire ma demande, mais j'avais une mission. Papier et crayon à la main, je lui ai demandé sa recette de gâteau aux fruits. Elle a regardé l'horloge au mur. « C'est trop long », a-t-elle répondu.

« Je veux juste la recette, maman, pas le gâteau. »

« Je ne peux pas à moins de faire le gâteau », a-t-elle dit fièrement.

« Fais semblant que tu le fais », lui ai-je suggéré.

Elle m'a regardé comme si mon QI avait perdu 50 points en passant par le Nevada. « D'ici à ce que je réussisse à m'en rappeler, nous pourrions les avoir faits. » Elle a regardé l'horloge. « Tu essaies toujours de prendre le chemin le plus facile, voilà ton problème. »

« Mon problème, ai-je dit, est que j'aime beaucoup ton gâteau aux fruits, et j'aimerais avoir la recette avant que tu t'envoles vers ton fandango céleste. »

« On appelle cela le ciel », m'a-t-elle corrigé.

« Quant à moi, dis-je, un ranch de bovins à Tahiti me suffirait. »

« Et nettoyer les stalles célestes sera ta récompense si tu ne changes pas ta façon de vivre », a-t-elle riposté sans hésitation. Elle aimait le défi — c'était un test pour sa vivacité mentale — ou, comme elle préférait dire, sa *supériorité féminine intellectuelle*.

Sans crier gare, elle avait déposé sur le comptoir deux grands bols à mélanger, de la farine et du sucre. « Hé, attends », lui ai-je crié.

Elle a ouvert une boîte d'ananas de 14 onces [398 ml]. « L'un des secrets, a-t-elle dit, c'est de confire tes propres ananas. »

« Avec des ananas en conserve? » l'ai-je mise au défi, en prenant la boîte après qu'elle en eut vidé le contenu dans une casserole en acier inoxydable.

« Nous sommes en Idaho, pas en Californie », a-t-elle répliqué, en envoyant un crochet gauche à mon État d'adoption.

« Nous n'avons pas d'ananas frais au magasin des alcools ouvert jour et nuit. »

« D'ailleurs, tu n'as pas non plus beaucoup de magasins d'alcool. »

« Dieu soit loué… »

« Bon », ai-je dit, en écrivant *ananas en conserve,* « c'est le premier secret de ton gâteau aux fruits primé. »

« Maintenant, ajoute une tasse et demie [375 ml] de sucre aux ananas et laisse mijoter jusqu'à la réduction de presque tout le jus. Tu verses ce qui reste sur les fruits secs. »

Le téléphone a sonné et ma mère a dit à la personne au bout du fil que son fils l'avait réquisitionnée pour faire un gâteau aux fruits. Elle serait probablement debout une bonne partie de la nuit. Dès qu'elle a eu raccroché, elle m'a demandé : « Quand es-tu allé à l'église la dernière fois ? »

D'un air enjoué, j'ai croisé deux cuillères de bois et je les ai tenues devant moi. « Je suis toujours à l'église », ai-je répondu en citant Thoreau.

« Tu donnes cette même excuse depuis des années. »

« Ça a marché pour lui… »

« C'est ton problème », a-t-elle répondu tout en déposant quatre bâtonnets de beurre sur le comptoir, « tu crois que Dieu est partout pour ne pas avoir à Le chercher. » Elle a secoué la tête. « Tu te retrouveras au plus bas niveau du ciel avec ton Henri David et les Unitariens. Ils ne peuvent pas déterminer si Dieu est une rainette ou un silencieux d'automobile. » Heureuse de son analogie, elle m'a tendu la boîte de beurre vide. « Rempli cette boîte avec ces très bonnes dattes, c'est la quantité que j'utilise. »

J'essayais de ne pas rire en remplissant la boîte. « Quelles sortes de dattes ? » ai-je demandé.

« Bien, tu sais… les dattes chères… de Californie, c'est le secret. » C'était la première fois qu'elle cherchait ses mots.

« *Medjool* », ai-je marmonné, et je l'ai écrit en ajoutant entre parenthèses *chères*.

« Je ne faisais que te tester », s'est-elle empressée d'ajouter, comme si elle voulait se protéger. Elle m'a remis un couteau qui ressemblait à une petite machette. « Tu peux hacher les dattes. »

Ensuite, elle a déposé une casserole d'eau moyenne sur la cuisinière et y a versé un sac d'amandes écalées. « Ce n'est pas nécessaire d'en mettre, je veux juste vider le réfrigérateur. » En haussant les épaules, elle a ajouté : « Ce n'est donc pas nécessaire que tu saches combien il faut d'amandes. »

« Il faut nettoyer le réfrigérateur ?

Elle a acquiescé. « Tout doit être nettoyé. »

J'ai noté *amandes blanchies* avec des points d'interrogation sur toute la page. Elle a mis environ deux tasses [500 ml] de noix sur la planche à découper. Pendant que je les hachais, j'ai pensé à ma mère, qui avait quitté la maison à six ans. J'essayais de m'imaginer cette petite fille avec ses bagages, debout parmi les roses trémières pendant que ma grand-mère essayait de deviner de quelle planète elle était tombée. Même en ce temps-là, ma mère savait comment elle voulait que soit le monde — pacifique, serein, aucune mauvaise herbe en vue, chaque maison repeinte au moins une fois par année. Ce n'était qu'un début.

« Tu pourrais m'apporter le tamis à farine », dit-elle pendant que l'image de la petite fille faisait place à une belle dame de 80 ans. Elle était svelte et ses cheveux courts ondulés commençaient seulement à grisonner. Elle parlait de son dernier prétendant, décédé récemment du cancer du foie.

« Est-ce que c'était l'Homme aux Fruits ? » lui ai-je demandé. Elle nommait ses prétendants d'après leur métier, leur apparence ou leur comportement. Il y avait l'Homme aux Trains, l'Oie mal dégrossie, Mahatma Gandhi, l'Homme à la Cadillac, l'Homme aux Fruits. Elle aimait l'Homme aux

Fruits plus que les autres, et parfois elle allait jusqu'à l'appeler son Homme aux Pêches.

« Il avait de si beaux fruits, et il m'en apportait toujours une grande variété. » Elle s'est arrêtée, m'a regardé comme si elle examinait mon apparence, puis elle a continué : « Mais il était beaucoup trop vieux. »

« Quel âge avait-il? »

Elle a hésité puis, avec son plus beau sourire, elle a dit : « Quatre-vingt-un ans. » Elle s'est approchée davantage. « Mais tu sais, il y a une grande différence entre un homme de quatre-vingt-un ans et une femme de quatre-vingts ans. »

« Dans ma tête, c'était évident… »

Elle a poursuivi son histoire. « Quand il insistait pour que nous nous marions, je priais et priais afin que quelque chose le fasse changer d'idée. Un mois plus tard, il mourait du cancer du foie. »

Elle n'a même pas levé la tête. Elle n'a même pas souri. Ses prières avaient été exaucées. Comme ça. *Voilà!* Je suis allé au fond de la cuisine. « S'il vous plaît, Mme… Sky, cessez de prier pour moi. »

« Tu es un cas désespéré », a-t-elle répliqué, tout en essuyant de la farine renversée. Elle a regardé l'horloge. « Mon Dieu! Regarde l'heure. Je suis épuisée. Tu entreprends toujours de tels projets alors que nous devrions dormir. » Elle a versé les ananas confits dans une casserole en cuivre où des fruits séchés cuisaient à la vapeur. « Voici maintenant le vrai secret », a-t-elle ajouté, tout en s'emparant d'un pot de marmelade d'oranges maison. « Cela les rend dingues. »

« Combien de trucs te faut-il? » lui ai-je demandé.

Elle a vidé le contenu du pot dans les fruits, puis a agité le tout avec une cuillère de bois, comme si c'était une baguette magique. « À mon âge, autant que possible. » Elle a commencé à tamiser la farine.

« Quelle sorte de farine mets-tu ? » lui ai-je demandé. Quand nous étions jeunes, la farine blanche était interdite chez nous.

Elle m'a montré le paquet. « Tu vois, c'est juste de la farine. »

« Je me rappelle du temps où tu ne voulais même pas nous laisser faire de la colle à papier avec de la farine blanche. »

« Tu n'as jamais manqué un jour d'école, non plus. » Encore une fois, elle a agité la cuillère comme si le Génie de la santé me bénissait. « N'oublie pas le yogourt que nous avons fait. »

« Exact, quand tous mes amis mangeaient de la crème glacée, nous ne pouvions prendre que du yogourt nature. » Je me suis frappé la poitrine.

Elle a agité le doigt, s'arrêtant au troisième coup. « Ils meurent tous de congestion des muqueuses et de durcissement des artères. »

« T'as raison, maman ! »

Elle a réglé le four à 300 °F [150 °C] et a commencé à mélanger le beurre mou avec le sucre brun. J'ai séparé les jaunes d'œufs des blancs.

« Dès que ces gâteaux seront au four, je vais tailler ta barbe. »

« Je l'ai fait avant de partir. »

« Je suis bien éveillée », a-t-elle poursuivi.

« Tu devrais peut-être aller dehors tailler tes arbres. »

Elle a ri de cette blague familiale. Lors d'une visite précédente, j'avais dit que ses arbres semblaient avoir été taillés par un professionnel. Elle a répliqué fièrement : « Je les ai taillés moi-même et, tu sais, j'ai dû me lever à quatre heures du matin parce que, si les voisins m'avaient vue sur ce vieil escabeau branlant, ils auraient voulu m'aider. Et tu sais comme moi qu'ils ne savent pas du tout comment tailler des arbres. »

Plusieurs fois, je l'avais surprise à tondre le gazon des voisins. Elle ne s'embarrassait même pas de demander la permission. Armée d'une tondeuse, de râteaux et de sécateurs, elle se déplaçait comme un envahisseur allemand. « La voici! disaient-ils à la blague. C'est comme en Pologne. » Elle prétextait qu'il fallait éviter que le voisinage ne tombe en ruine.

Elle a commencé à mélanger le beurre, le sucre brun et les jaunes d'œufs dans la farine. « Un tout petit peu à la fois, » a-t-elle dit, pour ensuite se retourner et ouvrir le réfrigérateur. « Oh! j'ai oublié les cerises. Où sont-elles? Elle s'est mise à genoux et a regardé dans le bas du réfrigérateur. « Regarde-moi ce désordre. » Le réfrigérateur était plein. Elle en avait un autre aussi plein au sous-sol. Je les appelais les réfrigérateurs duellistes.

J'ai demandé d'un ton suffisant : « Penses-tu à tous ceux qui se meurent de faim en Chine? »

« Attends. Au nouveau millénaire, tu me supplieras de te laisser entrer. »

« Comme dans la fable d'Ésope à propos de la sauterelle et des fourmis, non? »

« Ce ne sera pas comme dans Disney, c'est sûr et certain », a-t-elle répliqué. Encore une fois, elle a agité son doigt. « Tu *connais* très bien la différence. »

« Oui, maman, ai-je répondu. Dans Disney, la sauterelle joue le premier violon pour les Boston Pops, économise son argent et finit esclave du sexe pour une horde de Fourmis Déesses africaines. Mais dans la fable d'Ésope, c'est un fainéant qui se fait arrêter parce qu'il est musicien de rue. Il finit en prison et épouse Leona Helmsley. »

Elle a approuvé de la tête. « Ça, c'est une punition! »

Elle a repéré les cerises au fond du réfrigérateur et m'a lancé le pot. Toujours à genoux, elle a regardé avec dégoût le plancher de vinyle. « Regarde-moi ce plancher! »

Le linoléum datait de plus de 25 ans et il avait toujours l'air neuf. « Oui, ai-je dit, c'est épouvantable. »

De l'armoire, elle a sorti une bouteille d'extrait de jus de citron et l'a tenue dans la paume de sa main. « Voici maintenant le vrai secret, dit-elle. Ça les rend dingues. » Elle a vidé le contenu dans la pâte. « Plus il y en a, mieux c'est. » Elle m'a tendu le bol à mélanger et a commencé à tapisser les moules à pain avec du papier paraffiné. « Je n'ai jamais aimé le gâteau aux fruits, confessa-t-elle, mais tout le monde semble aimer le mien. »

Stupéfait, je l'ai regardée. Ma mère, la Vénusienne. Elle avait grandi dans le sud de l'Utah avec à peine de quoi manger, un père qui buvait trop, et Dieu seul sait quoi d'autre. La plus jeune de sept enfants, elle avait quitté la maison à six ans, et à 27 ans, elle avait marié mon père, le voyageur de commerce — un drogué de pêche à la mouche qui a quitté le foyer pour de bon quand j'avais huit ans. S'il lui manquait, elle ne l'a jamais fait voir. C'était comme « Bon, où est-il allé cette fois? » Elle avait ses enfants et il était temps de s'occuper de sa vie. C'était tout comme les gâteaux aux fruits — elle les faisait dans un but plus élevé et seuls elle et les dieux du gâteau aux fruits savaient ce que cela voulait dire. J'ai pensé à la phrase de Bob Dylan, *C'est une artiste, elle ne regarde pas en arrière.*

Quand tout a été bien mélangé, j'ai versé la pâte dans les moules, je les ai mis au four et j'ai commencé à lécher le bol. Il était passé minuit et dans six heures, elle serait au travail au temple à Idaho Falls, à 80 kilomètres d'ici. Je l'enviais presque. Pas sa destination mais la façon dont elle faisait tout. C'était sa façon spéciale à elle, et j'avais toujours l'impression de faire partie d'un bol sacré rempli des vrais ingrédients de la vie.

Après avoir nettoyé la cuisine tous les deux, elle m'a demandé de sortir les gâteaux du four à 1 h 30. Elle a admis qu'elle était fatiguée. Moi aussi, mais je me sentais par contre victorieux. Elle m'a tiré la barbe. « Non seulement tu as la recette des gâteaux aux fruits, mais tu en as deux pour rapporter avec toi. »

Je lui ai serré les mains et je l'ai embrassée sur le front. « J'ai l'impression d'être allé sur la montagne sacrée. »

« J'espère que tu enlèveras des mauvaises herbes en montant. » Encore une fois, le doigt s'est agité.

« J'ai désherbé en montant et j'ai planté des fleurs en descendant. Comme tu me l'as dit. »

« Je reconnais là mon fils... »

Je me suis assis avec les gâteaux, comme s'ils étaient mes enfants — les enfants du gâteau aux fruits portant en eux 80 années de vie. J'étais décidé à les protéger, quoi qu'il arrive. Un jour, mes filles pourraient demander la recette et peut-être, tout comme grand-maman Linda, je pourrais la faire par cœur.

C'était là le secret.

Gâteau aux fruits de grand-maman Linda

2 gâteaux

ટ**ે**

1 boîte [19 oz / 540 ml] d'ananas en morceaux avec le jus
1 ½ tasse [375 ml] de sucre blanc
1 livre [454 g] de dattes, coupées en morceaux
1 livre [454 g] de mélange de fruits confits
2 tasses [500 ml] de noix, hachées grossièrement
2 tasses [500 ml] de raisins secs dorés
13 oz [390 g] de cerises confites
1 livre [454 g] de beurre (ou moitié beurre et moitié margarine)

2 tasses [500 ml] de sucre blanc
6 œufs
5 tasses [1,25 l] de farine blanche
1 c. à thé [5 ml] de sel
1 c. à thé [5 ml] de bicarbonate de soude
1 c. à thé [5 ml] de poudre à pâte
1 oz [30 ml] d'extrait de citron
1 tasse [250 ml] de marmelade d'oranges (facultatif — voir Note)

Note : *Maman avait omis cet ingrédient dans la nouvelle recette; il y a deux ans, c'était « un des secrets ». Si le mélange de fruits confits n'est pas disponible, utiliser des pommes fraîches coupées finement ou utiliser deux boîtes d'ananas au lieu d'une.*

1. Préchauffer le four à 300°F [150°C]. Tapisser deux moules à pain de 9 x 5 po [23 x 12 cm] de papier paraffiné. Mettre les morceaux d'ananas avec le jus dans une casserole de 1 ½ pinte [1,5 l]. Cuire à feu doux avec 1 ½ tasse [375 ml] de sucre blanc. Quand le sirop d'ananas épaissit, verser sur les dattes, les fruits confits, les noix, les raisins et les cerises confites. (Garder quelques cerises et noix pour mettre sur le dessus des gâteaux avant de les faire cuire.)

2. Tamiser ensemble la farine, le bicarbonate de soude, la poudre à pâte et le sel. Mettre en crème le beurre et 2 tasses [500 ml] de sucre. Séparer les œufs (mettre les blancs dans un bol sans gras pour être battus plus tard) et ajouter les jaunes d'œufs battus, la farine et l'extrait de citron (et la marmelade d'oranges, si désiré).

3. Combiner la pâte et la préparation de fruits et bien mélanger. Battre les blancs d'œufs jusqu'à ce qu'ils forment des pics fermes quand le batteur est soulevé, et les incorporer dans le mélange.

4. Mettre la pâte dans les moules préparés. Décorer le dessus avec les noix et les cerises réservés. Mettre au four dans un contenant peu profond rempli d'eau, sur la grille du bas. Cuire pendant 1½ heure. (Vérifier après une heure, puisque la température des fours varie.)

Le crabe du Maryland de Mary Ann

Anne Cooper Ready

Mes vacances d'été sur les rives du Maryland dans un village côtier appelé Easton comptent parmi mes meilleurs souvenirs de famille. Chez nous, on déménageait souvent. Quand nous n'habitions pas un endroit, nous le visitions… et nous y goûtions. Mon père avait pour philosophie : « Goûtez-y, vous pourriez aimer ça. »

Les crabes sont à la côte est du Maryland ce que sont les palourdes à la Nouvelle-Angleterre, les conques aux Bahamas, les huîtres à la Nouvelle-Orléans et le rôti de bœuf à Kansas City. Nous aimions surtout le Maryland et son Blue Crab! On l'appelait ainsi à cause de la couleur des pattes du mâle avant de le faire bouillir. Pêcher le crabe est un passe-temps local — qui se fait d'une façon tout à fait non conventionnelle.

On peut le pêcher pieds nus sur un quai. Tout ce qu'il faut est un cou de poulet cru attaché au bout d'une corde et plongé dans l'eau. Quand les crabes s'en approchent, l'attrapent et commencent à le mordiller, vous tirez doucement la corde hors de l'eau afin de les saisir dans votre filet avant qu'ils ne lâchent prise. Ensuite, vous les mettez dans un seau d'eau ou un panier où ils poussent des cris et s'agrippent jusqu'au moment de les faire bouillir.

Je commençais au lever du jour pendant ces longues journées reposantes des vacances d'été. Quelques cous de poulet duraient toute la matinée; je pouvais attraper une bonne quantité de crabes avant le repas du midi. Ma mère les faisait cuire dans une casserole d'eau bouillante assaisonnée. Et quand on ne les entendait plus se plaindre, ils étaient prêts. On soulevait le couvercle et les crabes étaient rouge vif et bouillants, prêts à être décortiqués et mangés sur une table à pique-nique recouverte de papier journal et arrosés de chopes de bière. Chacun avait sa façon favorite de manger ces crabes fraîchement bouillis. Certains décortiquaient une grande quantité de chair de crabe et en trempaient une pleine fourchette dans du beurre fondu. D'autres trempaient chaque morceau chaud et succulent avec leurs doigts aussitôt qu'ils avaient enlevé la carapace.

Nous réservions ce que nous ne pouvions pas manger pour les meilleures recettes de maman, qui lui venaient des gens de la place et qu'elle testait dans sa cuisine. Le Crab Claw, un restaurant local qui avait son quai pour les bateaux (même pour ceux qui venaient chercher des mets à emporter), ne pouvait pas égaler le Crabe impérial de Mary Ann Cooper ou sa Trempette au crabe.

Le travail d'une mère n'est jamais terminé. Tôt les jours d'été, quand je travaillais sur l'équipe du déjeuner, elle me réveillait, me servait le déjeuner et avant que le premier client arrive, elle me conduisait au Crab Claw, vêtue d'un tablier qu'elle avait lavé, blanchi, amidonné et repassé la veille. Parfois, elle emmenait même mes frères et sœurs plus jeunes pour le dîner. Ils étaient mes meilleurs clients.

Quand je suis partie pour la Californie, elle m'a donné une boîte de découpages remplie de ses recettes favorites. Voici deux des meilleures.

Pour elle, la maternité est un travail d'amour. Elle nous a enseigné le sens du vieil adage : « Donnez-leur du poisson et ils mangeront une fois, enseignez-leur à pêcher (ou à cuisiner) et ils mangeront toute leur vie. » À ce jour, Mary Ann expérimente toujours des recettes sur Papa Joe. De sa cuisine à la vôtre, avec amour. Goûtez-y, vous pourriez aimer ça!

Trempette au crabe de Mary Ann

6 à 8 portions

16 oz [500 g] de fromage à la crème

1 tasse [250 ml] de crème sûre

1 tasse [250 ml] de fromage cheddar râpé, divisé

¼ tasse (50 ml] de mayonnaise

2 ou 3 c. à thé [10 ou 15 ml] de sauce Worcestershire

1 c. à thé [5 ml] de moutarde de Dijon

½ c. à thé [2 ml] de jus de citron

2 à 3 pincées de sel d'ail

Sel et poivre au goût

1 lb (454 g] de chair de crabe frais ou en conserve, trié pour enlever tout cartilage ou carapace (voir Note)

Biscuits salés ou croustilles pour tremper

Note : *Si le crabe frais n'est pas disponible sur le marché, utiliser une bonne qualité de crabe en conserve et le goût sera presque aussi bon.*

1. Préchauffer le four à 350°F [175°C]. Dans le bol d'un mélangeur électrique, combiner le fromage à la crème, la crème sure, ½ tasse [125 ml] de fromage cheddar râpé, la mayonnaise, la sauce Worcestershire, la moutarde, le jus de citron et le sel d'ail. Saler et poivrer au goût. Bien mélanger. Incorporer la chair de crabe et verser dans un plat à cuire au four.

2. Saupoudrer le dessus avec l'autre moitié du cheddar râpé. Cuire pendant 30 à 40 minutes jusqu'à ce que ce soit chaud et bouillonnant. Servir avec des biscuits salés ou des croustilles pour tremper.

Crabe impérial de Mary Ann

Donne 6 portions

1 livre [454 g] de chair de
   crabe fraîche ou en
   conserve
½ tasse [125 ml] de
   mayonnaise
3 à 4 c. à table [45 à 60 ml]
   de sauce Worcestershire,
   ou au goût

¼ tasse [50 ml] de piments
   hachés, en pot
⅛ c. à thé [0,5 ml] de
   moutarde sèche
¼ à ½ tasse [50 à 125 ml] de
   crème légère
   (moitié-moitié)
Sel et poivre au goût
Paprika

1. Préchauffer le four à 400°F [205°C]. Dans un bol à mélanger, combiner la chair de crabe, la mayonnaise, la sauce Worcestershire, les piments et la moutarde sèche. Mélanger bien. Ajouter assez de crème légère pour obtenir la consistance d'une sauce. Assaisonnez au goût avec le sel et le poivre.

2. Déposer à la cuillère la sauce au crabe dans des plats individuels ou dans des coquilles et saupoudrer légèrement le dessus avec du paprika. Cuire pendant 10 à 15 minutes jusqu'à bouillonnant. Servir comme entrée.

Nous avons tous la nostalgie des mets de chez nous. Chacun éprouve de la nostalgie pour la simplicité et le bon goût des mets que nous savourions autrefois à la ferme ou dans le village natal que nous avons quitté.

— Clementine Paddleford

2

Souvenirs d'enfance

Un grand homme est celui qui n'a pas perdu son cœur d'enfant.

— Mencius

La richesse de la vie repose dans nos souvenirs oubliés.

— Cesare Pavese

Dieu est grand

Dieu est grand, et Dieu est bon,
Et nous Le remercions pour notre nourriture,
Sa main nous nourrit tous;
Merci, Seigneur, pour notre pain quotidien.

— Auteur inconnu

Mon Dieu, merci pour tout

Merci pour le monde si agréable,
Merci pour la nourriture que nous mangeons.
Merci pour les oiseaux qui chantent,
Merci, mon Dieu, pour tout.
Amen.

— Auteur inconnu

La légende
de Gus Œil-de-verre

Mike Buettell

Il ne faut pas avoir peur de la vie.
Il faut seulement comprendre.

— Marie Curie

C'était en juillet 1959 et mon comparse John Latta et moi en étions à notre cinquième journée consécutive de « CC » (corvée de cuisine) au camp scout Wolverton dans les hautes Sierras de Californie. Nous avions mérité les deux premiers jours de service CC en plaçant des tablettes de chocolat tout autour de la tente de notre chef d'équipe en attendant qu'un ours vienne rôder. Le troisième jour nous a été imposé parce que nous avons lancé des pétards sur une troupe voisine. Le quatrième jour, c'est parce que nous avons été pris avec une cigarette (nous n'avons jamais appris à inhaler). Le cinquième jour, ce fut le bouquet — nous avons servi un immense gâteau à la vanille aux autres scouts, dans lequel nous avions caché un vieux soulier de tennis. Nous étions les mauvais garnements de la Troupe 106 !

« Ma bande de petits vauriens, vous vous croyez drôles, n'est-ce pas ? » a rugi Tommy, le cuisinier du camp — notre nouveau conseiller avec qui nous passions maintenant 24 heures par jour. « Juste des farces et des tours — bah — les Guides font ça. Vous êtes des bébés et vous n'avez pas le courage de réaliser quelque chose de vraiment gros. »

John et moi savions reconnaître un défi quand il se présentait. Notre orgueil de pré-adolescents salivait à la possibilité d'une vraie réputation dans tout le camp. « De quoi parles-tu, Tommy ? » a demandé John.

« Laissez tomber, les filles. Vous n'avez pas le courage! » Tommy avait bien accroché l'hameçon à notre mâchoire et il nous embobinait bien.

« Allons, Tommy. Parle. Nous n'avons peur de rien. »

« Bon, si vous aviez vraiment du cran, vous iriez jusqu'à Pear Lake et vous voleriez l'œil de verre du vieux Gus. »

Pear Lake? Œil de verre? Qui est Gus?

« Le vieux Gus est le dernier des hommes de montagne. Il campe tout l'été très loin à Pear Lake. Il a un œil de verre, vraiment; il vit de la terre. La légende dit qu'il peut enlever son œil, le tenir dans sa main et quand même voir avec. Il déteste les Scouts. Vous seriez de vrais champions si vous pouviez rapporter l'œil au camp. »

Ce soir-là, John et moi avons été les aides les plus rapides que le camp Wolverton ait vus. Dès 19 h, nos cerveaux de 12 ans avaient préparé le plan imbécile suivant :

1. Courir sans arrêt (9,5 kilomètres) jusqu'à Pear Lake à la nuit tombante.
2. Voler l'œil de verre pendant que Gus dormait.
3. Revenir au petit jour à temps pour le déjeuner.
4. Devenir les héros du camp.

Nous avons osé.

Au début, tout alla rondement. J'avais deux couvertures attachées à l'armature d'un sac de randonnée et John avait un paquet de sacs de papier remplis de nourriture volée et de matériel du camp. La piste était dégagée, la soirée fraîche, et nos attentes sans limite. Rien ne pouvait nous arrêter. Sauf, bien sûr, qu'il faisait nuit bien avant que nous atteignions Pear Lake.

Je me rappelle vaguement que nous sommes tombés tous les deux dans un ruisseau, perdant tout le matériel du camp, que nous avons préparé un feu et que nous nous sommes assis enveloppés dans une mince couverture quand l'homme le plus gros que j'avais jamais vu est apparu devant nous.

C'était Gus Œil-de-verre! J'étais si terrifié que j'ai pensé que mon cœur sortirait de ma poitrine.

« Avez-vous mangé, les gars? » a murmuré le géant d'une voix calme et douce. Nous avons secoué la tête. Puis, sans un mot, il a préparé l'un des repas les plus étonnants que j'ai jamais mangés.

Il a pris un sac à lunch en papier et a recouvert l'intérieur avec des tranches de bacon. Ensuite, il a pris trois œufs, les a secoués, les a cassés et a versé les jaunes et les blancs dans le sac sur le dessus du bacon. Il a tenu le sac à environ trente centimètres du feu, en surveillant bien le fond du sac. Environ trois minutes après, je pouvais entendre le bacon rissoler à l'intérieur du sac. Deux ou trois minutes plus tard, il a déchiré à peu près la moitié du sac, et nous avons vu un repas parfait composé de bacon et d'œufs, que nous avons mangé avec des petits bâtons. Quand nous avons terminé, Gus a jeté le sac et les bâtonnets dans le feu. « Je déteste laver la vaisselle. »

Quand nos vêtements ont été secs, Gus nous a ramenés au camp en nous racontant des histoires pour nous tenir éveillés. Il est devenu notre ami et, pour les quelques autres étés qui ont suivi, il nous a enseigné plus sur la nature sauvage que tout livre aurait pu le faire. Oh! pouvait-il vraiment voir des choses avec son œil de verre quand il l'enlevait? Bon, disons seulement que c'est une autre histoire.

Note de l'éditeur : Nous ne nous attendons pas à ce que vous essayiez la recette du bacon et des œufs dans un sac en papier, mais nous avons trop aimé l'histoire pour l'ignorer.

Recette de pâtisserie pour les mères

Auteur inconnu

Contribution de Bobbie Lippman

Préchauffer le four. S'assurer qu'il n'y a pas de balles de caoutchouc ou de soldats en plastique sur les grilles du four. Enlever les blocs et les autos jouets de la table. Graisser un moule. Écaler les noix. Mesurer 2 tasses [500 ml] de farine; ôter les mains de Johnny de la farine; essuyer la farine qui est tombée sur lui. Mesurer la farine de nouveau. Écaler plus de noix pour remplacer celles que Johnny a mangées.

Mettre dans un tamis la farine, la levure chimique et le sel. Prendre un porte-poussière et ramasser avec une brosse les morceaux du bol que Johnny a échappé par terre. Prendre un autre bol. Répondre à la porte.

Retourner à la cuisine. Enlever du bol les mains de Johnny. Laver Johnny. Répondre au téléphone. Revenir. Enlever ¼ po (½ cm) de sel du moule graissé. Chercher Johnny. Graisser un autre moule. Répondre au téléphone.

Retourner à la cuisine et trouver Johnny. Enlever ses mains du bol. Prendre le moule graissé et enlever la couche d'écales de noix. Aller vers Johnny qui court en faisant tomber le bol par terre. Laver le plancher de la cuisine, la table, les murs, la vaisselle. Téléphoner à la pâtisserie pour une commande. Prendre deux aspirines. Aller s'étendre!

Nougatine aux arachides de tante Minnie

Zoie Kaye

Le temps des Fêtes ramène des souvenirs précieux — l'arbre de Noël, les bas suspendus, le cidre chaud épicé, mon oncle qui tire une luge derrière sa vieille Ford où sont installés tous les enfants du voisinage et, bien sûr, l'attente fébrile de l'arrivée du père Noël. Pour moi, la période de Noël était encore plus spéciale parce que c'était le début des célébrations de mon anniversaire de naissance. Mon anniversaire avait lieu exactement deux semaines avant Noël.

Pour certains, naître en décembre était un désavantage parce que Noël et l'anniversaire se fondaient en une seule célébration — les amis et les parents avaient tendance à combiner les occasions en un événement et un cadeau — mais j'étais chanceuse d'avoir de merveilleux parents qui étaient déterminés à ce que je ne me sente jamais lésée pendant ma journée.

La visite de tante Minnie représente un des souvenirs les plus précieux de mes anniversaires. Quand elle venait, il se passait quelque chose de spécial. Elle arrivait dans une vieille auto noire brillante qui ne ressemblait pas du tout aux autos que mes parents ou d'autres membres de la famille conduisaient — une Buick de 20 ans qui n'avait servi qu'à se rendre au magasin aller-retour une fois par semaine. Son homme à tout faire la maintenait en parfait état.

Tante Minnie était une jolie dame avec des cheveux gris doux et bouclés qui encerclaient son visage rond. Je ne sais pas quelle était la couleur de ses cheveux avant qu'ils grisonnent — c'est la seule couleur que je lui ai vue. Le seul bijou qu'elle portait était un rang de perles que son mari lui avait offert à leur mariage. Je ne l'ai jamais vue sans ses perles pendant les 37 années où elle a été dans ma vie. Tante Minnie était toujours ravissante — la famille disait qu'elle ne laissait jamais son mari la voir sans maquillage.

L'arrivée de tante Minnie marquait le début de la fabrication des bonbons de Noël. Nous faisions du fudge divinité, du fudge aux pralines, mais la recette la plus particulière était la Nougatine aux arachides de tante Minnie. Elle était réservée pour ma fête d'anniversaire. Beaucoup d'enfants du voisinage souhaitaient être invités à ma fête.

Tous les ingrédients étaient sur la table de la cuisine quand les invités arrivaient. Chaque enfant avait la responsabilité de mesurer et de verser un ingrédient dans la casserole sur la cuisinière. Nous nous tenions tous autour en attendant avec impatience la première occasion de vérifier la cuisson avec la tasse d'eau qu'on nous donnait à cette fin. Dès que le mélange atteignait la phase boule molle, tante Minnie ou maman déposait une goutte du mélange dans chacune de nos tasses. Nous la tournions et nous vérifions avec nos doigts pour savoir si elle formait une boule molle. Il est certain que le mélange était vérifié trop souvent, mais chacun avait ainsi la chance de goûter.

Dès qu'on annonçait que le mélange avait atteint la phase croquant cassant, on nous donnait des noix de beurre pour frotter nos mains. Nous attendions excités tout en bavardant, pendant que les mains expérimentées dans la fabrication des bonbons expliquaient la prochaine étape aux nouveaux.

Quand le mélange était suffisamment refroidi pour y toucher, on nous donnait une grande cuillerée du mélange de bonbon et une plaque pour le déposer, et on nous disait de commencer à étirer. Le secret du succès de la Nougatine aux arachides de tante Minnie était de l'étirer afin de la rendre très délicate et tendre. Au stage final, on tentait d'étirer son bonbon le plus fin possible sans qu'il casse.

On remettait des prix à l'enfant qui avait étiré le plus gros morceau sans faire de trou, à celui qui avait le plus d'arachides dans son morceau, et les morceaux qui était étirés le plus finement. Même aujourd'hui, il y a beaucoup d'adultes qui parlent encore de la Nougatine aux arachides de tante Minnie et de la joie qui régnait pendant la fabrication des bonbons pour mes fêtes d'anniversaire.

Nougatine aux arachides de tante Minnie

Environ 2 livres [1 kg]

ಕಿಕ

*3 tasses [750 ml] de sucre
1 ½ tasse [375 ml] de sirop
de maïs
1 tasse [250 ml] d'eau
½ tasse [125 ml] de beurre,
divisé en deux
2 ½ tasses [625 ml]
d'arachides non traitées
avec la peau (de
préférence des arachides
espagnoles)*

*2 c. à table [30 ml] de
bicarbonate de soude
½ c. à thé [2 ml] de sel (si les
arachides sont non salées)*

1. Dans une casserole épaisse de 4 pintes [4 litres], combiner le sucre, le sirop de maïs et l'eau. Amener à ébullition sur feu fort, en brassant jusqu'à dissolution du sucre. Insérer un thermomètre à bonbons et bouillir à découvert jusqu'à boule molle, environ 238°F [115°C], en grattant le fond de la casserole de temps en temps avec une cuillère de bois pour éviter que le mélange ne colle au fond. Pendant ce temps, beurrer une plaque ou autre surface où la nougatine sera versée avec la moitié du beurre.

2. Ajouter les arachides, brasser et remettre à ébullition. Cuire jusqu'à ce que le mélange atteigne la phase « croquant cassant », environ 300°F [150°C]. Retirer du feu et ajouter le reste du beurre et le bicarbonate de soude.

3. Déposer immédiatement le mélange sur la surface beurrée, en grattant le fond de la casserole. Étendre le mélange en une couche aussi mince que possible avec une spatule en métal ou en bois. Dès que le mélange peut être manipulé, utiliser des gants de caoutchouc ou vos doigts beurrés pour étirer la nougatine aussi mince que possible. Elle devrait s'étirer pour presque doubler son volume originel.

4. Lorsque refroidie, casser en bouchées. La nougatine peut être entreposée dans un contenant hermétique.

Merci, mon Dieu, pour cette journée étonnante; pour l'esprit verdoyant des arbres et le ciel bleu de rêve; et pour toute la nature qui est infinie, merci.

— E. E. Cummings

Scappa e Fuggi de mamma

Antoineta Baldwin

Je suis née à Redondo Beach, Californie, de parents immigrants italiens. Mon père était de Naples et ma mère de Bari. Il y avait plusieurs *paisanos* (compatriotes) qui, après être entrés au pays par Ellis Island à New York, se sont dirigés vers la Côte-Ouest pour le climat et le genre de travail auquel ils étaient habitués dans le vieux pays — fermier, fabriquant de fromage, fabriquant de vin et briqueteur. Ils étaient répartis dans toute la région de Los Angeles, mais se réunissaient chaque année pour célébrer la fête de leur saint patron italien au parc des Vétérans de Redondo Beach.

La célébration était toujours une occasion de plaisir et de festivité. Les hommes marchaient à marée basse, les pantalons relevés, riant et criant pendant qu'ils amassaient une grande quantité d'oursins, de buccins, de crabes, de pétoncles, d'ormeaux et parfois un poisson près des rochers et dans les bassins. De retour au parc, les femmes cuisaient sur leur four en racontant des histoires, en riant et en chantant. Tout le monde s'occupait de surveiller les enfants qui couraient, pleuraient, mangeaient et dormaient. Les gardiennes d'enfants, ça n'existait pas.

L'arôme qui se dégageait de chaque casserole se mélangeait merveilleusement et harmonieusement en une odeur irrésistible pour aiguiser l'appétit. Il y avait toujours une grande quantité de légumes frais, des pâtes maison et la pêche du jour. Les oursins étaient ouverts, leurs œufs retirés pour les manger avec du pain croûté arrosé d'un vin rouge maison. On faisait généralement bouillir les crustacés pour les tremper ensuite dans un mélange d'huile d'olive et d'ail émincé.

Maman faisait toujours sa sauce *Scappa e Fuggi* (vite faite) — un aliment de base dans la plupart des cuisines italiennes — à partir de tomates en conserve, de basilic du jardin et d'ail.

En ce temps-là, Redondo Beach constituait un merveilleux mélange de différentes cultures. Dans le parc, des gens de plusieurs nationalités faisaient la même chose que nous, avec la même nourriture, mais préparée différemment. Bien que la barrière des langues rendait la communication verbale difficile, nos mimiques et nos gestes faisaient le travail et il y avait toujours une bonne camaraderie.

Sauce Scappa e Fuggi de mamma pour les pasta
(sauce italienne vite faite)

3 ou 4 portions

❧

Cette sauce a beaucoup de saveur. N'en couvrir les pâtes que légèrement.

3 c. à table [45 ml] d'huile d'olive de bonne qualité
8 grosses gousses d'ail, écrasées
1 boîte [19 oz / 540 ml] de tomates italiennes, écrasées avec leur jus
1 c. à thé [5 ml] ou plus de poivre noir fraîchement moulu
½ tasse [125 ml] de basilic frais, ciselé

Sel au goût
Ingrédients facultatifs que vous pouvez ajouter à la sauce (mais seulement un à la fois) : poisson frais, calmars, brocoli, chou-fleur ou une boîte de palourdes égouttées
Environ ¾ lb [12 oz / 375 g] de pâtes de votre choix

1.   Chauffer l'huile d'olive dans un grand poêlon, ajouter l'ail et cuire jusqu'à doré, sans brunir. Verser les tomates avec le liquide et le poivre noir. Ajouter les feuilles de basilic et le sel au goût. Faire mijoter à feu haut en brassant souvent la sauce pendant environ 10 à 15 minutes.

2.   Préparer une grande casserole d'eau pour cuire les pâtes. (Quand vos pâtes sont cuites, la sauce l'est aussi.)

Slumgullion

Joe Batten

J'ai grandi dans la région montagneuse du sud de l'Iowa, à 20 kilomètres de la ville la plus près. C'était dans les années trente et, bien sûr, nous n'avions pas d'électricité ni de chauffage central. Afin de chauffer la maison pendant les longs et froids hivers du Midwest, mon frère aîné, Hal, mon père et moi devions presque chaque week-end abattre des arbres et les scier en bûches pour du bois de chauffage. Nous traînions ensuite le bois à la maison sur un chariot tiré par un cheval pour alimenter le poêle à bois.

La température descendait bien au-dessous de −20°C plusieurs jours pendant l'hiver. L'air glacial nous transperçait jusqu'aux os. La seule façon de ne pas prendre froid était de fendre le bois rapidement, sans interruption. Papa insistait sur l'importance de toujours garder ma hache affûtée et de la balancer de façon concentrée mais détendue, pour permettre à la hache de mordre profondément et me permettre à moi de la brandir pendant plusieurs heures de suite. Non seulement ses conseils m'ont-ils aidé dans la tâche à accomplir, mais ils m'ont donné une philosophie de vie. La hache était une métaphore pour un esprit vif, et ces longues journées dans les bois, passées avec mon père et mon frère, m'ont enseigné à garder mes outils mentaux — mon esprit et mon vocabulaire — vifs et concentrés.

Pendant l'été, alors que les froids d'hiver n'étaient plus qu'un souvenir lointain, nous entretenions un grand jardin où je travaillais après avoir passé la journée aux champs. Le jardin, c'était le domaine de ma mère et, tout comme mon père l'avait fait dans les bois, ses conseils m'ont donné beaucoup de leçons de vie importantes. Maman, une femme de la plus haute intégrité, m'a enseigné l'importance d'avoir un but, de la discipline et de la persévérance en me disant :

« Joe, n'abandonne jamais un travail avant de l'avoir terminé. »

À la fin d'une dure journée de labeur, que ce soit pendant l'hiver ou l'été, j'étais toujours heureux quand maman préparait un Slumgullion. C'était vraiment une nourriture pour le corps et l'esprit. Une nourriture nutritive et source d'énergie. Par-dessus tout, c'était délicieux.

Slumgullion

4 portions

ò❧

8 oz [250 g] de macaroni
1 c. à table [15 ml] d'huile
1 tasse [250 ml] d'oignon émincé
½ lb [250 g] de bœuf haché maigre
2 ½ tasses [625 ml] de tomates en conserve en dés
1 tasse [250 ml] de céleri en dés

¾ tasse [175 ml] de poivron vert haché fin
1 c. à thé [5 ml] de sauce Worcestershire
2 c. à thé [10 ml] de sel
¼ à ½ c. à thé [1 à 2 ml] de poivre de cayenne, au goût
½ à 1 tasse [125 à 250 ml] de fromage fort râpé ou ¼ tasse [50 ml] de fromage parmesan râpé

1. Cuire le macaroni selon les instructions sur l'emballage; égoutter et mettre de côté.

2. Pendant ce temps, préparer la sauce : dans un poêlon, sauter l'oignon dans l'huile. Ajouter le bœuf haché et cuire jusqu'à bruni, en séparant le bœuf avec le dos d'une cuillère. Ajouter les tomates, le céleri, le poivron vert, la sauce Worcestershire, le sel et le poivre de cayenne. Cuire environ 5 minutes, puis verser sur les nouilles et mélanger. Juste avant de servir, saupoudrer le dessus de fromage (ou le mélanger, si vous préférez).

Mon plat favori

Bobbie Probstein

Quand j'étais une jeune fille, notre famille vivait dans une petite ville du Nevada d'environ 25 000 habitants, ville qui attirait les cow-boys pour le jeu et les couples malheureux en mariage qui voulaient divorcer rapidement. Ce n'était pas un endroit sophistiqué, mais mon père pouvait avoir la chance d'y gagner sa vie. Puisque nous étions pendant la Dépression, il lui fallait prendre cet emploi.

Ma mère, une cuisinière hors pair, se plaignait toujours qu'il n'y avait même pas un restaurant convenable et elle avait probablement raison. Enfin, un établissement a ouvert ses portes avec des plats intéressants au menu, en plus de l'habituel steak et frites et salade iceberg avec mayonnaise; on y servait même la nouvelle fureur de Los Angeles : la salade César.

Je n'ai jamais mangé rien de meilleur. J'adorais ce plat, j'en avais une envie maladive et je suppliais qu'on m'emmène à ce restaurant aussi souvent que possible. J'avais très hâte de rendre visite à ma tante et à mon oncle à Los Angeles parce que je savais qu'ils m'aideraient à satisfaire ce besoin insatiable. Ils adoraient manger à l'extérieur et je m'amusais avec eux, peu importe ce que nous faisions.

Enfin rendue à Los Angeles, on m'a emmenée au Chasens, où j'étais la seule enfant dans l'établissement. Les femmes portaient des vêtements sophistiqués, et j'avais mis une nouvelle robe de velours que ma tante m'avait confectionnée. J'essayais d'agir en adulte. Mon oncle m'a même commandé un cocktail Shirley Temple. Je n'avais de cesse de commander le repas, car ma tante m'avait dit que la salade César était particulièrement réussie au Chasens. Quand le serveur est venu prendre nos commandes, il s'est adressé à moi en premier.

D'une voix forte et claire qui ne laissait aucun doute sur ma passion, j'ai dit (à voix trop forte, j'en suis certaine) : « Je prendrai *une césarienne,* s'il vous plaît! »

Le serveur est parti rapidement, et toutes les personnes à notre table ont rapidement porté une serviette à leur bouche pour étouffer leurs rires. J'ai demandé plusieurs fois : « Bon, qu'est-ce que j'ai dit de si drôle? » mais personne n'a répondu.

Salade César

4 à 6 portions

1 gousse d'ail
¼ tasse [50 ml] d'huile d'olive ou d'huile végétale
Laitue romaine, déchiquetée pour faire 12 tasses [3 l]
3 ou 4 filets d'anchois, en conserve (ou 2 c. à thé [10 ml] de pâte d'anchois)
¼ tasse [50 g] de fromage parmesan fraîchement râpé
3 c. à table [45 ml] de mayonnaise commerciale (pour remplacer le traditionnel œuf cuit au bain-marie qui n'est plus jugé sécuritaire)

1 c. à table [15 ml] de jus de citron frais
1 c. à table [15 ml] de vinaigre de vin rouge
1 c. à thé [5 ml] de moutarde de Dijon (facultatif, mais très bon)
½ c. à thé [2 ml] de sauce Worcestershire
Poivre noir fraîchement moulu

CROÛTONS :
1 tasse [250 ml] de pain français d'un jour, coupé en dés

2 c. à table [30 ml] d'huile d'olive

1.   Dans un petit bol, mettre l'ail avec l'huile d'olive ou l'huile végétale. Laisser reposer pour faire ressortir la saveur pendant que vous préparez les autres ingrédients.

2. Laver, essuyer et couper la laitue romaine, l'envelopper dans une serviette humide et la mettre au réfrigérateur jusqu'au moment de servir.

3. Pour faire les croûtons, mélanger les cubes de pain français avec l'huile d'olive. Disposer les croûtons en une couche et faire dorer au four à 325°F [160°C] ou dans un grille-pain four jusqu'à ce que dorés, en les tournant de temps en temps.

4. Dans un grand bol à salade, piler les filets d'anchois ou la pâte d'anchois avec l'huile d'ail mise de côté. Ajouter en mélangeant le fromage parmesan, la mayonnaise, le jus de citron, le vinaigre de vin rouge, la moutarde de Dijon, la sauce Worcestershire et le poivre noir fraîchement moulu au goût. Ajouter les morceaux de romaine croquante et les croûtons, et bien mélanger. Servir immédiatement.

3

Les grands-parents

Ce qui vient du cœur touche le cœur.

— Don Sibet

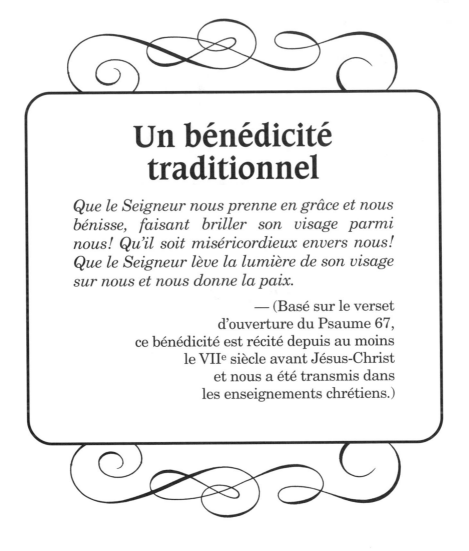

Un bénédicité traditionnel

Que le Seigneur nous prenne en grâce et nous bénisse, faisant briller son visage parmi nous! Qu'il soit miséricordieux envers nous! Que le Seigneur lève la lumière de son visage sur nous et nous donne la paix.

— (Basé sur le verset
d'ouverture du Psaume 67,
ce bénédicité est récité depuis au moins
le VIIe siècle avant Jésus-Christ
et nous a été transmis dans
les enseignements chrétiens.)

Arroz con Leche

Rosemarie Cortez

*L'amour et le talent réunis peuvent
produire un miracle.*

— Auteur inconnu

Je me souviens encore de la douce odeur de la cannelle, du sucre, du riz et du lait qui remplissait les pièces de sa petite maison. Jeune enfant, rien n'avait meilleur goût qu'un bol de son pouding au riz fraîchement cuit. Mon frère, ma sœur et moi engloutissions notre première portion pour aussitôt en redemander. Le rire de grand-maman résonnait dans la cuisine pendant qu'avec joie elle remplissait de nouveau nos bols.

Aujourd'hui, des parents du côté de mon père se réunissent chaque mois de décembre à sa mémoire. Nous avons une énorme quantité de mets de famille traditionnels, des petits pains, des fromages, du jambon, des salades, des olives et du beurre d'ail. Mais rien de cela ne goûte aussi bon que lorsque grand-maman préparait toute cette nourriture.

Quand approche le moment du dessert, tous murmurent : « Est-ce que tante Juanita a fait le Arroz con Leche ? » Tante Juanita est l'aînée des six enfants de grand-maman — cinq filles et un garçon. Elle aime entretenir le mystère, à savoir si elle a fait ou non le pouding au riz — quand elle se sent prête, elle apporte cérémonieusement le Arroz con Leche. Elle veille à en préparer de petites portions — pour s'assurer que chacun ait sa juste part. Heureusement, son Arroz con Leche goûte tout « comme celui que grand-maman faisait ».

Avec les années, j'en suis venue à comprendre que les ingrédients secrets de ma grand-mère, Maria Encarnacion Navarro Cortez, incluaient toujours dans tout ce qu'elle faisait de grosses doses de rire et d'amour. Ce sont les éléments qu'aucun de nous n'oubliera.

Mon frère, ma sœur et moi avons trouvé que pour avoir les plus grosses portions de Arroz con Leche, il fallait apprendre à le faire nous-mêmes. Je sais que vous apprécierez notre passion pour ce dessert dès que vous prendrez votre première cuillerée! Voici donc la recette de tante Juanita, qui lui vient de grand-maman Cortez. Il faut y mettre du temps, de la patience et beaucoup d'amour.

Arroz con Leche
(Pouding au riz)

Environ 8 portions

૨ટ

2 pintes [2 l] de lait entier	*¾ à 1 tasse [175 à 250 ml] de*
1 tasse [250 ml] de riz blanc	*sucre (au goût)*
7 tranches de zeste de citron	*Cannelle et muscade, pour*
7 à 10 bâtons de cannelle	*saupoudrer sur le dessus*

1. Dans une grande casserole antiadhésive, chauffer le lait entier, le riz blanc, le zeste de citron et les bâtons de cannelle. Amener à ébullition sur feu moyen, en brassant fréquemment. Baisser le feu à faible intensité et mijoter pendant environ 25 minutes, en brassant occasionnellement. Vérifier la cuisson en testant un grain de riz. Il faut qu'il soit presque tendre; sinon, continuer la cuisson jusqu'à ce que le riz soit tendre.

2. Incorporer le sucre et amener à ébullition sur feu moyen en brassant souvent. Réduire le feu et mijoter très doucement pendant encore environ 30 minutes, en brassant fréquemment. Cuire jusqu'à épaississement — ni trop clair ni trop sec.

3. Transférer dans un bol de service de 2 litres. Saupoudrer le dessus avec de la cannelle et de la muscade. Laisser refroidir — le mélange aura la consistance d'un pouding. Délicieux servi froid ou tout de suite après la cuisson. *Bon appétit!*

Gâteau aux raisins et aux noix de Nanny

Barbara DeAngelis

Ma grand-mère Esther était une femme de caractère mais de très petite stature. Née en Russie au tournant du siècle dernier, elle a fui la persécution religieuse et s'est installée en Amérique, encore jeune enfant. Comme plusieurs Juifs immigrants, elle a grandi dans la pauvreté, mais n'a jamais manqué d'amour ni de famille. Cinquante années plus tard, alors qu'elle avait plus d'argent que nécessaire pour mener une vie confortable, elle accordait toujours plus de valeur à un téléphone d'un de ses petits-enfants qu'à un voyage autour du monde.

Nanny, comme nous l'appelions, était un être compliqué qui avait mené une vie parfois controversée. Née bien avant son temps, elle était indépendante, passionnée, avait des opinions très arrêtées, n'avait pas la langue dans sa poche et protégeait farouchement ceux qu'elle aimait. Je lui ai souvent dit que, si elle était née dans les années cinquante, comme moi, elle aurait probablement eu une brillante carrière. Au lieu de cela, elle était prisonnière d'une époque où « la place d'une femme était à la maison », et je crois que cela a inhibé son intensité et sa vivacité, sans parler de perspectives d'avenir limitées. Elle était comme un cheval de course confiné à un pré minuscule, sans liberté pour courir. Sa personnalité s'exprimait souvent d'une façon qui était considérée par son entourage comme malsaine. Elle déversait toute sa passion dans l'amour de son fils et de ses petits-enfants — parfois à outrance.

Nanny ne s'est jamais conformée aux normes de la société. Elle choisissait des vêtements colorés et exotiques quand ses amies portaient des vêtements sévères; elle portait des chemisiers décolletés et des bikinis italiens alors qu'elle était dans la soixantaine. Plus encore, elle n'a jamais coupé ses beaux cheveux argentés, les laissant tomber, longs et brillants, au milieu de son dos. J'ai des souvenirs extraordinaires quand elle brossait ses cheveux pour ensuite les attacher en un chignon sophistiqué avec des épingles et des peignes. Je sais que son style m'a influencée — j'ai gardé mes cheveux longs et je n'ai jamais porté de vêtements conservateurs.

Une chose qui était traditionnelle chez Nanny était son amour de cuisiner, et elle y excellait! Elle a vécu de nombreuses années en Italie, alors nous avons eu le meilleur des deux mondes — une haute cuisine juive et italienne. Une de ses spécialités était son délicieux gâteau aux raisins et aux noix. Il y en avait presque toujours un qui nous attendait quand, enfants, nous allions la visiter.

Lorsque j'ai quitté Philadelphie pour aller à l'université, et ensuite pour étudier en Europe, je recevais régulièrement des colis soigneusement emballés de Nanny, dans lesquels il y avait son gâteau aux raisins et aux noix. Elle avait cessé de voyager et demeurait presque toujours confinée dans son appartement, alors cuisiner était un des seuls plaisirs qui lui restaient. Je considérais donc chaque gâteau comme le cadeau sacré qu'il était.

Gâteau aux raisins et aux noix de Nanny

Environ 12 portions

❧

*1 tasse [250 ml] de raisins
secs foncés, bien tassés
1 ½ tasse [375 ml] d'eau
3 tasses [750 ml] de farine
1 c. à thé [5 ml] de poudre à
pâte
1 c. à thé [5 ml] de
bicarbonate de soude*

*2 tasses [500 ml] de sucre
1 tasse [250 ml] d'huile
4 œufs
½ tasse [125 ml] de noix
hachées finement
1 c. à thé [5 ml] de vanille*

1. Préchauffer le four à 350°F [175°C]. Graisser et enfariner un moule de 9 x 13 po [23 x 32,5 cm]. Dans une casserole, mettre les raisins dans l'eau, chauffer et cuire à feux doux pendant 10 minutes. Retirer du feu et mettre de côté sans égoutter.

2. Tamiser ensemble la farine, la poudre à pâte et le bicarbonate de soude. Dans un grand bol à mélanger, battre ensemble le sucre et l'huile. Ajouter les œufs, un à la fois, en brassant bien après chaque addition. Ajouter graduellement le mélange de farine, les raisins dans leur eau de cuisson, les noix et la vanille.

3. Cuire pendant 35 à 45 minutes, jusqu'à ferme quand pressé au centre. Comme le disait Nanny : « C'est une des recettes de ma mère, et je n'ai donc jamais eu le temps de cuisson exact. Je vérifie généralement le gâteau quand je commence à le sentir ! »

La soupe épaisse à « toutes sortes d'affaires » de grand-maman

Irene C. Kassorla

Je me rappelle à quel point j'étais excitée quand j'avais cinq ans et que c'était enfin dimanche. C'était le jour où mes parents, ma sœur Char et moi nous entassions tous dans l'auto pour aller chez grand-maman et grand-papa.

En arrivant, je courais vers la cuisine. Je savais que grand-maman préparait le repas du dimanche. Après avoir profité de ses caresses et de ses baisers, je prenais ma place favorite sur le tabouret près de la table à découper. Quand grand-maman avait besoin de quelque chose, elle me le demandait généralement en composant une chanson sur l'air de « Twinkle, Twinkle, Little Star ». Ses chansons étaient drôles et rimées : « Irene, Irene, fille que j'aime, apporte-moi le sel, s'il vous plaît, tout là-haut. » J'étais son assistante et je surveillais chacun de ses gestes. Grand-maman était heureuse en chantant et en cuisinant — je l'étais aussi!

Tout en me disant que j'étais sa *meilleure* assistante (même à quatre ans, je pouvais écosser des pois et écaler des noix, mélanger la préparation pour les tartes aux pommes, rouler la pâte pour les biscuits, mesurer les fèves, le riz et l'orge pour la soupe — et courir pour lui chercher des choses), elle me laissait souvent goûter ses créations et me demandait si c'était bon. Je me sentais très importante et j'aimais chaque minute de ces moments précieux avec elle.

Tout ce que grand-maman faisait était un vrai régal, surtout son pain, ses tartelettes et ses tartes. En réalité, ses tartes aux pommes étaient si mémorables que même aujourd'hui, quel que soit le pays où je travaille, je ne peux pas résister aux desserts aux pommes. J'espère toujours en trouver un qui sera comme celui de grand-maman. Bien entendu, rien n'est comparable.

Grand-maman était aussi célèbre pour sa soupe épaisse à « toutes sortes d'affaires. » Il y avait vraiment de tout dedans, y compris du poulet, des fèves, de l'orge, du riz, des légumes — tout, tout mélangé ensemble! La famille à l'unanimité disait que c'était vraiment la concoction magique la plus délicieuse et la meilleure pour la santé jamais mangée. Grand-maman nous disait toujours que deux bols de sa soupe étaient un remède miracle pour les rhumes, les maux de tête, les maux de dos, la tristesse et la dépression. Je la croyais.

Je suis certaine que grand-maman serait heureuse de *vous* aider, vous aussi, à être heureux et en santé. Voici donc sa recette. Servez-la, suivie d'une salade froide garnie de fromage feta. Du pain chaud à l'ail accompagne merveilleusement ces deux plats. Terminez le repas avec un sorbet aux pêches ou aux framboises, après avoir versé un filet de liqueur (Amaretto ou Kahlua), et des baies fraîches. Un petit biscuit aux brisures de chocolat termine ce repas à la perfection!

La soupe
à « toutes sortes d'affaires »

10 portions

৵৶

1 ½ tasse [375 ml] de fèves sèches (des pois verts et oranges, des lentilles, des fèves rouges et / ou blanches, des pois chiches, des haricots rouges, etc. ; voir Note)

1 tasse [250 ml] d'orge perlé

⅓ tasse [75 ml] de riz à long grain

¼ tasse [50 ml] de flocons d'avoine

1 grosse patate douce, pelée et coupée en morceaux

1 chou blanc tranché

10 gousses d'ail hachées

3 gros oignons rouges hachés

¼ tasse [50 ml] d'huile d'olive

2 poulets entiers, découpés, sans peau et dégraissés

2 poireaux, partie blanche seulement, bien nettoyés et hachés

12 branches de céleri hachées

5 ou 6 carottes, hachées finement

Sel et poivre au goût

10 champignons tranchés en fines lamelles

Échalotes tranchées finement pour garnir chaque portion

Note : *Vous voudrez peut-être cuire les pois chiches séparément, car ceux-ci prennent plus de temps à devenir tendres.*

1.   Mettre 3 litres d'eau dans un grand chaudron à soupe et porter à ébullition. Laver les fèves à fond et mettre dans le chaudron avec l'orge, le riz, les flocons d'avoine, la patate douce et le chou. Couvrir et mijoter à feu doux pendant environ 1 ½ heure, en brassant souvent. Pour maintenir la consistance voulue, ajouter de petites quantités d'eau bouillante pendant la cuisson des fèves et des légumes. (L'eau froide brouillera la soupe.)

2.   Dans un autre chaudron, sauter légèrement l'ail et les oignons dans l'huile d'olive. Ajouter 2 litres d'eau bouillante, le poulet en morceaux, les poireaux et le céleri. Couvrir et mijoter à feu doux pendant environ 1 heure. Ajouter les carot-

tes pendant les 5 dernières minutes de la cuisson. Saler et poivrer au goût. (Il n'est pas nécessaire de trop assaisonner — les
légumes et le poulet donnent une riche saveur à la soupe.)

3. Enlever les couvercles des deux chaudrons et laisser
reposer pendant 10 minutes avant de les mélanger ensemble.
Ajouter les champignons et agiter légèrement pour permettre
à toutes les saveurs de se mélanger. Déposer un morceau de
poulet au milieu de chaque bol à soupe et servir la concoction
magique à « toutes sortes d'affaires ». Garnir avec des petites
tranches d'échalotes et déguster.

Comment j'ai appris à aimer les tomates

Jeanne Jones

Petite fille, je n'aimais pas manger des tomates. Au lieu d'éviter de me servir des plats avec des tomates, grand-maman a habilement décidé que, si je les faisais pousser moi-même, je pourrais les trouver plus attirantes. Elle m'a aidée à préparer un petit jardin pour en planter. Nous avons pris grand soin de nos plants de tomates, les protégeant contre tous les prédateurs. Ils ont grandi et fleuri, pour produire une abondance de tomates rouges, savoureuses et juteuses. Avec une récolte aussi généreuse, il était normal qu'elles se retrouvent dans notre cuisine et dans nos recettes de famille préférées.

Ce fut dans la cuisine de ma grand-mère, remplie de mes premiers souvenirs et odeurs préférés qu'elle et moi avons fait une crème de tomates fraîches que sa mère lui avait apprise quand elle était petite fille. C'était délicieux et j'ai développé une vraie passion pour les tomates. À ce jour, ma version plus légère de sa recette me procure encore cette sensation chaleureuse et douce que les souvenirs intimes et chers nous inspirent. Je peux toujours compter sur la crème de tomates fraîches de grand-maman pour « guérir » tous mes maux!

Pain est le mot le plus chaleureux et le plus doux. Toujours l'écrire avec une majuscule, comme si c'était votre propre nom.

— Enseigne d'un café russe

Crème de tomates fraîches

6 tasses [1,5 l], 12 portions de ½ tasse [125 ml]

ᘓ🍵

6 grosses tomates mûres
1 c. à table [15 ml] d'huile de
maïs ou de margarine
1½ c. à table [22 ml]
d'oignons émincés

2 c. à thé [10 ml] d'arrow-
root
3 tasses [750 ml] de lait
écrémé
1 c. à thé [5 ml] de sel
1 pincée de poivre blanc

1.   Blanchir les tomates dans l'eau bouillante pour décoller la peau et l'enlever facilement. Couper les tomates en deux à l'horizontale et presser pour enlever les graines, en veillant à enlever le reste des graines avec une cuillère à pamplemousse. Hacher les tomates en petits morceaux et mettre de côté.

2.   Dans une grande casserole, faire chauffer l'huile de maïs ou la margarine sur feu moyen. Ajouter les oignons émincés et faire revenir jusqu'à ce qu'ils soient tendres et transparents. Ajouter les tomates, couvrir et cuire en brassant à l'occasion, jusqu'à ce que les tomates soient très molles (environ 30 minutes).

3.   Pendant la cuisson des tomates, dissoudre l'arrow-root dans ½ tasse [125 ml] d'eau. Ajouter encore une tasse [250 ml] d'eau, verser le mélange dans une casserole et amener à ébullition lente sur feu moyen, en brassant constamment jusqu'à épaississement; mettre de côté.

4.   Mettre le mélange de tomates cuites dans un mélangeur avec une tasse [250 ml] de lait écrémé et mélanger jusqu'à consistance veloutée et crémeuse. Remettre dans la casserole et ajouter le mélange d'arrow-root, 2 autres tasses [500 ml] de lait écrémé, le sel et une pincée de poivre blanc, en brassant bien avec un fouet en métal. Remettre la casserole sur feu moyen et réchauffer pour servir. Ne pas laisser bouillir.

Gombo à la façon de Gagi

D. Trinidad Hunt

Le coffret aux trésors de mes souvenirs est rempli des petites histoires de Gagi qui me réchauffent le cœur et me font sourire. Un collage de sentiments refait surface quand je pense à elle. Gagi, ma grand-mère, était une femme en avant de son temps; elle était courageuse, avait son franc-parler, et possédait de nombreux talents. Elle est née au Canada et a été élevée dans les prairies canadiennes où elle a adopté l'attitude que tout est possible et où elle a acquis son esprit innovateur. Elle parlait couramment le français et a été formée dans l'art de la cuisine française par des prêtres de religion catholique romaine dans un monastère français de la Saskatchewan.

Gagi était réputée pour son esprit de pionnière et sa brillante intelligence. C'est ce même esprit qui a propulsé Gagi et sa famille de l'autre côté du Pacifique, dans les îles d'Hawaï, avec les économies tirées de la vente de ses bonbons français. Une fois installée dans les îles, Gagi a commencé à gagner l'argent de la famille en prenant soin des enfants. Elle a ouvert une des premières garderies de jour — encore populaire aujourd'hui.

Ce dont je me souviens le plus nettement, ce sont les histoires de Gagi et sa cuisine. Mes frères et moi allions souvent dîner chez Gagi quand mes parents travaillaient tard. Sa maison était un refuge à l'écart du monde pendant mes jeunes années de croissance et de découvertes.

Notre phrase familiale favorite était devenue : « Raconte-nous une histoire, Gagi! » et nous attendions patiemment pendant que Gagi cherchait dans sa mémoire pour trouver *celle qui conviendrait le mieux.*

Un soir, après que mes frères eurent fortement insisté, les yeux de Gagi se sont mis à briller pendant qu'elle trempait un morceau de pain dans son fameux Gombo. C'était le regard d'une histoire qui mijotait dans ses yeux. « Avez-vous un souhait? » demanda-t-elle.

« Celle du *loup* », fut la réponse instantanée de mon frère. C'était l'une de nos préférées et nous attendions tous en retenant notre souffle.

… Les nuits étaient longues et solitaires dans les prairies de la Saskatchewan. Dès qu'elle commençait, la voix de Gagi était mystérieuse et pleine d'aventures. *Pendant les hivers glacés, nous nous aventurions rarement loin de la maison, car les animaux de la prairie étaient maigres et affamés. Plus l'hiver était avancé, plus ils étaient maigres et affamés.* Elle irradiait en même temps que l'histoire prenait vie.

Mais un après-midi, poursuivit-elle, *ma mère et moi avons dû nous rendre à la maison d'un ami. Maman avait entendu dire que notre voisin Henry avait une fièvre persistante et elle pensait qu'il devait avoir besoin d'aide. Nous avons donc toutes deux attelé le cheval à notre voiture et nous nous sommes aventurées à l'extérieur avec de la nourriture et des provisions. Une fois rendues, nous avons trouvé Henry de nouveau sur pied. Il avait été malade mais il allait mieux.*

Avant de nous en rendre compte, c'était déjà la fin de l'après-midi. Le ciel devenait noir et menaçant. En hiver, la nuit tombait vers 16 h 30 sur les Prairies; nous savions qu'il nous fallait partir. Henry n'était pas à l'aise de laisser ses deux voisines partir seules si tard; il a donc attelé notre cheval et nous sommes partis ensemble.

Une distance de 4 à 6 kilomètres séparait les maisons dans les Prairies, et bientôt les nuages sont apparus. La plaine s'est d'abord teintée d'un bleu violet et la nuit est venue, couvrant la terre d'un noir d'encre. Puis, le hurlement des loups a commencé à se faire entendre au loin. Notre jument frissonnait et accélérait le rythme à mesure que le son se rapprochait.

Mes frères et moi ne tenions pas en place sur nos sièges. *Il restait encore quelques kilomètres avant d'arriver à la maison et je savais, par le regard d'Henry, que nous étions en danger.*

« Il semble que ce soit une meute affamée par la famine de l'hiver », a-t-il murmuré *en fouettant le cheval pour qu'il coure à pleine vitesse. Peu après, nous pouvions voir leur silhouette sombre et menaçante courir pour nous rattraper par derrière.* Les yeux de Gagi étaient agrandis par la peur pendant qu'elle parlait.

Ils étaient à environ une vingtaine de mètres derrière nous et ma mère et moi nous serrions l'une contre l'autre pendant que Henry criait et faisait claquer son fouet, pressant le cheval d'accélérer au-delà de ses limites. Mes frères et moi étions sur le bout de nos sièges, l'haleine des loups sauvages dans notre dos.

Nous avancions rapidement pendant que les loups se rapprochaient dangereusement et, la faim les stimulant, ils ont mordu les roues arrière de notre voiture. Au même moment, le cheval a aperçu notre maison de ferme et, avec un dernier regain d'énergie, il a bondi en avant de toutes ses forces et a galopé vers la grange. Quand nous avons passé la clôture de la cour de ferme, les loups se sont soudainement dirigés vers la droite et se sont éloignés dans la nuit en hurlant.

Mes frères et moi avons soupiré de soulagement et nous nous sommes rassis sur nos sièges, épuisés par cette fuite terrifiante.

Et la morale de l'histoire est ..., a poursuivi ma grand-mère, *ne vous aventurez jamais seuls dans la prairie par une nuit d'hiver menaçante.*

Il ne nous est jamais venu à l'esprit que nous étions à Hawaï, où les vrais hivers n'existent pas, sans parler des loups, et nous avons donc solennellement promis et soupiré d'aise d'avoir échappé aux loups encore une fois.

Raconter des histoires est une tradition dans chaque culture, et je l'ai compris personnellement dans l'esprit de la soupe de ma Gagi. L'esprit de la soupe est toujours dans l'histoire.

Gombo de Gagi

4 portions

Servir avec une grosse miche de pain chaud et une merveilleuse histoire venue du cœur.

5 grosses pommes de terre, pelées et coupées en gros morceaux
12 c. à table [180 ml] de beurre
1 oignon moyen, tranché
⅓ d'un chou, râpé
1 tige de brocoli, haché
¼ d'un chou-fleur, coupé en dés
4 carottes, pelées et coupées en dés
2 tasses [500 ml] de germes de soja
2 boîtes [184 g chacune] de thon en morceaux dans l'eau
4 à 8 oz [125 à 250 g] de poisson frais, coupé en cubes

4 gousses d'ail écrasées
2 c. à table [30 ml] de basilic frais haché (ou 2 c. à thé [10 ml] séché)
1 c. à table [15 ml] d'origan frais (ou ½ c. à thé [2 ml] séché)
¾ c. à thé [3 ml] de sel
½ c. à thé [2 ml] de paprika doux
½ c. à thé [2 ml] de poivre noir
⅛ c. à thé [0,5 ml] de poivre de cayenne
1 livre [500 g] de crevettes écalées et déveinées
Échalotes émincées finement pour garnir chaque bol

1. Mettre les pommes de terre dans un chaudron à soupe avec de l'eau pour couvrir; faire bouillir jusqu'à tendre. Enlever l'eau et la mesurer, et remettre 4 tasses [1 litre] dans le chaudron. Piler les pommes de terre, laissant quelques gros morceaux. Incorporer le beurre.

2.   Ajouter l'oignon, le chou, le brocoli, le chou-fleur, les carottes et les germes de soja dans le chaudron. Amener à ébullition lente et mijoter 45 minutes.

3.   Égoutter le thon et jeter l'eau; mettre le thon dans le chaudron. Ajouter le poisson frais, coupé en cubes, et ajouter 1 à 2 tasses [250 à 500 ml] d'eau au besoin pour une bonne consistance. Ajouter le reste des ingrédients, sauf les crevettes et les échalotes; laisser mijoter encore 30 minutes.

4.   Ajouter les crevettes; mijoter 10 à 15 minutes. Servir dans des bols à soupe; parsemer le dessus de chaque bol avec les échalotes émincées.

La cuisine d'été de grand-maman Yehle

Pam Finger

Passer des fins de semaine avec mes quatre sœurs dans la maison de mes grands-parents à la ville compte parmi mes plus précieux souvenirs d'enfance. Ma propre famille vivait dans un petit village, alors c'était très excitant de passer un week-end en ville.

Mes grand-parents vivaient dans une vieille et grande maison comportant beaucoup de pièces pour jouer à cache-cache. Et il y avait un grenier ensoleillé plein de livres et de vieux jouets de ma mère, de mes tantes et de mes oncles. Même le sous-sol comprenait plusieurs pièces. Dans l'une d'elles, il y avait une repasseuse à rouleaux que grand-maman utilisait pour lisser les chemises et les draps de tous les lits de la maisonnée.

Mes sœurs et moi passions des heures à apprendre à jouer sur le piano qui se trouvait dans l'entrée. Avec patience, grand-maman nous enseignait les gammes et tous les airs du film « The Sound of Music ». Elle allait même jusqu'à écouter les airs que nous « composions ».

Prendre le « Café avec Curtis », un *talk-show* à la radio tous les dimanches matins, constituait un des plus beaux moments de la fin de semaine. Afin que nous puissions tous partager le même plaisir, on nous donnait à chacune une demi-tasse remplie surtout de lait et une petite quantité de café. Comme nous nous sentions adultes de prendre le café avec Curtis dans la salle à déjeuner!

Les murs étaient couverts de cartes géographiques du monde, et grand-papa nous parlait de différents pays et de l'histoire du monde. Grand-papa était le fils d'un juge, et c'était lui qui imposait sa volonté dans la maison. Je suis certaine que l'invasion de sa maison par cinq filles turbulentes les fins de semaine mettait sa patience à l'épreuve. « Le juge », comme on l'appelait affectueusement, passait ses samedis après-midi dans le grand fauteuil rembourré à la porte de son bureau pour écouter avec intérêt le football de l'Université de Syracuse et les parties de basketball. Il était célèbre pour tomber endormi après un gros repas de fête et je me souviens très clairement d'avoir encouragé un de mes cousins à essayer de lancer une balle de ping-pong dans sa bouche ouverte pendant qu'il sommeillait. Heureusement, la chose ne s'est pas produite et il ne s'est jamais éveillé.

Ma grand-mère aimait jouer des tours. Un de ses favoris était de mettre un morceau de flanelle dans la pâte d'une des crêpes de mon grand-père. Combien nous étions excitées en attendant qu'il prenne une bouchée de la pièce. Grand-maman aimait faire de la pâtisserie et elle avait toujours plusieurs fournées de biscuits maison à nous offrir. Elle était réputée pour ses biscuits de Noël et elle remplissait plusieurs boîtes de métal chaque année.

Tous les ans, nous allions au Sample Fair qui avait lieu dans la remise pour voitures à chevaux derrière une des grandes résidences de la ville. Nous parlions pendant des jours des trésors que nous pourrions y trouver. Chacune de nous recevait un sac de magasinage en entrant et nous le remplissions avec des centaines d'échantillons — de tout, à partir de pains miniatures faits par une boulangerie locale à des baguettes de bois provenant du magasin de peinture. Nous passions des heures à choisir et à décider quels trésors apporter.

Une autre de nos activités favorites était d'aller avec mes grands-parents à leur résidence d'été aux Mille-Îles. Grand-maman nous laissait l'accompagner, peu importe la température, pour sa baignade quotidienne à 6 h dans le fleuve Saint-Laurent. Quelle façon revigorante de commencer une journée d'été!

Elle adorait nous permettre de l'aider quand elle faisait des pâtisseries. Un des moment préférés du dimanche matin consistait à l'aider à faire ses beignes — un vrai régal familial. Nous prenions les beignes chauds et nous les roulions dans le sucre en poudre ou la cannelle, puis nous nous assoyions avec une tasse de café en écoutant une émission de radio; nous étions partis pour un autre merveilleux dimanche d'été.

Bien que je ne sois pas devenue très bonne pâtissière, j'apprécie sincèrement le travail et l'amour qu'il faut mettre pour préparer des gâteries pour les autres. Chaque année, quand vient le temps de faire des biscuits de Noël, ou quand nous achetons un sac de beignes dans une pâtisserie locale, je me rappelle les merveilleuses recettes de grand-maman et tout le bon temps que nous avons passé ensemble.

Beignes d'été
de grand-maman Yehle

18 beignes

❦

Cette recette vient de Florence Markham Smith, la mère de ma grand-mère (et mon arrière-grand-mère, bien sûr).

*3 tasses [750 ml] de farine
     pré-tamisée
1 tasse [250 ml] de sucre
1 tasse [250 ml] de lait
2 c. à table [30 ml] de beurre
     fondu
2 œufs
2 c. à thé [10 ml] de crème de
     tartre
1 c. à thé [5 ml] de
     bicarbonate de soude*

*½ c. à thé [2 ml] de sel
½ c. à thé [2 ml] de cannelle
½ c. à thé [2 ml] de muscade
Farine pour rouler la pâte
Graisse végétale pour frire
Sucre pour enrober les
     beignes pendant qu'ils
     sont chauds (facultatif)*

1.   Dans un grand bol à mélanger, combiner tous les ingrédients, excepté la graisse pour la cuisson. Mélanger le mieux possible avec une cuillère. Saupoudrer la pâte légèrement avec de la farine, déposer la pâte sur une planche et la pétrir pour former une masse cohésive. Ne pas laisser reposer.

2.   Rouler la pâte à environ ½ po [1 cm] d'épaisseur et découper avec un coupe-beigne. Rouler de nouveau les restants et couper. Chauffer 2 tasses [500 ml] de graisse végétale dans un poêlon électrique à 375°F [190°C] (ou toute autre casserole à frire dans laquelle on insère un thermomètre à grande friture). Utiliser un tourneur de crêpe à rainures trempé dans la graisse chaude pour transférer 4 beignes dans la graisse. Frire un côté jusqu'à ce qu'il soit bruni, puis tourner pour cuire l'autre côté. Éponger sur plusieurs couches de papier essuie-tout. Continuer la cuisson des beignes, en remplaçant le gras dans le poêlon au besoin. Si désiré, rouler les beignes dans le sucre pendant qu'ils sont chauds.

Biscuits de Noël allemands en forme d'animaux de grand-maman Yehle

Plus de 200 biscuits

ଽ

4 tasses [1 l] de sucre
4 œufs
½ livre [250 g] de beurre
½ livre [250 g] de graisse
  végétale
2 tasses [500 ml] de lait
1 ½ c. à thé [7 ml] de
  bicarbonate de soude

1 ½ c. à thé [7 ml] de crème
  de tartre
2 c. à thé [10 ml] de vanille,
  ou au goût
½ c. à thé [2 ml] de sel
Environ 10 tasses [2,5 l] de
  farine pré-tamisée

1. Préchauffer le four 375°F [190°C]. Dans un très grand bol à mélanger, battre ensemble le sucre et les œufs. Dans une petite casserole, faire fondre ensemble le beurre et la graisse végétale et laisser refroidir; lorsque refroidi, ajouter au mélange de sucre et d'œufs, et bien mélanger. Chauffer le lait pour le tiédir; ajouter le bicarbonate de soude et la crème de tartre, et brasser jusqu'à dissolution. Ajouter au mélange d'œufs, de beurre et de graisse, et bien mélanger. Ajouter la vanille et le sel.

2. Ajouter graduellement la farine jusqu'à ce que la pâte ait la bonne consistance pour rouler. Rouler sur une surface enfarinée à une épaisseur de ¼ po [0,65 cm]. Couper avec des emporte-pièces en forme d'animaux (ou autres). Déposer sur des tôles à biscuit graissées et cuire pendant 8 à 10 minutes. (Glacer avec un glaçage au beurre, si désiré.)

Presque la tarte aux pommes de grand-maman

Kirby Howard

Parfois, durant les chaleurs torrides de l'été, je ressens une brise chaude et légère où je perçois la précieuse odeur du citron, de la cannelle, du beurre et du poulet. Quel merveilleux mélange d'arômes qui me renvoie au temps que je passais dans la cuisine de grand-maman.

De l'aube jusqu'au soir, le poêle à bois en fonte produisait des mets succulents — des biscuits au sucre, des gâteaux au chocolat, des tartes aux cerises, des navets et légumes verts et, mon Dieu!, la meilleure tarte aux pommes de l'univers! Je ne suis jamais allée dans cette cuisine sans avoir vu fièrement exposée au moins une superbe tarte, tout près de biscuits qui fondent dans la bouche, et si vous étiez vraiment chanceux, la tarte aux pommes — que jamais personne dans la famille n'a été vraiment capable de reproduire.

Nous nous réconfortons en nous disant l'un l'autre que c'était à cause du poêle, et c'est pourquoi nous ne pouvons pas faire cette même tarte aux pommes dans nos cuisinières modernes et sans âme, avec leurs boutons de contrôle froids. C'était peut-être le poêle. Mais je crois qu'il y avait une autre force en jeu, c'est-à-dire le bon vieil amour, le dur labeur, les sacrifices et les nombreuses heures consacrées à donner généreusement afin que d'autres puissent profiter de la vie plus facilement et plus souvent. Plus important, elle montrait que la vie pouvait être vivable, parce que, à l'époque de grand-maman, la vie devait être vivable à tout prix.

Je me suis souvent émerveillée de tout ce qu'elle pouvait accomplir à chaque journée — veillant sur 10 enfants, et Dieu sait de combien d'autres elle s'est occupée. Tous, sous ses soins, portaient des chemises et des pantalons, ou des robes, propres et bien repassés. Tous mangeaient trois repas substantiels par jour, car c'était une famille de cultivateurs et il fallait qu'ils se nourrissent bien — il y avait des poulets à nourrir, des œufs à ramasser, du beurre à baratter et du lavage à faire dans de l'eau du puits — sans climatisation, sans machine à glace et sans mélangeur ou robot de cuisine.

Ma grand-mère ne s'apitoyait jamais sur ce qu'elle n'avait pas; elle faisait simplement le mieux possible avec ce qu'elle avait — un corps solide et un esprit du don incroyable, de la générosité et de l'humilité. Je me souviendrai toujours combien c'était merveilleux de parler avec elle. Je lui demandais de me raconter des histoires de son enfance et elle s'exécutait avec des contes sans fin que je regrette beaucoup ne pas avoir notés.

Maintenant qu'elle n'est plus, je m'ennuie de ces conversations avec elle dans sa cuisine et sur son porche avec les meubles en osier et les magnolias. Elle n'était pas femme à vous mettre à l'épreuve ou à vous juger — pas du tout — elle vous aimait, tout simplement! Elle vous aimait d'un amour inconditionnel, comme Dieu, sans même y penser. Elle ne se plaignait pas de ses tâches quotidiennes, elle les accomplissait, tout simplement. Aussi incroyable que cela puisse paraître, en pensant au monde d'aujourd'hui, elle faisait son travail vêtue confortablement d'une robe faite dans un sac de farine avec un tablier autour de sa taille forte.

Dans certains moments de réflexion, quand je regarde ma propre vie, je me demande, *étais-je vraiment parente avec elle?* Nos vies sont tellement différentes! Que je n'aie pas 10 enfants et un poêle à bois n'est que la pointe de l'iceberg. Je donnerais n'importe quoi pour avoir sa résistance et sa nature généreuse! Combien d'autres choses, à part la tarte aux pommes, je ne peux pas maîtriser dans ma vie alors qu'elle les réussissait dans la sienne?

J'admire grandement sa vie faite de service aux autres et j'honore sa mémoire comme l'une des plus précieuses influences de mon enfance. Je suis ravie chaque fois que ma mère me dit que je suis comme ma grand-mère. Je souhaiterais que ce soit plus près de la vérité, mais au moins grand-maman m'a donné un idéal à atteindre. Je crois qu'elle est souvent avec moi et que j'ai encore de longues conversations avec elle. Elles sont maintenant plutôt du genre monologue. J'ai hâte au jour où je pourrai la serrer encore dans mes bras et où elle me dira finalement ce que *exactement* je ne fais pas bien dans cette recette de tarte aux pommes.

« *Presque* » *la tarte aux pommes de grand-maman*
Une tarte de 9 pouces [23 cm]

CROÛTE :
2 tasses [500 ml] de farine
¾ tasse [175 ml] de graisse
  végétale
1 c. à thé [5 ml] de sel

5 c. à table [75 ml] d'eau
  glacée
Sucre pour saupoudrer sur
  le dessus

GARNITURE :
6 tasses [1,5 l] de pommes,
  pelées et tranchées
1 tasse [250 ml] de sucre
¼ tasse [50 ml] de farine
3 c. à table [45 ml] de
  cannelle

2 c. à table [30 ml] de beurre
  fondu
½ c. à thé [2 ml] de muscade
½ c. à thé [2 ml] de sel

1.   Pour la croûte, utiliser un couteau à pâtisserie ou deux couteaux pour couper la farine, la graisse et le sel, jusqu'à ce que la graisse soit de la grosseur de petits pois. Verser l'eau, 1 c. à table [15 ml] à la fois, tout en mélangeant avec une fourchette jusqu'à ce que le mélange soit homogène.

2.   Rouler environ les deux tiers de la pâte pour garnir le fond d'un moule à tarte, en réservant l'autre portion pour couper en languettes et faire un treillis sur le dessus de la tarte.

3.   Pour la garniture, mélanger ensemble tous les ingrédients de la garniture jusqu'à ce que les pommes soient enrobées du liquide sirupeux. Déposer dans le moule à tarte. Disposer en treillis des languettes de pâte sur le dessus. Saupoudrer de sucre pour rendre le dessus brillant. Cuire à 375 °F [190 °C] pendant 1 heure.

4

La famille

Un foyer est un endroit où une soupe mijote lentement sur le feu, remplissant la cuisine de délicieux arômes... et remplissant votre cœur, et plus tard votre estomac, dans une atmosphère de joie.

— Keith Floyd

Le lien qui unit votre vraie famille n'est pas celui du sang mais celui du respect et de la joie dans la vie de chacun.

— Richard Bach

Depuis aussi longtemps que je me souvienne, mon grand-père, John A. Mark, a dit le bénédicité suivant à chaque repas. Aujourd'hui encore, je peux entendre sa voix réciter les mots, avec chaque pause et chaque intonation. Un parent m'a dit récemment que mon arrière-grand-père Mark avait composé le bénédicité et, durant toute sa vie, le disait avant chaque repas. Nous continuons de le réciter aujourd'hui dans nos réunions de famille.

Nous te remercions, Père, du privilège de nous réunir autour de cette table. Bénis cette nourriture que tu nous donnes; puisse-t-elle nous renforcer dans nos différentes tâches de la vie. Et enfin, quand la course sera terminée, amène-nous dans ta maison là-haut. Nous le demandons en ton nom, Amen.

— Matthew S. Diener

Prière familiale

Dieu, voici notre famille ici rassemblée.
Nous te remercions de cette demeure
  dans laquelle nous vivons,
de l'amour qui nous unit,
de la paix qui nous est accordée aujourd'hui,
de l'espoir de nos lendemains;
de la santé, du travail, de la nourriture
  et du ciel bleu
qui rendent notre vie merveilleuse;
de nos amis de tous les coins de la Terre, Amen.

— Robert Louis Stevenson (1850-1894)

De danseuse à cusinière

Patti Rypinski

J'aimais ma belle-mère. Elle était belle, excitante, aventureuse et amusante. Elle était un vrai trésor. Nous avons certainement eu nos divergences d'opinion, mais pendant 35 ans, notre amitié prudente s'est développée en respect mutuel et en véritable amour.

Vous ai-je dit que Florence Forman était une star? Eh bien, elle l'était… de la tête aux pieds. Elle n'oubliait jamais son cérémonial de scène — en quittant une pièce, elle se tournait, faisait une petite révérence et un signe de la main.

Encouragée par son professeur de ballet russe, elle a auditionné pour un rôle à l'âge de 14 ans. À cette période, elle a rencontré une autre personne qui voulait devenir actrice, Harriet Hilliard Nelson, devenue plus tard la maman de la célèbre famille Nelson. Florence et Harriet sont demeurées proches, de vraies amies, de l'âge de 14 ans jusqu'à la mort de Florence à l'âge de 84 ans, en 1993. Harriet disait en ce temps-là : « Comme Florence aimait être en tête d'affiche! »

Pendant son voyage de noces dans le sud de la France, quelque part dans les années vingt, Florence a rencontré une autre amie de longue date — Marjorie Husted, la Betty Crocker originale, qui a popularisé la première le Bisquick, et de qui Florence tirait son inspiration culinaire.

Les réceptions de Florence étaient réputées parce qu'elle aimait recevoir, cuisiner et côtoyer des gens intéressants. Non seulement tout le monde voulait y être présent, mais on voulait aussi ses recettes. La plupart d'entre nous en copiaient quelques-unes et les distribuaient. En 1981, Florence a écrit et publié son propre livre de recettes, *Dancer to Cook*. La demande a augmenté au cours des années et le livre a été réimprimé six fois, toujours avec une édition augmentée. Il lui restait un dernier exemplaire qu'elle a donné à son infir-mière préférée, Elizabeth, cinq jours avant sa mort.

Pendant les six mois qui ont suivi le décès de Florence, pas une journée ne s'est passée sans que je pleure toutes les larmes de mon corps. Tous, dans la famille, ont été près d'elle presque constamment pendant les trois mois qui ont précédé son décès du cancer. Même si je pensais lui avoir dit tout ce que je voulais et avoir fait tout ce que j'ai pu pour elle, les regrets et la tristesse que j'éprouvais devenaient de plus en plus intolérables. Je semblais accepter sa mort plus difficile-ment que quiconque.

Nous l'aimions tous et elle nous manquait, mais les autres avaient tous fait quelque chose que j'avais été incapa-ble de faire. Oui, je lui avais dit, comme les autres, combien je l'aimais et à quel point elle m'avait influencée, combien je me souviendrais d'elle et la chérirais. Ce que j'avais oublié et que je ne pouvais pas me résigner à faire était de lui dire… adieu.

Avec l'aide d'une amie très sage, j'ai pu comprendre qu'en ne la laissant pas partir, qu'en ne lui disant pas adieu, je m'accrochais à la douleur (une chose que Florence détestait). Donc, je me suis assise calmement pour un long moment, j'ai visualisé Florence et je lui ai dit adieu.

Cette nuit-là, j'ai dormi profondément et j'ai eu un rêve des plus merveilleux. Florence est apparue fraîche et reposée, lumineuse et vivante, avec ce bon vieux regard pétillant. Elle s'est retournée, en grand technicolor, et avant de quitter un plateau de tournage parfait — un jardin entouré d'arbres, de vignes, de fleurs et d'oiseaux, complété par un arc-en-ciel — elle m'a soufflé un baiser et a remonté l'escalier, me faisant cette petite révérence de départ. En souriant, elle a continué de monter l'escalier et de s'éloigner. L'escalier s'est rétréci, disparaissant dans les nuages célestes. Quelle finale!

Je l'ai laissée aller, et ce faisant, j'ai aussi libéré mon cha-grin. Elle était heureuse, souriante et totalement en paix; son amour à mon endroit m'a rejointe pour taire mon angoisse. Ma peine s'est transformée en précieux souvenirs qui enrichissent ma vie quotidienne et mon âme, me donnant une leçon sur l'amour qui vient de l'au-delà.

Aloha, chère Florence, notre *kaanei* (ce qui veut dire « un être spécial » en hawaïen), un nom qui lui a été choisi et donné par sa merveilleuse amie, Mahi Beamer.

La recette du gâteau au chocolat préféré de Alan, mon mari, provient du livre de Florence. Il compare chaque gâteau au chocolat avec celui-ci et il n'en a jamais goûté un qui lui donne une aussi grande satisfaction.

Gâteau au chocolat de Harold Lloyd
Environ 12 portions

En plus d'être un ami de Florence, Harold Lloyd était une étoile du cinéma muet — le comédien avec les lunettes noires rondes, pendu à l'horloge au-dessus du gratte-ciel.

GÂTEAU :
16 oz [500 g] de cassonade
½ tasse [125 ml] de beurre
2 œufs
2 carrés de chocolat non
   sucré
1 ¾ tasse [425 ml] de farine à
   gâteau

1 c. à thé [5 ml] de
   bicarbonate de soude
¼ c. à thé [1 ml] de sel
1 tasse [250 ml] de lait sûr
   ou de babeurre

GARNITURE :
1 c. à table [1 enveloppe] de
   gélatine sans saveur
¾ tasse [175 ml] de sucre
½ tasse [125 ml] de farine
½ tasse [125 ml] d'eau

1 ½ carré de chocolat non
   sucré, râpé grossièrement
1 c. à table [15 ml] de beurre
½ tasse [125 ml] de crème
   épaisse (crème à fouetter)

GLAÇAGE AU CHOCOLAT :
3 carrés de chocolat non
   sucré
2 c. à table [30 ml] de beurre
½ tasse [125 ml] de lait (ou
   plus si nécessaire)

3 tasses [750 ml] de sucre à
   glacer
2 c. à thé [10 ml] de vanille

1.　Préchauffer le four à 350°F [175°C]. Beurrer et enfariner (ou tapisser de papier paraffiné beurré) deux moules à gâteau ronds de 8 po [20 cm]. Dans un grand bol, battre ensemble la cassonade et le beurre avec un batteur électrique jusqu'à ce qu'ils forment un mélange crémeux. Ajouter les œufs et le chocolat fondu. Tamiser ensemble la farine, le bicarbonate de soude et le sel. Ajouter le mélange de farine en alternant avec le lait sûr ou le babeurre, en battant continuellement. Mettre la pâte dans les moules préparés et lisser le dessus. Cuire pendant 25 à 30 minutes, jusqu'à ce qu'un cure-dent inséré au centre en ressorte sec.

2.　Pendant la cuisson du gâteau, préparer la garniture. Saupoudrer la gélatine sur ¼ tasse [50 ml] d'eau froide et laisser reposer pour amollir. Dans une casserole, mélanger le sucre et la farine. Ajouter ½ tasse [125 ml] d'eau, le chocolat et le beurre, et chauffer en brassant jusqu'à ce que le chocolat soit fondu et que le mélange soit lisse. Retirer du feu. Ajouter la gélatine ramollie et laisser *refroidir complètement* à la température de la pièce. (Le mélange doit atteindre la consistance d'un pouding.) Quand la garniture et les gâteaux ont refroidi, battre la crème épaisse (crème à fouetter) jusqu'à ferme, et mélanger la crème fouettée à la garniture. Étendre entre les deux étages de gâteau au chocolat.

3.　Pour faire le glaçage, faire fondre ensemble le chocolat, le beurre et le lait, en brassant souvent. Faire refroidir jusqu'à tiède et incorporer le sucre à glacer et la vanille, en battant jusqu'à consistance assez épaisse et lisse pour étendre. Utiliser une spatule pour étendre le glaçage sur le dessus et les côtés du gâteau.

Enfants faits maison

Naomi Rhode

Pendant que j'écris cette recette, il y a un pain qui « lève » dans mon four et des enfants qui « lèvent » dans ma maison. Aucune des progénitures n'est terminée, mais les ingrédients ont été soigneusement choisis, mesurés et mélangés. Le bon livre de recettes promet ceci : « Instruis l'enfant selon ses dispositions, devenu vieux, il ne s'en détournera pas » (Proverbes 22, 6). Ayant de l'expérience pour suivre ce livre de recettes, je fais confiance à l'auteur!

1. Mesurer dans une maison des parents aimants, suivis de quelques enfants (à votre discrétion quant au nombre — nous préférons 3).

2. Ajouter, en brassant constamment, de la levure (nous recommandons la foi en Dieu). Ajouter de la sagesse (autant que possible celle de Dieu, l'expérience antérieure et beaucoup de bon sens), de la vérité (très important pour des résultats uniformes), de la patience (de grosses portions sont constamment nécessaires), de la bonté (en grande quantité), de la gentillesse (ramollie avant d'ajouter), de la discipline (avec équité, mesurée dans un contenant propre), de l'amour (une pleine mesure, pressée, brassée et qui déborde de la tasse) et du rire (en pétrir autant que possible et laisser pénétrer dans toute la fournée).

3. Tous les ingrédients devraient être mesurés dans un contenant de prière (aucune substitution permise). Pour une nourriture excellente et une bonne qualité de conservation, maintenir la pâte aussi molle et malléable que possible, mais non collante — juste assez pour que vous puissiez la manier, avec l'aide de Dieu.

4. Mélanger jusqu'à ce que lisse et élastique (environ 18 ans). Mettre dans un bol graissé (symbole des luttes de la vie) et couvrir avec un linge humide (nous apprenons de nos échecs autant que de nos victoires). Laisser lever dans un endroit *chaud* (la température pour « lever » est très importante) jusqu'à ce que le mélange double de grosseur (environ quatre à huit ans après le secondaire).

5. La pâte est prête à être divisée en toutes sortes de formes de beaux jeunes hommes et de belles jeunes femmes pour utiliser comme le Soutien de Vie dans la vie d'autres gens. De merveilleux résultats sont garantis!

Notre table italo-américaine

Carol Miller

En grandissant dans une famille d'origine italienne au New Jersey, j'ai gardé des souvenirs précieux de nourriture délicieuse et somptueuse autour de la grande table de cuisine de ma famille. Quand un plat était terminé — tel des artichauts farcis au parmesan — une assiette de poivrons luisants rouges et jaunes, marinés et rôtis, servis avec du mozzarella, suivait comme prélude à plusieurs entrées principales : aubergine parmesan, coquilles de pâtes farcies au ricotta et poivrons farcis au riz et à la saucisse.

Les amis et les parents étaient toujours les bienvenus, et les conversations étaient toujours animées pendant les repas; parfois on argumentait et souvent on riait. Le cousin Mario, saxophoniste par excellence, nous fascinait avec les récits de ses performances dans les clubs de nuit; il éblouissait son auditoire en jouant sur deux saxophones à la fois. Quand le cousin Steve était en retard (immanquablement), on lui pardonnait rapidement à cause de ses histoires drôles.

Ma mère (qu'on appelait tante Rosie) était heureuse quand elle préparait de la nourriture pour une grande réunion de parents. J'ignorais que ces expériences de ma jeunesse me dirigeaient vers la profession de traiteur. Je suis reconnaissante que mon héritage italien m'ait permis de connaître les joies et les aventures que l'on retrouve dans une bonne nourriture et en bonne compagnie.

Voici un des amuse-gueule les plus populaires de mon commerce.

Torta aux tomates séchées et au basilic avec des crostini rôtis

15 portions ou plus

ॐ

8 oz [250 g] de fromage à la crème, à la température de la pièce

1 petite gousse d'ail, pelée

¼ tasse [50 ml] de basilic frais non tassé

1 tasse [250 ml] de fromage parmesan fraîchement râpé

4 oz [125 g] de fromage bleu, à la température de la pièce

¾ tasse [175 ml] de persil italien non tassé

¼ tasse [50 ml] de tomates séchées, égouttées et en lamelles

¼ tasse [50 ml] de noix hachées finement

¼ tasse [50 ml] d'huile d'olive

Crostini pour servir (recette plus bas)

1. Dans un bol à mélanger, combiner le fromage à la crème et le fromage bleu, et laisser chambrer à la température de la pièce. Bien mélanger et réserver.

2. Déposer une petite gousse d'ail dans le bol *sec* d'un robot de cuisine électrique avec le moteur en marche. Une gousse d'ail émincée instantanément! Vous pouvez, bien sûr, émincer l'ail et hacher les autres ingrédients à la main. Ajouter le persil, le basilic et les tomates séchées dans le bol du robot de cuisine avec l'ail; mélanger jusqu'à consistance molle et, sans arrêter le moteur, verser l'huile d'olive. Transférer le mélange dans un petit bol. Ajouter le parmesan et les noix.

3. Tapisser un moule à pain de 5½ x 2½ po [13 x 6,5 cm] avec du cellophane, le laissant déborder sur les côtés. Diviser le mélange de fromage en trois portions égales. Étendre un tiers de mélange de fromage au fond du moule; étendre la moitié du mélange tomates-basilic sur le fromage. Répéter l'étage fromage et l'étage tomates-basilic. Garnir avec le troisième tiers du fromage. Couvrir avec du cellophane et réfrigérer pendant 24 heures (ou congeler).

4.   Pour servir, attendre 30 minutes (2 heures si congelée) afin que la torta parvienne à la température de la pièce. Renverser sur un plateau, fournir un couteau à tartiner et servir avec les crostini.

Crostini

❧

1 baguette de pain français
2 c. à table [30 ml] d'herbes
    de Provence (ou autre
    mélange d'herbes que
    vous aimez)

¼ tasse [50 ml] d'huile
    d'olive
1 c. à table [15 ml] d'ail
    émincé

1.   Préchauffer le four à 350°F [175°C]. Couper le pain français en tranches minces et déposer sur une plaque à biscuits.

2.   Dans un petit bol, combiner l'huile d'olive, les herbes et l'ail. Étendre légèrement sur chaque tranche (ou brosser à l'aide d'un pinceau à pâtisserie) le mélange herbes-ail et cuire au four 5 à 7 minutes, jusqu'à doré.

Les tomates et l'origan donnent une saveur italienne; le vin et l'estragon font français. La crème sûre, c'est russe; le citron et la cannelle donnent un goût grec. La sauce soja, c'est à la chinoise; l'ail donne un bon goût.

— Alice May Brock

Menu pour le thé

Jamie Drew

*Un vrai grand homme ne perd jamais
sa simplicité d'enfant.*

— Proverbe chinois

Bob Drew et moi nous sommes rencontrés grâce aux efforts désopilants de l'ex-femme de Bob et d'un ami commun. Comme ils l'avaient prédit tous les deux, nous nous sommes rencontrés, nous sommes tombés amoureux, nous nous sommes mariés et avons fusionné deux collections d'enfants. En tout, nous avons maintenant 10 enfants et 12 petits-enfants.

Lorsque Bob a pris sa retraite, nous avons déménagé à Prescott, Arizona, et nous avons essayé d'avoir des conversations au téléphone avec nos petits-enfants. D'un appel à l'autre, ils ne pouvaient pas se souvenir qui nous étions. Les conversations étaient guindées et il était difficile pour un petit enfant de trois ou quatre ans de dire autre chose que « oui », ou « non », ou « heu! »

Très tôt, nous les avons intéressés à nous en parlant de réception de thé. Lors de nos voyages, nous cherchions des petits services à thé bon marché et si possible incassables, et nous les leur envoyions d'Espagne, d'Australie, du Mexique et même du marchand local. Un jour, nous avons trouvé un joli service à thé tout petit, en argent, avec le crémier, le sucrier et le plateau.

L'important n'était pas le service à thé — le plaisir était de demander : « As-tu reçu pour le thé récemment? » « Qui as-tu invité? » « Faisons semblant d'inviter Bess, le chien, et Abu, le chat, et qui d'autre? » « Que serviras-tu avec le thé? Un gâteau? Des biscuits? Et beaucoup de thé! » « Qui d'autre aimerais-tu inviter? » « Oh, le nouveau garçon dans ta classe? La petite fille d'à côté? »

À Noël dernier, quand l'une de nos petites-filles âgée de 11 ans est venue en visite, nous lui avons demandé ce dont elle se souvenait le mieux à notre sujet. Elle a répondu : « Une réception spéciale pour le thé que nous avons eue il y a long-temps, où on a chanté pour moi "Joyeux non-anniversaire" »

Quand nous sommes allés au Minnesota et que nous avons vu quelques-uns de nos petits-enfants qui nous con-naissaient à peine, nous avons pris grand plaisir à discuter d'une réception de thé avec ces deux charmantes fillettes. Nous nous sommes empressés d'aller dans la salle de jeu, où nous avons installé un service à thé et avons fait semblant de prendre le thé et de manger des prétendus gâteaux avec tou-tes les poupées qui étaient là.

Le même scénario s'est reproduit à travers tout le pays, plusieurs fois au téléphone. « Qui aimerais-tu inviter à notre réception de thé? » « Grand-papa? » « Oh! tu devrais lui demander toi-même! »

La semaine prochaine, un autre de nos petits-enfants viendra à Prescott pour nous visiter et nous avons tous très hâte car nous aurons — devinez quoi? Une réception de thé! Pour l'occasion, nous aurons du vrai thé aux herbes et des "popovers", que tout petit garçon ou toute petite fille adore faire. Quel plaisir!

Pour nos enfants

Nous te remercions de nos enfants.
Puissions-nous continuer d'être bénis
Par leur simple miracle
Afin que nous ne tenions pas
Pour acquis un seul moment
De ce miracle pour lequel
Nous sommes nés.

— Steve Myrvang

Comment recevoir pour le thé

ৰ৯

1. Si vous êtes en visite, apportez un nouveau service à thé à partager. Les morceaux se perdent et les mères se sentent visées quand on ne peut pas les trouver.

2. Allez dehors ensemble et cueillez quelques petites branches de verdure ou une fleur et mettez le tout dans un petit vase, n'importe lequel.

3. Trouvez un coin sur une serviette, une table avec une nappe ou juste un endroit particulier et privé.

4. N'importe quel genre de tasse fera pour commencer. Aux petits-enfants plus âgés, un cadeau extraordinaire serait d'offrir de petites tasses décoratives qui peuvent éventuellement devenir une collection.

5. Servir des biscuits ou des petites tranches de gâteau ou des petits-fours provenant de la pâtisserie. Mieux encore, les "popovers" sont faciles à faire, économiques, et on les réussit toujours.

Recette infaillible de "popovers" pour le thé de Mamasan

6 "popovers"

❧

Graisse végétale pour les
  moules à muffins ou les
  coupes
2 œufs
1 tasse [250 ml] de lait
1 tasse [250 ml] de farine

1 ½ c. à thé [7 ml] de sel
Beurre ou margarine,
  confiture, miel ou sirop
  chaud pour verser sur les
  "popovers" ou à l'intérieur

1.   Attacher une serviette à thé ou un tablier à la taille du petit cuisinier. Graisser généreusement des moules à "popovers", des moules à muffins ou des coupes à crème anglaise avec la graisse végétale.

2.   Casser les œufs dans un grand bol. Battre au fouet ou à la fourchette jusqu'à ce qu'ils soient mousseux. Ajouter le lait.

3.   Tamiser la farine dans le mélange d'œufs. Ajouter le sel. Bien mélanger. Emplir les coupes au tiers. Mettre dans un four froid; ne pas préchauffer. Cuire à 450°F [230°C] pendant 25 minutes; réduire la chaleur à 350°F [175°C] et cuire encore 15 minutes. Les "popovers" devraient être croustillants et dorés.

4.   Retirer du four et faire une petite fente sur le côté de chaque "popover". Placer sur une grille pour refroidir légèrement. Préparer les accompagnements et verser le thé.

5.   Amusez-vous bien pendant votre réception de thé en famille. Ne pas oublier d'embrasser le cuisinier et de nettoyer la cuisine ensemble.

Abraham Lincoln et les pommes de terre en purée

Bobbie Probstein

Oncle Bill, c'est le parent que je me vante d'avoir. Je fais son éloge tout le temps parce qu'il a fait des choses que personne parmi mes connaissances n'a jamais faites.

J'ai l'impression d'être parente avec une célébrité parce qu'il a participé aux Jeux Olympiques de 1908 dans quatre disciplines différentes, il a gagné des médailles et a établi un record du monde jamais battu dans la montée à la corde de 8 mètres (ils ont abandonné ce sport plusieurs années plus tard, son record est donc protégé). Je le vante parce que, même s'il n'a pas terminé ses études secondaires, ayant dû aller travailler pour faire vivre sa famille, il a quand même reçu des diplômes honorifiques de plusieurs universités pour son savoir.

Il avait comme spécialités Abraham Lincoln et la guerre de Sécession, et on lui demandait souvent de donner des conférences sur ses sujets favoris. Nous avons entendu dire qu'il avait eu beaucoup de succès. Il nous a envoyé ses coupures de journaux; nous avons eu des photos de lui lors d'une table ronde sur la guerre de Sécession avec Adlai Stevenson, le gouverneur, et une autre coupure de journal avec deux jeunes hommes qu'il avait sauvés de la noyade un hiver au lac Michigan.

Oncle Bill était simplement *différent*, et les particularités me semblaient plus grandes en raison de notre très grande différence d'âge. En réalité, il était mon grand-oncle. Quand il venait de Chicago une fois par année pour nous visiter, je savais qu'il me questionnerait sur mes études. Il aimait plus que tout enseigner et inspirer les autres, mais il n'a jamais eu d'enfants et ne savait pas vraiment comment leur parler des choses *vraiment* importantes, comme des jeux et des danses. Je crois qu'il venait dans l'Ouest pour la délicieuse cuisine de maman, surtout son rôti de bœuf en cocotte et ses pommes de terre en purée.

Quand j'étais à l'école secondaire à San Francisco, il voulut parler devant les étudiants à l'anniversaire de Lincoln. J'étais mortifiée parce que oncle Bill ne ressemblait en rien aux professeurs que je connaissais, avec ses longs cheveux argentés et ses costumes froissés sombres. En ce temps-là, un rien m'embarrassait. Mais le directeur voulait qu'il parle, et il est donc venu.

Quand le matin fatidique est arrivé, je me suis faite toute petite dans le siège de l'auditorium.

Oncle Bill a été merveilleux. Il n'y a pas d'autres mots pour le dire. Son débit, sa parfaite connaissance des sujets abordés, son amour pour l'histoire et sa passion pour la grandeur de Lincoln nous a encouragés à étudier et à en apprendre davantage sur notre pays. On l'a ovationné debout.

J'ai tiré fierté d'être parente avec lui.

Maman, qui devait travailler, n'a pas pu assister à la conférence à l'école, mais le soir même elle a cuisiné pour oncle Bill son rôti de bœuf en cocotte préféré avec pommes de terre en purée et sauce, et comme dessert, de la tarte aux pommes. C'était un homme simple aux goûts simples.

Il a travaillé et donné des conférences à Chicago jusqu'à ses 70 ans passés, mais les hivers glacés ont eu raison de lui et il est donc déménagé à Santa Barbara, Californie, où il pouvait nager à l'extérieur à l'année longue. Il est devenu le chapelain du groupe de vétérans local. Bien qu'il ait servi son pays dans le corps médical pendant les deux Guerres mondiales, c'était un homme pacifique.

Quelques années plus tard, pendant la guerre du Vietnam, un jeune homme s'est avancé vers lui et l'a giflé à la figure parce qu'il portait son vieil uniforme de lieutenant-colonel. Choqué, mon oncle a dit : « Jeune homme, au cours de mes 84 années, personne n'a jamais douté de mon intégrité ou ne m'a attaqué physiquement. » Il a gratifié l'homme d'un crochet de droite et s'est rendu à la chapelle. Quelques badauds ont vu la scène et l'ont rapporté au journal de Santa Barbara. Oncle Bill a été louangé et a connu un autre moment de gloire.

À l'âge de 85 ans, il nageait cent longueurs à la piscine locale. Il lui fallait longtemps, disait-il, mais à quoi servait le temps? Je me demandais s'il pensait à la guerre de Sécession pendant qu'il nageait, pour éviter de s'ennuyer.

Vers la fin de ses quatre-vingts ans, lui et un autre homme âgé ont commis l'imprudence de descendre un réfrigérateur dans un escalier; l'autre homme est tombé et la charge a projeté oncle Bill par terre, lui fracturant la hanche. Il a été hospitalisé pendant longtemps et a un peu perdu la raison, en plus de sa hanche qui n'a guéri que partiellement.

Après la chute, il n'a plus jamais été le même. Il a commencé à vivre entièrement dans le passé et on l'a observé alors à un poste de receveur au baseball, donnant des signaux à un lanceur invisible à partir de son fauteuil roulant dans lequel il était confiné.

Je lui rendais souvent visite, même s'il ne me reconnaissait plus. Quand je lui disais que j'étais parente avec lui, il était galant et il me disait qu'il venait d'emmener sa mère (mon arrière-grand-mère) faire le tour du lac. Elle était morte depuis plus de 40 ans.

Je redoutais son 90e anniversaire à l'hôpital pour convalescents. Il semblait tout à fait sénile; son corps autrefois si musclé était affaissé, et il lui manquait plusieurs dents.

Toutes les infirmières, et les patients qui pouvaient se rappeler les mots, ont chanté « Bonne fête ». Oncle Bill a souri et a essayé de se mettre debout. Deux aides-soignants l'ont aidé pendant qu'il redressait son vieux corps le mieux qu'il pouvait et, presque droit, il a commencé à réciter le discours de Gettysburg.

La salle est restée silencieuse. Tous les yeux étaient tournés vers lui, même ceux qui étaient à moitié aveugles par des cataractes.

Chaque mot était une vibrante déclaration de foi, d'espoir, de douleur de ceux qui sont morts pendant la guerre de Sécession. Sa voix était puissante; sa mémoire précise. Je n'ai jamais ressenti les mots avec tant d'émotion et je me suis mise à pleurer. J'ai vu que d'autres pleuraient aussi.

Quand oncle Bill a terminé, il a reçu une longue ovation enthousiaste. Quand les applaudissements ont cessé, il est retombé dans son fauteuil roulant.

Quelqu'un lui a demandé ce qu'il voulait comme cadeau d'anniversaire après un discours aussi inspirant. « Un rôti de bœuf en cocotte et des pommes de terre en purée avec de la sauce », a-t-il répondu. « J'ai faim! »

Rôti de bœuf en cocotte avec sauce

6 à 8 portions

ॐ

1 rôti de bœuf désossé et
   roulé de 4 livres [2 kg]
   (macreuse, croupe ou œil
   de ronde)
2 c. à table [30 ml] d'huile ou
   de gras de bœuf
1 oignon, haché

1 feuille de laurier
1 c. à thé [5 ml] de sel
Poivre noir fraîchement
   moulu
Pommes de terre en purée
   comme accompagnement

SAUCE :
1 c. à table [15 ml] de gras
3 tasses [750 ml] de bouillon
   de bœuf, divisé

6 c. à table [90 ml] de farine

1. Éponger le rôti pour qu'il soit sec et faire brunir dans l'huile ou le gras de bœuf dans une casserole épaisse sur feu moyen-fort. Enlever le rôti et faire revenir légèrement l'oignon dans le gras. Remettre le bœuf dans la casserole avec ¼ tasse [50 ml] d'eau, la feuille de laurier, le sel et le poivre. Bien couvrir la casserole, réduire le feu et mijoter lentement pendant trois heures, en retournant la viande environ toutes les demi-heures et en ajoutant 1 ou 2 c. à table [15 ou 30 ml] d'eau, au besoin.

2. Quand le bœuf est tendre, l'enlever de la casserole et le déposer dans un plat chaud, le couvrir légèrement de papier d'aluminium et le garder au chaud dans un four à basse température. Enlever tout le gras de la casserole, sauf 1 c. à table [15 ml]. Ajouter 2 tasses [500 ml] de bouillon de bœuf à la casserole et chauffer, en grattant les parties collées au fond de la casserole. Dans un pot, brasser 1 tasse [250 ml] de bouillon de bœuf avec la farine et incorporer lentement au bouillon chaud, battant au fouet jusqu'à épaississement. Laisser mijoter 2 à 3 minutes en assaisonnant au goût.

3. Trancher le rôti et servir avec pommes de terre en purée et sauce.

Bienfaits cachés

June Shoffeitt

En 1971, alors qu'il était en convalescence suite à un infarctus quasi fatal, mon mari a dû suivre une diète sans sel. Bill s'est soudain rendu compte pourquoi il avait eu tant de demandes d'assaisonnements sans sel. Il ne lui a pas fallu longtemps pour créer une ligne complète d'assaisonnements sans sel pour les personnes qui suivent une diète sans ou légère en sodium. Son attaque cardiaque s'est avérée un bienfait caché. La gratitude des patients qui ont pu de nouveau prendre un repas savoureux compense pour toutes les années de dur labeur, de désappointements et d'échecs.

Bill et moi avons créé Shoffeitt Gourmet Seasonings il y a 28 ans, et même si Bill est décédé, c'est toujours la famille qui est propriétaire et qui opère la compagnie. Elle est actuellement gérée entièrement par des femmes : notre fille, Bobbie ; sa fille, Tonja ; et la fille de Tonja, Danielle, y travailleront. Ce sera un été de quatre générations.

Notre mot d'ordre a toujours été « il faut les entraîner jeunes ». Nous joignons la parole aux actes, croyez-moi! À la naissance de ma première arrière-petite-fille, Danielle, nous avons mis son berceau dans le salon des dames. Après sa sieste, on mettait Danielle dans un sac à dos pour bébés et, chacune notre tour, nous la portions tout en travaillant.

La famille va deux ou trois fois par année à des salons pour faire des démonstrations de nos assaisonnements. Lors d'un salon à San Francisco, mes trois filles et deux collègues se sont toutes entassées dans un ascenseur avec leurs valises, leurs articles d'exposition, leur vaisselle et leurs appareils photo. Elles montaient, montaient, fatiguées et maussades. Arrivées au sixième étage, les portes se sont ouvertes et Sandy fut la première à sortir. Personne ne la regardait parce qu'elles étaient encore à ramasser leurs sacs et leur équipement. Sandy a remarqué un sou neuf brillant sur le sol et elle s'est penchée pour le ramasser. Au même moment, Sondra et Pam, les bras chargés, sont sorties de l'ascenseur, ont trébuché sur Sandy et sont tombées par-dessus elle, en même temps que Bobbie et Janet se sont étalées à leur tour par-dessus celles-ci. Soudain, il y avait des corps, des bagages, de la vaisselle et des caméras partout! Le monsieur qui attendait pour prendre l'ascenseur était tellement effrayé quand il a vu ce spectacle qu'il s'est littéralement précipité vers l'escalier — il ne pouvait pas s'en éloigner assez rapidement.

Cet événement fut un autre bienfait caché, car après toutes ces années, nous avons encore des souvenirs drôles. Et nous en avons souvent.

Sauté de poulet et légumes

4 portions

૨** faith**

4 demi-poitrines de poulet,
   désossées et tranchées
   mince
¼ tasse [50 ml] d'huile
1 gros oignon, tranché
1 poivron doux, tranché en
   rondelles
1 boîte [199 ml] de
   châtaignes d'eau,
   égouttées et tranchées

4 courgettes moyennes, en
   tranches épaisses
2 tasses [500 ml] de céleri,
   tranché en biseau
1 tasse [250 ml] de
   champignons, tranchés
2 tasses [500 ml] de carottes,
   tranchées en biseau
Assaisonnement sans sel au
   citron

Chauffer l'huile dans un wok ou dans un poêlon épais. Sauter le poulet dans l'huile chaude jusqu'à ce qu'il soit tendre. Ajouter les autres ingrédients; parsemer généreusement de l'assaisonnement sans sel au citron. Sauter jusqu'à ce que les légumes soient tendres au goût. Ne pas couvrir ni trop cuire.

5

Traditions des fêtes

Ma cuisine est un endroit mystique. C'est là où les sons et les arômes prennent leur signification à partir du passé pour rejoindre le futur.

— Pearl Bailey

Autour de la table

Que la paix et la joie priment.

Puissent tous ceux qui partagent

les délices de cette saison

En savourent d'innombrables autres.

— Bénédicité chinois

La veille de Noël

Ann Hyatt

Le miracle de Noël, c'est le don de l'amour.

— Auteur inconnu

Une joyeuse réunion et un spectacle sont une de nos traditions familiales la veille de Noël. Chacun présente son numéro par ordre, des plus jeunes aux plus âgés, et le numéro final est présenté par grand-maman, qui lit l'histoire de Noël dans la Bible. Au cours des ans, nous avons eu des danseurs, des chanteurs, des musiciens qui jouaient de presque tous les instruments imaginables; de la lecture de poésie; et notre propre interprétation humoristique de « The Twelve Days of Christmas ». Nous ajoutons toujours quelques numéros d'ensemble par tout le groupe, et le répertoire se compose de chansons traditionnelles de Noël et de chansons d'hiver, aux airs préférés du groupe, jusqu'à des interprétations plus sacrées de la naissance de Jésus.

Grâce à la délicieuse innocence des enfants, nous pouvons pénétrer dans le monde nouveau et intriguant qu'ils voient et entendent. Par exemple, « round yon Virgin » devient « round John Virgin ». « Cattle are lowing, the poor baby wakes » devient « cattle are glowing, the poor baby breaks ». « Far, far away on Judea's plains » devient « far, far away on Judy's plates ». Et Rudolph le petit renne au nez rouge a une amie casse-pieds qui s'appelle Olive. On l'a découverte dans un dessin de Noël d'un enfant qui a présenté son dessin de Rudolph et ses amis, où il y avait un renne traînard au fond du dessin avec un nez vert olive. Quand j'ai demandé qui c'était, il a répondu « Olive, l'autre renne. » Voyant que nous ne comprenions pas, il a ajouté : «Vous savez, celui qui riait et qui le traitait de tous les noms! »

Après le programme d'amateurs, nous nous agenouillons tous en prière. Ensuite, tous les bas sont accrochés à la cheminée, aux chaises, au piano, partout où on peut trouver un endroit pour les suspendre avec soin. Puis, les mamans et les papas vont cuisiner et tous les enfants font des projets pour le moment où ils se tiendront devant la porte de chambre de leurs parents, le matin de Noël, pour chanter à s'époumoner : « Little Tom Tinker sat on a clinker and he began to cry Ma, Pa, poor little innocent guy. » Les enfants savent qu'ils ne peuvent pas vider leur bas avant que tous se soient mis en rang pour ouvrir leurs cadeaux ensemble. Ils sont vraiment des chanteurs motivés.

Après que tous les plans ont été faits, et qu'un cadeau de la veille de Noël a été ouvert par chaque enfant, nous nous gavons tous des plats faits maison, puis nous allons nous coucher. Les enfants plus âgés et les adultes jouent aux cartes en attendant que tous les enfants s'endorment avant de commencer à emballer les cadeaux.

Voici quelques-unes de nos recettes de famille préférées : un punch que nous servons à de nombreux rassemblements de famille, deux desserts populaires auprès des plus jeunes et des plus vieux enfants, et un gâteau des fêtes préféré dans la famille.

Punch amandine à l'orange

4 litres ou 16 verres

2 tasses [500 ml] de sucre
2 tasses [500 ml] d'eau
2 tasses [500 ml] de jus d'orange concentré congelé
¾ tasse [175 ml] de jus de citron frais

1 c. à table [15 ml] de vanille
1 c. à table [15 ml] d'essence d'amande
2 pintes [2 l] de 7-Up froid

1. Dans une casserole moyenne, faire bouillir le sucre et l'eau jusqu'à dissolution du sucre; refroidir.

2. Dans un contenant de 4 pintes [4 l], combiner le concentré de jus d'orange, le jus de citron, la vanille, l'essence d'amande et le sirop refroidi; réfrigérer. Avant de servir, ajouter le 7-Up. (Si vous voulez que le punch ait la consistance d'une sloche, congeler le mélange avant d'ajouter le 7-Up.)

Boules au beurre d'arachide enrobées de chocolat

40 à 50 bonbons

৵৶

2 tasses [500 ml] de beurre d'arachide
½ tasse [125 ml] de beurre ou de margarine

3 tasses [750 ml] de sucre à glacer
1 sac [350 g] de brisures de chocolat mi-sucré

1. Faire fondre ensemble le beurre d'arachide et le beurre ou la margarine dans un grand bol, dans un four à micro-ondes ou dans un bain-marie; brasser jusqu'à onctueux. Ajouter le sucre à glacer en brassant pour bien mélanger. Rouler en boules de la grosseur d'une petite noix; déposer sur du papier paraffiné et refroidir complètement.

2. Faire fondre les brisures de chocolat comme ci-haut. Tremper les boules froides dans le chocolat fondu et transférer sur du papier paraffiné pour faire durcir. Yumm.

Carrés au chocolat

3 douzaines de carrés

*2 tasses [500 ml] de
cassonade foncée
1 tasse [250 ml] de beurre
mou ou de margarine
2 œufs
1 c. à thé [5 ml] de vanille
1 c. à thé [5 ml] de
bicarbonate de soude
½ c. à thé [2 ml] de sel*

*2 ½ tasses [625 ml] de farine
3 tasses [750 ml] de flocons
d'avoine
16 oz [500 g] de brisures de
chocolat
1 boîte [300 ml] de lait
condensé sucré
2 c. à table [30 ml] de beurre
ou de margarine*

1.   Préchauffer le four à 350°F [175°C]. Graisser un moule de 9 x 13 po [23 x 33 cm]. Dans un grand bol à mélanger, battre ensemble la cassonade, le beurre ou la margarine, les œufs et la vanille, jusqu'à ce que le mélange soit crémeux. Ajouter le bicarbonate de soude, le sel, la farine et les flocons d'avoine jusqu'à ce que la préparation soit bien mélangée.

2.   Presser dans le moule les deux tiers du mélange. Combiner les brisures de chocolat, le lait condensé et 2 c. à table [30 ml] de beurre ou de margarine; étendre le mélange de garniture sur la pâte dans le moule. Étendre ou verser le restant de la pâte sur la garniture. Cuire 25 minutes. Refroidir avant de couper.

Gâteau farfelu

Un gâteau carré de 8 po [20 cm]
Pour un gâteau à deux étages
ou un gâteau rectangulaire de 9 x 13 po [23 x 33 cm],
doubler la recette

❧

1 ½ tasse [375 ml] de farine
1 tasse [250 ml] de sucre
¼ tasse [50 ml] de cacao
1 c. à thé [5 ml] de
   bicarbonate de soude
½ c. à thé [2 ml] de sel

1 c. à table [15 ml] de vanille
1 c. à table [15 ml] de
   vinaigre
1 tasse [250 ml] d'eau
⅓ tasse [75 ml] d'huile
   végétale

1.   Préchauffer le four à 350°F [175°C]. Graisser un moule carré de 8 po [20 cm].

2.   Combiner tous les ingrédients dans un bol et bien mélanger.

3.   Déposer dans le moule graissé et cuire 30 minutes.

Les biscuits au sucre de tante Catherine

Caroline A. Goering

J'ai grandi dans un petit village de Pennsylvanie. De chez nous, nous pouvions aller à pied au village, ou à la gare pour nous rendre à Philadelphie. Le laitier, le vendeur de fruits et légumes et le boucher livraient tous la nourriture à notre porte. Nous n'avions pas d'automobile et ma parenté habitait des kilomètres plus loin. Comme résultat, mes voisins sont devenus ma famille élargie. C'était chez eux que ma mère m'envoyait pour emprunter une tasse de sucre ou de farine, ou un œuf, jusqu'à la prochaine livraison d'épicerie à notre maison.

Deux femmes en particulier sont devenues mes « tantines » spéciales, tante Catherine et tante Myrl, et je suis devenue leur « cookie » spécial. J'aimais aller chez elles pour dîner avec ma famille, ou simplement aller emprunter des ingrédients pour maman. Je me sentais aimée d'elles, peu importe ce que j'avais fait ou ce que je n'avais pas fait.

Après avoir rempli ma tasse à mesurer ou m'avoir donné l'œuf dont ma mère avait besoin, tante Catherine me laissait toujours prendre un biscuit dans sa jarre à biscuits. Elle disait souvent « Prends-en un autre! » et je partais vers la maison avec deux. Ces biscuits avaient quelque chose de spécial. Ce n'était pas simplement le goût — au plus profond de moi, je me sentais aimée inconditionnellement.

Pendant la dernière période de Noël, j'ai invité plusieurs familles avec des enfants de mes classes de parents à venir à la maison faire des biscuits avec moi. À trois différentes occasions, nous avons mélangé, découpé, décoré, cuit et mangé les biscuits au sucre de tante Catherine.

Le délicieux arôme de cuisson des biscuits emplissait la maison. Nous avons mis le dernier bonbon au sucre rouge sur le nez de Rudolph et nous nous sommes assis dans le salon autour de la table à café de tante Catherine, moi dans le fauteuil à oreilles rouge de tante Myrl et les enfants sur des chaises fabriquées par mon père. Pendant que nous étions tous assis là à siroter un chocolat chaud dans des tasses danoises en porcelaine, en mangeant notre travail, en regardant le train électrique tourner autour de l'arbre, en admirant les lumières et les décorations, j'ai soudain compris que j'étais devenue « tante » Caroline, et que ces enfants étaient maintenant mes « cookies » spéciaux.

Des parents m'ont dit depuis qu'ils avaient entendu leurs enfants dire : « Jouons à aller dans la maison de Caroline. Je serai Caroline, tu sonneras à la porte et nous ferons des biscuits. » Une autre mère m'a écrit : « La réception de thé a été le clou de la rencontre — un moment magique à garder précieusement en mémoire. Nous sommes tous partis avec l'impression que nous étions spéciaux. »

Êtes-vous la « personne biscuit » dans la vie d'un enfant? Si non, songez à inviter un ou plusieurs enfants pour mélanger, décorer, cuire et savourer avec vous quelques-uns des biscuits au sucre de tante Catherine. En leur démontrant qu'ils sont une personne spéciale, vous découvrirez, vous aussi, la magie dans les biscuits de tante Catherine.

Biscuits au sucre
de tante Catherine

Environ 4 douzaines de biscuits moyens

ᕉ

*3 ¼ tasses [800 ml] de farine
tout usage tamisée
2 ½ c. à thé [12 ml] de poudre
à pâte
¼ c. à thé [1 ml] de sel
¾ tasse [175 ml] de beurre*

*1 ½ c. à thé [7 ml] de vanille
1 ½ tasse [375 ml] de sucre
2 gros œufs
Sucre coloré, pour la
décoration*

1.   Préchauffer le four à 400°F [205°C]. Tamiser ensemble sur un papier paraffiné la farine, la poudre à pâte et le sel; réserver.

2.   Dans un grand bol, mettre en crème le beurre avec un batteur électrique jusqu'à léger. Ajouter la vanille et le sucre, et bien battre. Ajouter les œufs, un à la fois, en battant bien après chaque addition. Ajouter graduellement le mélange de farine tamisée, en brassant jusqu'à ce que le tout soit homogène.

3.   Diviser la pâte en deux, former des galettes et les envelopper séparément dans du papier paraffiné. Refroidir (au réfrigérateur, pas au congélateur) pendant 3 heures. (Préparer une recette avant l'arrivée des enfants.)

4.   Rouler la pâte à l'épaisseur désirée sur une planche à pâtisserie légèrement enfarinée avec un rouleau à pâte enfariné. (Les plus jeunes enfants peuvent regarder l'opération et garder leur énergie pour couper et décorer.) Couper avec des emporte-pièces de formes variées, selon la période de l'année. Décorer avec du sucre coloré légèrement pressé sur la surface. Déposer sur une plaque à biscuits graissée.

5.   Cuire 8 à 12 minutes ou jusqu'à légèrement doré. Avec une large spatule, transférer sur une grille pour refroidir. Déguster avec du chocolat chaud et les sourires et rires des enfants.

Gâteau aux épices du pauvre

Warren Farrell

J'ai grandi avec une nourriture simple et saine. Presque chaque jour à la radio, maman écoutait les conseils d'un nutritionniste, Carlton Fredericks. C'était l'époque où le laitier livrait le lait entier à la porte arrière, le boulanger livrait un pain blanc léger à la porte avant, et où le sexe venait après le mariage. Maman et papa étaient en accord avec le premier et le troisième, mais quant au pain blanc léger… maman a dit au boulanger que ce pain blanc devait disparaître.

Notre famille était la seule que je connaissais qui avait entendu parler du pain au blé entier, et qui en plus en mangeait. Je savais que j'étais voué à être une poule mouillée. Je l'ai su avec certitude le jour où Bobby Mack, le meilleur joueur de football en ville, a accepté quand je lui ai demandé : « Veux-tu passer à la maison pour le lunch après la partie de demain? »

Je pensais que j'étais sorti de l'impasse quand maman a cédé à ma demande d'acheter du pain blanc juste pour cette fois-là. Mais Bobby avait vu le vieux pain au blé entier caché dans une armoire. Quand il m'a supplié de lui en donner en disant que c'était épatant pour les muscles, et qu'il m'a fait comploter pour que je dise à sa mère de lui en acheter, j'ai tout à coup développé une passion pour le pain au blé entier et j'ai compris intuitivement la valeur de l'approbation des célébrités, même de la part de mecs qui se blessent pour attirer l'attention.

Maman, bien qu'elle fût très forte en nutrition, était dépassée quand il lui fallait cuisiner pour plusieurs personnes (tout ce qui dépassait une famille de quatre). Ainsi, papa cuisinait pendant les Fêtes — le plus extraordinaire pain blanc et au blé entier maison, la dinde, la farce et ce qu'il appelait le « Gâteau aux épices du pauvre ». Heureusement, je ne connaissais pas la définition d'une calorie, encore moins ce qu'était un gramme de gras. Donc, après un repas de 50 000 calories et l'équivalent d'une semaine de grammes de gras, rien ne me dissuadait de manger mon gâteau préféré, le gâteau aux épices du pauvre.

Quand je me suis marié, j'aimais les merveilleux Noëls dans la famille de ma femme. Dès l'Action de grâces, je pouvais humer l'odeur de la venue de Noël... enfin, presque. Il manquait une odeur. Quand ma femme m'a demandé laquelle, la seule chose dont je pouvais me souvenir était quelque chose à propos de poudre et d'un mousquet. Mauvaise odeur, a-t-elle dit. C'était chez papa que nous arrêtions en dernier pendant les tournées de Noël, et quand je suis allé près du four, elle était là, l'odeur de Noël, le moelleux de Noël, le goût d'un gâteau qui savait qu'il ne laisserait jamais l'orchestre du bicarbonate de soude étouffer la chanson du raisin muscat.

Gâteau aux épices du pauvre
8 à 10 portions

*15 à 16 oz [450 à 500 g] de
raisins muscat sans
pépins*
½ tasse [125 ml] de beurre
1 tasse [250 ml] de sucre
*1 c. à thé [5 ml] de quatre-
épices moulu*
*1 c. à thé [5 ml] de cannelle
moulue*

*½ c. à thé [2 ml] de clou de
girofle moulu*
2 tasses [500 ml] d'eau
2 tasses [500 ml] de farine
*½ c. à thé [2 ml] de
bicarbonate de soude*
*½ c. à thé [2 ml] de poudre à
pâte*
½ c. à thé [2 ml] de sel

1. Préchauffer le four à 350°F [175°C]. Graisser un moule
à pain de 9 x 5 po [23 x 12 cm].

2. Dans une casserole moyenne, combiner le raisin, le
beurre, le sucre, les épices et l'eau. Amener le mélange à ébullition. Laisser refroidir.

3. Mélanger ensemble la farine, le bicarbonate de soude,
la poudre à pâte et le sel, et incorporer au mélange d'épices.
Cuire 1 heure ou jusqu'à juste ferme — le gâteau aux épices
est meilleur quand il est moelleux.

*Quand l'amour garnit une maison,
les autres décorations sont secondaires.*

— Auteur inconnu

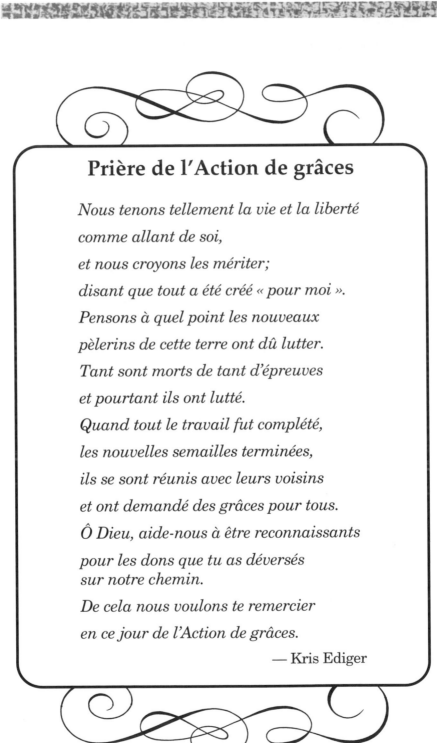

Prière de l'Action de grâces

Nous tenons tellement la vie et la liberté

comme allant de soi,

et nous croyons les mériter;

disant que tout a été créé « pour moi ».

Pensons à quel point les nouveaux

pèlerins de cette terre ont dû lutter.

Tant sont morts de tant d'épreuves

et pourtant ils ont lutté.

Quand tout le travail fut complété,

les nouvelles semailles terminées,

ils se sont réunis avec leurs voisins

et ont demandé des grâces pour tous.

Ô Dieu, aide-nous à être reconnaissants

pour les dons que tu as déversés
sur notre chemin.

De cela nous voulons te remercier

en ce jour de l'Action de grâces.

— Kris Ediger

6

Les hommes dans la cuisine

Si un homme sensé, un bon matin, alors qu'il est au lit, compte sur le bout de ses doigts combien de choses dans cette vie lui donneront vraiment du plaisir, invariablement, il dira que la nourriture vient en premier.

— Lin Yutang

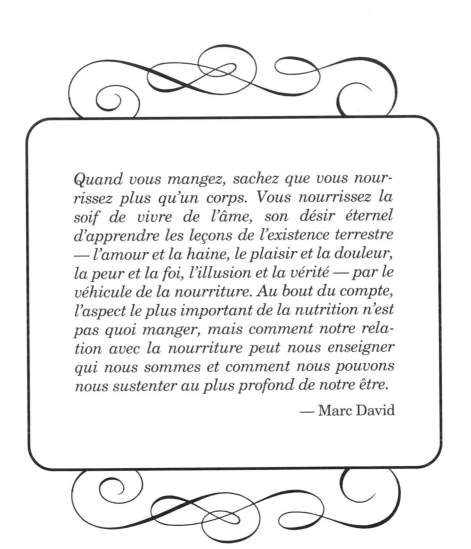

Quand vous mangez, sachez que vous nourrissez plus qu'un corps. Vous nourrissez la soif de vivre de l'âme, son désir éternel d'apprendre les leçons de l'existence terrestre — l'amour et la haine, le plaisir et la douleur, la peur et la foi, l'illusion et la vérité — par le véhicule de la nourriture. Au bout du compte, l'aspect le plus important de la nutrition n'est pas quoi manger, mais comment notre relation avec la nourriture peut nous enseigner qui nous sommes et comment nous pouvons nous sustenter au plus profond de notre être.

— Marc David

Le poulet Cacciatore de papa

Sam Keen

Pendant mon adolescence, j'ai passé des étés délicieux à Bethany Beach, au Delaware, à faire du surf sans planche, porté par des vagues d'hormones, en prétendant être l'homme que je voulais devenir. Papa était le maître du petit royaume de l'appartement Beachcombers, le nid et la piaule de la famille. Une loi jamais violée de la vie de plage était que papa faisait la cuisine, les enfants lavaient et rangeaient la vaisselle, et maman se reposait.

On pourrait dire que papa cuisinait de façon intuitive, inventive, passionnée et chaotique. Quand il ramassait des prunes pour faire sa cuisson annuelle de confiture, jour après jour il concoctait sur le feu de grosses potions de sorcier qui mijotaient dans un chaudron, et la cuisine ressemblait à un parc pour bébé dans lequel on aurait renversé de la peinture violette.

Chaque fois qu'on attendait des invités, papa commençait très tôt à préparer le poulet Cacciatore. Il sortait les plus grosses casseroles et les plus grosses marmites. Il coupait des montagnes de poulets et les dorait dans l'huile d'olive avec tout l'ail qu'il pouvait trouver dans le sud du Delaware. Des champs complets de tomates, d'oignons, de céleri, de poivrons et de champignons disparaissaient dans le chaudron, sans ordre particulier et sans s'occuper de mesurer. Il ajoutait du sel, du poivre, du basilic et une variété d'épices inconnues du non-initié — au goût. Toujours au goût. À chaque heure ou à peu près, on goûtait à la concoction et tous les gens présents, membres de la famille ou amis en visite, passaient leurs commentaires.

L'heure du souper arrivait quand le soleil tombait, quand la mer se calmait et prenait la couleur de l'émeraude. Je me souviens surtout de notre appétit à table, de la riche symphonie du Cacciatore qui mijotait, de nos conversations sans fin, de notre abondance, de l'agréable chaos du festin autour de la table de cuisine — du vin, et de la nourriture préparée avec un amour un peu fou.

Poulet Cacciatore

10 à 12 portions

২৯

2 poulets [3 ½ Iivres / 1,75 kg chacun]
Huile d'olive, au besoin
4 livres [2 kg] de tomates mûres, coupées, avec leur jus
½ tasse [125 ml] de pâte de tomates
6 carottes
1 livre [500 g] de champignons
3 oignons rouge moyens
4 branches de céleri

1 poivron vert
1 poivron orange
4 gousses d'ail émincées (ou plus, au goût)
Sel et poivre au goût
Bouillon de poulet, en quantité désirée
½ tasse [125 ml] de basilic frais ciselé
Pain maison à la farine de maïs, pour accompagner

1.   Couper les poulets en portions individuelles; jeter la peau et les bouts d'ailes. Verser l'huile d'olive dans un grand poêlon à frire. Dorer le poulet, quelques morceaux à la fois, en ajoutant de l'huile d'olive au besoin. Transférer les morceaux déjà dorés dans un grand chaudron. Y ajouter les tomates et la pâte de tomates.

2.   Préparer les légumes comme suit : trancher les carottes et les champignons, hacher les oignons, le céleri, les poivrons vert et orange. Verser les légumes dans le chaudron avec le poulet et les tomates, en même temps que l'ail émincé, le sel et le poivre. Brasser. Si le liquide ne couvre pas entièrement, ajouter du bouillon de poulet. Couvrir et mijoter sur feu très doux pendant que vous passez un après-midi à ne rien faire en particulier, ou jusqu'à ce que le poulet soit tendre et commence à se détacher des os.

3.   Pour servir, enlever les os de poulet du chaudron. Ajouter en brassant le basilic frais ciselé. Servir dans des bols et accompagner de pain chaud à la farine de maïs. Rendre grâce avant de manger.

Un gâteau au chocolat épicé et à la compote de pommes pour papa

Claudia Stromberg

Parmi les nombreuses personnes qui connaissaient et aimaient mon père, il était réputé pour trois choses : son grand cœur, sa politique conservatrice et sa passion pour le chocolat.

Quand nous étions enfants, ma sœur, mes nombreux cousins et moi partagions tous la provision de Tootsie Rolls, de gaufrettes au chocolat Necco et autres « bonbons à un sou » qu'il gardait dans une boîte à cigares sous le siège avant de son auto.

Il voyageait beaucoup quand j'étais jeune, et une partie cruciale du rituel fébrile des préparatifs de son retour était la cuisson par maman du gâteau au chocolat. Invariablement, le gâteau se fendait et il fallait le « coller » ensemble avec encore plus de glaçage au fudge qui en garnissait le dessus et les côtés.

Papa conservait du fudge dur ou des tablettes Hershey dans le tiroir de sa table de chevet. Peu importe à quel point il essayait sans faire de bruit de prendre du chocolat en cachette, notre chien Suzi, qui ronflait dans le coin de la chambre de mes parents, se réveillait pour avoir sa part, que papa lui donnait avec un sourire contrit.

Il assistait à des congrès, à des réunions de compagnie et à des dîners politiques. Pour éviter un désappointement devant une tarte aux fruits ou une pâle imitation de dessert, il s'assurait toujours d'avoir du chocolat à manger en apportant des boîtes de tablettes Hershey pour distribuer à chacun des convives.

Lorsqu'il est mort, parmi les innombrables bouquets de fleurs à son service du souvenir, il y avait un arrangement floral particulier : un joli bouquet, envoyé anonymement, où une tablette Hershey était nichée parmi les fleurs — un doux adieu à un homme très spécial.

Pour mon père, il fallait du chocolat comme dessert — plus il était noir et riche, mieux c'était. J'ai créé cette recette en son honneur.

Gâteau au chocolat épicé et à la compote de pommes
10 à 12 portions

ॐ

GÂTEAU :
3 oz [85 g] de chocolat non sucré
2 tasses [500 ml] de farine
1 ½ tasse [375 ml] de sucre
2 c. à thé [10 ml] de cannelle
1 c. à thé [5 ml] de sel
1 c. à thé [5 ml] de bicarbonate de soude
3 gros œufs

1 tasse [250 ml] d'huile végétale
1 tasse [250 ml] de babeurre
1 tasse [250 ml] de compote de pommes
1 c. à thé [5 ml] de vanille
1 tasse [250 ml] de noix hachées
6 oz [170 g] de brisures de chocolat

SAUCE :
1 tasse [250 ml] de sucre
½ tasse [125 ml] de babeurre
¼ tasse [50 ml] de beurre

1 oz [30 g] de chocolat non sucré
½ c. à thé [2 ml] de bicarbonate de soude
1 c. à thé [5 ml] de vanille

1. Préchauffer le four à 350°F [175°C] et beurrer un moule de 12 tasses [3 litres]. Dans une petite casserole, faire fondre 3 onces de chocolat non sucré sur feu doux; mettre de côté pour refroidir.

2.　Dans un grand bol à mélanger, combiner la farine, le sucre, la cannelle, le sel et le bicarbonate. Dans un autre bol, battre les œufs et ajouter l'huile végétale, le babeurre, la compote de pommes et la vanille. Incorporer aux ingrédients secs. Ajouter le chocolat refroidi. Ajouter les noix hachées et les brisures de chocolat. Déposer la pâte dans le moule préparé et cuire pendant 50 à 60 minutes ou jusqu'à ce qu'un cure-dents inséré près du centre du gâteau en ressorte propre. Laisser le gâteau dans le moule.

3.　Pour faire la sauce, combiner les ingrédients dans une casserole. Amener le mélange à ébullition et mijoter lentement pendant 8 minutes. Perforer le gâteau (toujours dans le moule) partout avec un cure-dents ou une broche. Verser la moitié de la sauce sur le gâteau chaud. Refroidir dans le moule pendant 30 minutes. Retourner sur une assiette de service. Verser en filet le reste de la sauce sur le gâteau.

Le Foule et l'Art de vivre

John Catenacci

J'ai appris à faire du *Foule* de Ghalib Al-Awan, un ami d'Arabie Saoudite qui l'a préparé pour moi pendant que je le regardais — et, bien sûr, pour ne pas l'embarrasser ensuite, je l'ai presque tout mangé. C'est un plat ancien qui se mange au Moyen-Orient, composé de fèves, d'ail frais, d'huile d'olive, et de cumin moulu. Un plat délicieux pour toute heure du jour — nous l'avons mangé tiède pour le petit-déjeuner ce jour-là.

Nous nous sommes assis ensemble près de la fenêtre de sa cuisine, admirant les basses montagnes qui entourent Calgary, facilement visibles à travers le plat paysage sans arbres qui balaie la ville de l'autre côté du plateau brun hivernal. Dans le nord froid de l'Alberta, nous étions tous les deux très loin de nos foyers et nous nous sommes trouvés réunis par un coup du destin.

La lumière du matin perçait la nuit et dansait au loin dans les montagnes à l'ouest. En parlant à voix basse, ne voulant pas réveiller toute la maisonnée, nous nous sommes assis et nous avons trempé des morceaux de pain libanais chaud dans le Foule encore tiède, accompagnés de morceaux de fromage feta frais et de tranches de tomates crues.

Tout en mangeant et en buvant du thé chaud, il m'est venu à l'esprit que mon ami avait une certaine ressemblance avec le plat que nous partagions — doux, subtil, sain d'esprit et de cœur, et très vivant. Bien que je me trompe souvent sur la nourriture que je mange, je me suis rappelé à quel point la nourriture simple préparée ainsi, avec des ingrédients frais, ne nourrit pas seulement le corps mais aussi l'âme. Le fait de partager la bonne nourriture avec des amis, en présence de la nature, fait peut-être aussi une différence, afin que nous puissions être plus en harmonie avec notre propre nature.

Le Foule m'a réellement aidé à voir que la vie peut être un art — on peut la vivre avec talent, comme une expression de la beauté et de la vérité. J'ai remarqué que je vis assez souvent ainsi.

J'ai lu que les Sioux Lakota avaient un adage : « Vous êtes ce que vous mangez. » Je soupçonne les autochtones d'en connaître le sens profond, eux qui sont près des traditions anciennes. « Six milliards de Big Macs vendus » peuvent expliquer l'homogénéité grandissante de nos esprits et de nos vies manipulés. Peut-être que non. Peut-être accordons-nous trop d'importance à la nourriture.

De toute façon, le Foule est un moyen merveilleux de profiter d'un lever du soleil à Calgary… et de faire l'expérience d'une amitié. Je parie qu'il peut ponctuer plusieurs expériences que la vie nous donne — et nous rapprocher un peu plus de l'Art de vivre.

Comme plusieurs mets traditionnels, le Foule peut varier considérablement de pays en pays et de région en région. La plupart du temps, il est accompagné de *hummus bi tahini,* une sauce épaisse et crémeuse de pois chiches assaisonnée de jus de citron, d'ail et d'huile d'olive, que l'on utilise comme trempette ou tartinade. C'est délicieux avec des oignons verts frais comme accompagnement et, bien sûr, du thé chaud.

Foule

4 à 5 portions

⁊❧

2 boîtes [19 oz / 540 ml chacune] de petites gourganes (ou avec des fèves sèches et cuire suivant le mode de préparation sur le paquet, pendant 3 ou 4 heures, jusqu'à tendres)
2 c. à thé [10 ml] de sel
1 c. à thé [5 ml] de cumin moulu
½ à 1 c. à thé [2 à 5 ml] de poivre noir

½ grosse botte de persil
2 gousses d'ail (ou plus, au goût)
6 c. à table [90 ml] de jus de citron frais
10 à 12 c. à table [150 à 180 ml] d'huile d'olive fine
1 c. à table [15 ml] de vinaigre blanc
1 grosse tomate mûre, coupée en dés

1. Dans un poêlon à frire, mettre les gourganes avec 1 tasse [250 ml] de leur jus; chauffer jusqu'à ce que le liquide mijote lentement. Ajouter le sel, le cumin moulu et le poivre noir. Piler quelques-unes des gourganes avec le dos d'une grosse cuillère pendant qu'elles chauffent — elles devraient prendre l'apparence de fèves réchauffées grumeleuses.

2. Bien rincer le persil et le secouer pour l'assécher. Enlever les feuilles des tiges en étendant à plat le persil sur une planche à découper en bois et en glissant un couteau fermement pressé sur la planche à travers les feuilles de persil, coupant les tiges. Jeter les tiges et hacher finement les feuilles. Moudre le persil et au moins 2 gousses d'ail (ou plus, au goût), en utilisant un mortier et un pilon. Ajouter le jus de citron, l'huile d'olive et le vinaigre blanc (pour « adoucir » la saveur, selon mon ami) à l'ail et au persil, en broyant bien le mélange. (Vous pouvez utiliser moins d'huile si vous voulez éviter le gras, mais maintenez une proportion de 2 parties d'huile d'olive pour une partie de jus de citron.)

3. Ajouter la tomate coupée en dés au mélange de persil. (Une tomate coûte très cher à Calgary en janvier, mais il n'en faut qu'une et le résultat en vaut le prix.)

4.   Quand il n'y a presque plus d'humidité dans les fèves, retirer le poêlon de la chaleur. Incorporer le mélange de persil dans les fèves chaudes broyées. Manger pendant que la préparation est chaude ou après l'avoir refroidie — c'est délicieux, de n'importe quelle façon.

Le secret de famille du poulet au sésame

Ronald W. Jue

Mon père était chef français de plusieurs grands restaurants dans la région de la Baie de San Francisco. Il était de la deuxième génération de Chinois nés et élevés à Los Angeles par des parents qui avaient immigré de Canton au début des années 1900. Il a développé ses talents pour la cuisine française par la porte arrière, en étant le marmiton de grands chefs français de la région de la Baie.

C'était un homme discret qui travaillait fort pendant de longues heures, mais il était aussi un cuisinier innovateur à la maison. Je me souviens des compliments de nos invités et combien maman se moquait de la patience de papa quand il lui enseignait la cuisine. Chaque fois qu'on lui demandait une recette, il disait que c'était un secret de famille. Quand nos voisins voulaient apprendre, il leur disait d'observer sa façon de cuisiner : une pincée de ceci, un peu de cela, une tranche d'autre chose. Ses étudiants convertissaient son style intuitif en cuillerées et en millilitres.

Il avait une façon unique d'intégrer le style de cuisson chinoise de sa propre famille, en expérimentant constamment en mélangeant les méthodes françaises et les ingrédients orientaux. Les sauces à salade étaient aromatisées avec du vinaigre de riz japonais et à l'échalote; le poulet était frit avec des graines de sésame, de la sauce soya et du vin français; les omelettes Denver étaient composées de saucisses chinoises au porc — et la liste s'allongeait. Quand il servait, chaque plat préparé complétait le précédent ou lui succédait : des textures subtiles suivaient des saveurs fortes, le sucré suivait l'amer, et le chaud venait après le froid.

Mon père insufflait de l'amour à son travail et, par sa cuisine, il m'a enseigné comment intégrer ses principes :

- Les recettes de la vie ne sont que des guides, la vie est une valse d'intuition et chaque pas, ou ingrédient utilisé, montre qui vous êtes.

- À chaque moment, il y a des façons complémentaires de régler un problème, que ce soit avec différentes nourritures ou différentes personnes. On pourrait appeler cela aborder la vie avec l'énergie yin (réception) ou yang (direction). La combinaison de ces énergies devient la source de quelque chose de nouveau et de créatif.

- En travaillant ou en cuisinant à partir du cœur, vous toucherez les gens que vous servirez, et en apportant de la joie au travail, votre générosité sera source de chance et de plénitude pour tous.

Voici une de mes recettes préférées créées par mon père.

Poulet au sésame

5 ou 6 portions

ح&

3 livres [15 à 18 morceaux /
 1,5 kg] de petits pilons ou
 d'ailes de poulet, le bout
 des ailes enlevé
1 œuf, battu

Sel et poivre
Farine, pour saupoudrer
¼ tasse [50 ml] d'huile
 d'olive

SAUCE :
½ tasse [125 ml] de sauce
 soja
¼ tasse [50 ml] de sucre
¼ tasse [50 ml] de sherry

1 c. à table [15 ml] de
 graines de sésame
 blanches

1.   Préchauffer le four à 325 °F [160 °C]. Tremper le poulet dans l'œuf battu assaisonné de sel et de poivre au goût; saupoudrer de farine et secouer l'excès. Chauffer l'huile d'olive dans un grand poêlon; dorer les morceaux de poulet dans l'huile chaude. Égoutter sur des essuie-tout.

2.   Combiner les ingrédients pour la sauce. Tremper le poulet doré dans la sauce et déposer dans une lèche-frite de 10 x 13 po [25 x 32 cm]. Cuire 30 à 40 minutes. Servir chaud ou réfrigérer et servir froid.

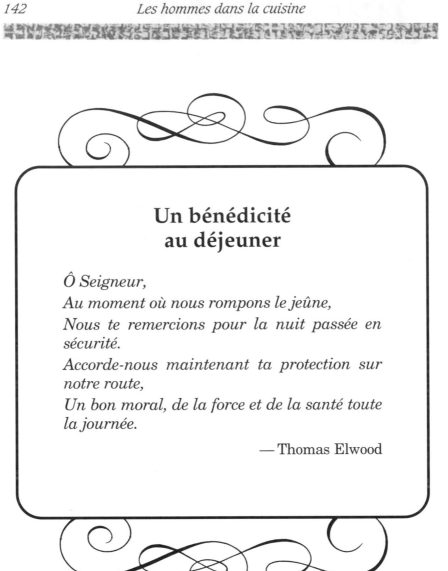

Un bénédicité
au déjeuner

Ô Seigneur,

Au moment où nous rompons le jeûne,

Nous te remercions pour la nuit passée en sécurité.

Accorde-nous maintenant ta protection sur notre route,

Un bon moral, de la force et de la santé toute la journée.

— Thomas Elwood

Il s'est échappé

Ralph Waterhouse

J'ai grandi dans le Yorkshire, en Angleterre, dans une région bordée de champs qui s'étendaient sur des kilomètres et des kilomètres. Pendant toute ma jeunesse, j'ai parcouru les prairies en observant les oiseaux, les lapins, les hérissons, les mulots et toutes sortes d'animaux sauvages.

L'observation des oiseaux m'a finalement conduit à les prendre en croquis, pour ensuite ajouter d'autres créatures. Ces années de jeunesse ont marqué le début de ma passion de toute une vie pour les petites créatures et pour ma longue carrière d'artiste de la faune et de la flore. À travers mes toiles, je cherche à provoquer une prise de conscience du caractère sacré de notre environnement, et que si nous l'endommageons, nous nous faisons tort à nous-mêmes.

Récemment, un de mes clients en Angleterre qui a acheté plusieurs de mes toiles sur la faune et la flore m'a demandé un tableau spécial d'un saumon qu'il avait pêché en Écosse. C'était un très beau spécimen, gros, rose et délicat. Je l'ai apporté à la maison en me demandant quoi en faire jusqu'à ce que je sois prêt à le peindre.

Ce poisson, il était fait pour être mangé. J'ai décidé que tout ce dont j'avais vraiment besoin comme marques d'identification étaient la tête et la queue. Je les ai coupées, je les ai enveloppées soigneusement dans du papier d'aluminium et je les ai congelées. Avec le centre succulent, j'ai préparé un de mes plats favoris, des Steaks de saumon dans le cidre. C'était délicieux.

Quelques semaines plus tard, je me suis préparé à entreprendre mon tableau et je suis allé au congélateur chercher mon modèle. Il n'y était pas! J'ai cherché fébrilement, regardant partout trois ou quatre fois, en pensant que je devenais fou. Ma femme est revenue à la maison avec la clé du mystère. Voyez-vous, je ne lui avais pas dit ce que j'avais fait et elle n'avait aucune idée qu'elle jetait mon modèle quand elle a nettoyé le congélateur.

J'ai acheté un autre saumon à la poissonnerie (vraiment pas aussi beau) pour qu'il pose pour moi. Quand mon client a vu le tableau, il a dit : « Mais comment as-tu pu ne pas voir la petite marque ronde que le saumon avait sur la tête? »

J'étais pris! J'ai dû lui confesser que j'avais mangé son prix. Il m'a gracieusement attrapé un autre saumon que j'ai mangé aussi, mais pas avant de l'avoir d'abord peint.

Steaks de saumon au cidre

4 portions

🍃

Ce repas est délicieux avec des pommes de terre jaunes fin-landaises et des petits pois avec de la menthe fraîche.

4 steaks de saumon de 1 po [2,5 cm] d'épaisseur	*1 citron, tranché mince*
2 c. à table [30 ml] de beurre mou	*½ tasse [125 ml] de cidre de pomme*
3 ou 4 branches d'estragon frais, d'aneth ou de thym	*Mayonnaise ou sauce hollandaise*

1.   Préchauffer le four à 325°F [160°C]. Beurrer une cocotte peu profonde avec un couvercle étanche (ou utiliser du papier d'aluminium pour sceller totalement).

2.   Déposer les steaks de saumon dans la casserole et les tartiner de beurre. Assaisonner au goût avec sel et poivre. Ajouter une branche d'herbe sur le dessus de chaque steak et couvrir avec deux tranches de citron.

3.   Chauffer le cidre et verser dans le fond de la casserole; couvrir hermétiquement. Cuire pendant 25 à 30 minutes ou jusqu'à ce que le saumon se détache facilement. Servir avec le jus de la casserole et de la mayonnaise ou de la sauce hollandaise.

Suprême de saumon de Long Beach, Colombie-Britannique

Val van de Wall

Il y a bien des années, je me suis aventuré avec quelques bons amis dans une partie du Canada que la plupart des Canadiens ignorent. Long Beach est, comme on peut s'y attendre, une longue bande de plage, qui rivalise avec celles de notre pays frère au sud, mais avec une interprétation différente du rôle de la nature dans le sable. La nature s'exprime dans cette partie de notre pays par des mers agitées d'un bleu acier, caressées par des touches d'écume bleu-blanc, et par un feuillage persistant qui cache des totems sculptés il y a très longtemps.

Par une nuit sombre et fraîche, nous nous sommes aventurés sur la plage au clair de lune. En arrivant devant une rangée de totems, nous nous sommes extasiés de l'esprit de nos aïeux aborigènes. En marchant vers le nord le long de la plage, nous avons vu un frère aborigène préparer un repas dans le sable en cuisant au barbecue de gros morceaux de saumon embrochés sur des bâtons au-dessus d'un feu dans le sens du vent, pour leur permettre d'être caressés par la fumée d'un blanc froid et la douce flamme chaude.

Comme je suis un collectionneur assoiffé de saveurs d'aliments, je me suis demandé pourquoi je n'avais pas pensé à cela. Nous avons parlé à notre hôte et goûté à ce généreux saumon cuit sur le feu. La saveur a circulé dans tout mon corps et, à ce moment précis, j'ai décidé que je reproduirais cette recette pour ma famille.

Pendant des semaines, j'ai essayé à la maison de recréer l'ancienne méthode afin de partager le passé de notre terre natale. Après plusieurs essais, j'ai enfin réussi à obtenir exactement le même goût. De l'âme du passé, je partage, du fond de mon cœur à votre table, cet art ancien de cuisiner.

Pour recréer l'ambiance de la plage, vous aurez besoin d'un fumoir au charbon de bois, de bois d'allumage et de bois dur — mesquite, bois de cerisier ou bois d'aulne. Vous aurez aussi besoin de bons poumons qui peuvent supporter beaucoup de fumée.

Suprême de saumon de Long Beach, Colombie-Britannique

6 à 10 portions, selon la grosseur du saumon

Je vous suggère de servir ce plat avec des légumes simples, sans sauce, juste du beurre, du sel et du poivre au goût, car il y a un monde de saveurs dans le poisson. Servir avec un Chardonnay bien frais.

1 saumon frais entier rouge ou rose, de 3 à 5 livres [1,5 à 2,5 kg] (voir Note)
Sel de mer et poivre fraîchement moulu
Aneth séché le plus frais possible, au goût

*Poudre d'ail, au goût (Ne **pas** utiliser de sel d'ail ou de gousse d'ail pressée — l'ail frais est trop prononcé)*

Note : *Demandez au marchand de peser le saumon en entier et d'enlever tous les ailerons, y compris les ailerons de la queue. On peut ou non découper le poisson en filets parce que toutes les arêtes se détacheront après la cuisson.*

1.   Comme pour toutes les préparations de nourriture, il faut de l'énergie — le chant de votre âme pendant que vous préparez le plat. Par exemple, si une mère est vexée et contrariée quand elle nourrit son bébé au sein, elle transmet ses émotions négatives à l'enfant. Tout le monde en bénéficie si nous préparons notre nourriture dans un esprit d'amour et de joie, afin d'énergiser les corps de ceux que nous aimons avec une force constructive et saine.

2. Étendre le poisson à plat, l'épine dorsale en bas, sur une serviette de papier placée sur une planche à découper. Prendre votre couteau de cuisine favori bien aiguisé, ouvrir le ventre du saumon. Laver parfaitement la cavité du poisson sous l'eau froide courante et assécher. Prendre le bout du couteau et inciser le long de l'épine dorsale afin que le poisson soit complètement à plat.

3. Prendre un grand morceau de papier d'aluminium et le doubler dans sa largeur. Vous avez ainsi votre rôtissoire pour mettre sur la grille de votre fumoir. Avec les doigts, couvrir le papier d'huile. Déposer le saumon, la peau vers le bas, sur le papier d'aluminium. Saupoudrer généreusement le poisson avec la poudre d'ail et l'aneth.

4. Cette recette nécessitera des soins constants avant de pouvoir partager la beauté de ce régal. Il vous faudra une lumière très vive au-dessus de votre fumoir barbecue afin de donner le soin aimant que requiert cette recette. La cuisson doit se faire principalement par la fumée. La clé d'or est le feu — il ne doit jamais être trop chaud. Une fois le charbon bien pris, rassembler votre petit bois d'allumage autour du charbon pour enflammer votre bois dur — il faut assez de bois pour générer beaucoup de fumée froide. Quand la fumée du bois dur commence à brûler, déposer le saumon dans sa rôtissoire de papier d'aluminium sur la grille. Fermer le couvercle et toutes les bouches d'aération pour contenir la fumée autour du poisson. Nous fermons les bouches d'aération pour ne pas avoir un excès de chaleur, ce qui pourrait trop faire cuire le poisson ou le brûler.

5. Il est temps d'allumer la lumière brillante au-dessus de votre barbecue. Vérifier afin de vous assurer qu'il n'y a pas de points chauds sur l'aluminium qui viendrait du charbon — ce qui risquerait de brûler la chair. Avec un bon verre de Chardonnay frais, une fourchette de table et votre lumière vive, vous êtes prêts à surveiller vos progrès. Une substance blanche laiteuse se formera et couvrira toute la surface de la chair.

6. Il ne faut pas trop cuire le saumon ni le cuire insuffisamment. La couleur de la chair, quand il est prêt, doit être d'un rose vif, pas rouge ou gris rosé.

7. Quand le poisson est à votre goût, l'apporter à la cuisine et enlever toute l'ossature. Vous serez surpris que la chair ne goûte pas l'ail, mais qu'elle a un délicieux goût relevé, jusqu'ici inconnu dans un saumon, et la qualité de votre bois dur lui a donné une saveur de fumée subtile.

Un prêtre qui avait passé sa journée à pêcher sans résultat a acheté trois poissons gras au marché. « Avant de les envelopper, a-t-il dit au gérant du magasin, lancez-les-moi, un à un. Ainsi, je pourrai dire à Monseigneur que je les ai attrapés et je dirai la vérité. »

Les choses que mon père m'a enseignées dont le « Ragoût de cabane »

Bobbie Jensen Lippman

On entend tellement d'histoires sur les pères qui battent leurs enfants. Mon père ne m'a frappée qu'une fois. Les punitions corporelles étaient l'affaire de maman qui, quand elle en avait assez, nous couchait sur ses genoux et nous frappait où vous savez avec une cuillère de bois à long manche.

Le jour où mon père m'a donné la fessée, c'était lors d'un après-midi chaud au Nebraska, quand mes parents se préparaient à assister à un mariage. « Voudrais-tu passer le boyau d'arrosage sur l'auto, s'il te plaît? » m'a dit papa d'une fenêtre à l'étage de notre vieille maison.

Le jour de « la Fessée », j'avais 10 ans et je recherchais toutes les excuses pour jouer avec le boyau d'arrosage par une chaleur de 34°C. Il est important de souligner ici que j'ai été élevée avec des frères plus âgés qui trouvaient souvent de bonnes raisons de me tabasser — ce que nos parents toléraient à la condition que les garçons observent cette règle : « Tu peux frapper ta sœur sur le muscle de son bras droit, pas ailleurs! »

J'étais donc là, lavant notre vieille Ford poussiéreuse dans l'allée du garage, quand papa est sorti par la porte de côté. « Elle est assez propre, a-t-il dit. Ferme l'eau. »

J'ai obéi et je me suis tournée vers le robinet, en oubliant que le boyau d'arrosage pointait directement (à pleine puissance) vers mon père. Quand je l'ai vu dégoulinant dans son plus beau costume, j'ai eu un si grand choc que j'en suis restée muette — et lui aussi. Sans dire un mot, il m'a frappée sur le muscle chétif de mon bras droit, puis il est retourné dans la maison pour changer de vêtements. Ce fut tout.

Bien que j'aie été la seule fille de la famille, je n'étais pas exclue des activités de mes frères. Mon père m'a enseigné les mêmes choses qu'à mes frères, ce qui voulait dire que je pouvais aller en camping et y passer la nuit. Parfois, nous campions à ciel ouvert sous les étoiles. Mais la plupart du temps, nous nous dirigions vers ce que je sais maintenant être un des rares investissements de mon père, mais définitivement une de ses plus grandes passions — une cabane délabrée sur le bord de la rivière Elkhorn. Le menu des campeurs variait rarement et on l'appelait le « Ragoût de cabane » (accompagné de petits pains frais et d'une sorte de salade). L'odeur du Ragoût de cabane de papa qui mijotait sur un feu ouvert mettait l'eau à la bouche de tous les affamés.

En plus de me laisser les accompagner dans leurs voyages de camping et de pêche, papa s'assurait que ma petite personne maigrichonne pouvait jouer à tous les jeux de balle molle et au football sans contact, en plus de participer aux « corvées des garçons », comme tondre le gazon, pelleter la neige et aider à jeter le charbon dans la vieille fournaise au sous-sol. C'est papa qui m'a appris le dur travail, les sports et la compétition.

Il nous a enseigné, à nous, ses enfants, à respecter les armes et à en prendre soin. Papa travaillait patiemment avec moi le tir à la carabine .22, jusqu'à ce que je devienne presque aussi bonne tireuse que lui et les garçons. Nous n'avions *jamais* la permission de tirer sur un oiseau ou toute autre espèce vivante. J'ai appris très jeune de mon père à aimer et à respecter les animaux.

En 1926, papa avait formé une troupe de scouts, qui était aussi un corps de clairon et tambour désordonné. La troupe était tellement pauvre qu'on jouait du tambour avec un bâton auquel était attaché un ballot de ficelle. Puisque papa aimait les enfants et la fanfare, il a réussi à convaincre la Union Pacific Railroad (où il travaillait) de parrainer une fanfare d'enfants. Mes frères et moi en sommes aussitôt devenus membres.

Combien de pères enseignent à leurs petites filles à jouer du tambour, du clairon et du glockenspiel? Finalement, j'ai convaincu papa de me laisser prendre quelques leçons de maniement de bâton de majorette (au coût énorme de 50 cents la leçon) pour que je puisse marcher à la place d'honneur devant la fanfare. Mon père m'a appris de très grandes leçons de confiance en soi. À ce jour, je ne peux pas regarder une parade sans être émue, surtout quand c'est une fanfare de clairons et de tambours avec des enfants. Je peux encore très bien faire tournoyer un bâton de majorette.

Je chéris plusieurs souvenirs personnels de mon père. L'odeur de dehors sur son manteau quand il revenait du bureau par une froide journée d'hiver. Comment il a toujours travaillé autour de la maison, levant son bras gauche pour garder l'équilibre quand il transportait quelque chose de lourd dans sa main droite, comme une boîte à outils ou un seau de peinture.

Un jour, jeune adolescente, papa est revenu à la maison après le travail en me tendant un petit étui à manucure qu'il avait acheté pendant son heure de lunch. Pas un mot, pas de flonflons ni d'occasion spéciale, juste sa façon silencieuse de dire « je t'aime ». À partir de cette expérience, j'ai appris la joie — et le plaisir particulier — de donner des cadeaux d'amour en guise de joyeux « non anniversaire ».

À 13 ans, il y a eu des changements dramatiques dans notre famille. Ma vieille grand-maman toute frêle vivait avec nous, et j'étais à la maison le jour où elle est morte dans les bras de mon père. Je me suis assise au pied de son lit en lui tenant les pieds, mais ma douleur allait vers mon père qui pleurait : « Maman, maman. » C'était la première fois que je voyais un homme adulte pleurer ou quelqu'un mourir. De papa, j'ai appris ma première leçon, à savoir comment me comporter avec les personnes âgées et comment accepter l'expérience humaine de la mort. Pendant les dernières 25 années, j'ai œuvré dans les hospices. Chaque fois que je m'assois près du lit d'une personne mourante, je sais dans mon cœur que mon père m'a influencée d'une certaine façon à faire ce que j'appelle « ce travail du cœur ».

Les chaudes soirées d'été (avant l'invention de la télévision), notre famille s'assoyait sur le porche avant de la maison et mon père faisait brûler de l'amadou pour éloigner les moustiques. Pendant ces soirées, si nous étions chanceux, il nous racontait des histoires de fantômes, dont certaines sur mon arrière-grand-père dans les vieux pays, où il était le fabriquant de cercueils de son village. Nous étions suspendus à ses lèvres en attendant la partie où des voleurs se faufilaient dans le sous-sol de l'église pour voler les anneaux et les bijoux des personnes qui venaient de mourir. C'est de papa que j'ai appris l'art de raconter des histoires.

Pendant mon adolescence, papa était particulièrement sévère. Je suis personnellement convaincue que les hommes se rappellent trop bien leurs sentiments d'adolescents, et qu'ils sont paranoïaques quand il s'agit de protéger leurs propres filles des prédateurs mâles. Mon premier vrai rendez-vous était avec un garçon du voisinage. À 23 h (mon couvre-feu!), le tramway nous a déposés à plus de trois kilomètres de la maison. J'ai couru tout le long, dépassant facilement mon pauvre ami d'au moins un demi-pâté de maisons. Papa attendait sur les marches du balcon, l'air très sévère, pour m'annoncer que j'étais privée de sortie pendant trois semaines. Voilà pour mon premier rendez-vous, mais j'ai appris de papa une grande leçon de responsabilité.

La même année, quand j'étais étudiante de première année à l'école secondaire, mon petit frère Paul est né. J'ai observé mon père avec ce petit bébé et j'ai découvert la tendresse des hommes.

Mon père est mort récemment, à 90 ans, et il me manque terriblement. À ce jour, chaque fois que quelqu'un, n'importe qui, fait brunir du steak haché et des oignons, je redeviens aussitôt une petite fille assise près d'un feu et attendant que mon grand et beau papa cesse de brasser le contenu de cette vieille casserole en fonte et annonce : « Venez, le Ragoût de cabane est prêt! »

Ragoût de cabane de Chris Jensen

8 à 12 portions

৵৹

Les quantités des ingrédients sont approximatives, dépendant du nombre de personnes.

2 livres [1 kg] de bœuf haché maigre
2 à 3 oignons, hachés finement
2 à 3 boîtes de fèves rouges [19 oz / 540 ml chacune], ou de fèves au lard [14 oz / 398 ml chacune], ou les deux

2 à 3 boîtes [19 oz / 540 ml chacune] de tomates étuvées
Sel et poivre
Sauce Worcestershire
Ketchup
Moutarde

1. Dans un grand poêlon, sauter la viande et les oignons en brisant la viande avec le dos de votre cuillère. Verser les fèves et les tomates et amener à ébullition.

2. Assaisonner au goût avec le sel et le poivre, la sauce Worcestershire, le ketchup et la moutarde, et vous assurer de crier : « Venez, le Ragoût de cabane est prêt! »

Secouez et secouez la bouteille de ketchup.

Rien n'en sortira, puis tout éclaboussera.

— Richard Armour

7

Les amis

Un visage souriant constitue la moitié du repas.

— Proverbe letton

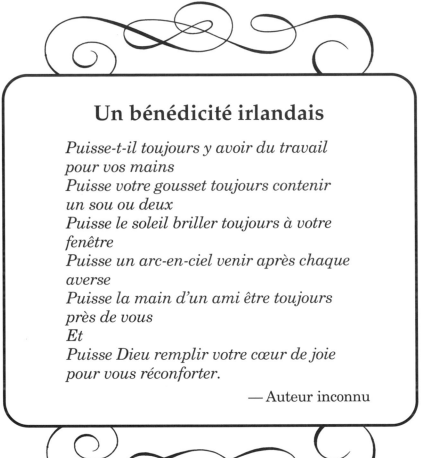

Un bénédicité irlandais

*Puisse-t-il toujours y avoir du travail
pour vos mains
Puisse votre gousset toujours contenir
un sou ou deux
Puisse le soleil briller toujours à votre
fenêtre
Puisse un arc-en-ciel venir après chaque
averse
Puisse la main d'un ami être toujours
près de vous
Et
Puisse Dieu remplir votre cœur de joie
pour vous réconforter.*

— Auteur inconnu

Dans la cuisine d'Hella

Sharon Huffman

Peu importe où j'amène mes invités,
Il semble qu'ils préfèrent ma cuisine.

— Dicton d'origine allemande

Pendant des années, chaque fois que je sentais le poids du monde sur mes épaules, j'allais dans la cuisine d'Hella. Je savais qu'en allant là je serais guérie de tout ce qui m'affligeait.

Hella Hammid était une femme spéciale — gracieuse, sage, humble, pleine de vie et d'amour. On a écrit des livres sur elle, sur ses talents de photographe renommée et sur ses dons de médium pour lesquels les gouvernements ont retenu ses services. Même Ali Khan l'a engagée pour trouver son cheval de course volé, ce qui a inspiré le film « The Black Stallion ». Pour moi, elle était une amie merveilleuse.

J'arrivais chez elle et, immédiatement, elle me faisait asseoir dans sa petite cuisine et m'accueillait avec une tasse de thé. Puis, pendant qu'elle concoctait une de ses soupes remarquables, je lui racontais mes misères. Elle écoutait patiemment tout en hachant et en brassant. Chaque fois que nous nous assoyions ensemble pour manger sa soupe épaisse et nourrissante avec du pain croûté fraîchement sorti du four, elle me disait de simples mots de sagesse qui me remontaient le moral. Quand je quittais la cuisine de Hella, je me sentais renouvelée, rafraîchie et prête à affronter de nouveau le monde.

C'est dans sa cuisine, devant un bol de soupe fumante, que j'ai appris le pouvoir curatif des femmes. J'ai appris que c'est la femme qui donne le ton à une relation et dans la maison, que la femme a le pouvoir de remonter le moral et d'inspirer, et de faire ressortir le meilleur en chacun autour d'elle.

Elle m'a montré que c'est le rôle de la femme d'inspirer son homme pour qu'il soit le meilleur possible, et si elle remarque qu'il est moins bon, elle peut avec amour le guider vers de plus hauts sommets. Hella m'a enseigné que c'est la responsabilité de la femme de créer un monde aimant, en commençant dans sa propre cuisine.

Hella comprenait le pouvoir curatif de la nourriture quand l'amour en devient le principal ingrédient. La nourriture préparée avec amour nous remplit d'amour quand nous la mangeons, elle nourrit le corps et l'esprit, faisant de nous des individus sains et aimants.

Elle mettait toujours le meilleur d'elle-même dans sa cuisine. Dans chaque plat qu'elle servait, elle y mettait le respect et l'amour qu'elle ressentait pour ses invités. En brassant sa soupe, elle y incorporait ses plus grands espoirs et ses plus grandes aspirations. Je ne me souviens pas d'avoir entendu prononcer un seul mot dur dans cette pièce. Chaque geste dans sa cuisine était fait dans un respect plein d'amour pour la vie et pour tous ceux qui y entraient. Entrer dans sa cuisine, c'était entrer dans l'essence même de l'amour.

Encore aujourd'hui, chaque fois que je me sens lasse de ce monde et que j'ai besoin d'être apaisée, je me dirige vers la cuisine pour préparer de la soupe, en recréant la magie d'Hella à ma façon. Bien qu'elle ne soit plus de ce monde, lorsque je joue le même rôle pour les autres que celui qu'elle a joué pour moi, je sens sa présence tranquille.

Voici une recette de base pour une Crème de légumes. Faites-la avec tous les légumes de saison que vous aimez. Puissiez-vous être apaisés comme je l'ai été dans la cuisine de Hella.

Quand ses amis lui demandaient sa recette de flan, Hella disait toujours : « Je la laisserai sur mon épitaphe. » Et elle l'a fait. Son épitaphe, gravée dans le laiton et fixée à un arbre sous la fenêtre de sa chambre, est la recette du Flan de Hella.

Crème de légumes de base

8 portions

2 c. à table [30 ml] de beurre
ou margarine
4 tasses [1 litre] de différents
légumes, nettoyés, pelés si
nécessaire, et hachés
Légumes suggérés : tout
mélange de brocoli, chou-
fleur, champignons,
courge d'été, oseille,
épinards et cresson
1 gros poireau, coupé en
deux, bien rincé et tranché
finement
2 branches de céleri hachées
2 litres de bouillon de poulet

1 livre [500 g] de pommes de
terre à cuire au four,
pelées et coupées en cubes
de ½ po [1,5 cm]
¼ tasse [50 ml] de persil
haché
1 c. à table [15 ml] d'herbes
fraîches de votre choix ou
¾ à 1 c. à thé [3 à 5 ml]
d'herbes séchées
1 tasse [250 ml] de crème
légère (moitié-moitié) ou
de lait entier
Sel et poivre blanc au goût
Muscade fraîchement râpée,
au goût (facultatif)

1. Faire fondre le beurre dans une grosse cocotte épaisse ou un chaudron et sauter les légumes de votre choix avec le poireau et le céleri sur feu moyen pendant à peu près une minute. Couvrir et cuire sur feu doux pendant 5 minutes. Ajouter le bouillon et les pommes de terre, amener à ébullition, couvrir et mijoter à feu très doux pendant 20 minutes. Ajouter le persil et les herbes; mijoter à découvert 10 minutes de plus.

2. Avec une louche, verser environ 3 tasses [750 ml] de soupe à la fois dans un mélangeur électrique; couvrir hermétiquement et mélanger jusqu'à onctueux. Verser dans une casserole propre, ajouter la crème ou le lait et assaisonner au goût avec le sel, le poivre blanc et la muscade fraîchement râpée. (Assaisonner davantage si la soupe doit être servie froide.) Réchauffer à feu doux, puis retirer du feu. Servir la soupe chaude ou froide.

LE FLAN DE HELLA

Préchauffer le four à 350°F [175°C]

1 litre de crème moitié-moitié, chaude
   mais non bouillie
Bien battre les ingrédients suivants et ajouter
   la crème chaude :
- *7 gros œufs entiers*
- *½ tasse [125 ml] de sucre*
- *1 pincée de sel*

Verser dans un moule tapissé de caramel. Déposer le moule dans une casserole d'eau chaude légèrement plus grande et aussi haute que possible. Cuire 20 à 35 minutes selon la profondeur du moule. Quand un couteau inséré au centre en ressort avec une substance visqueuse, enlever du four et du contenant d'eau chaude. Si le couteau ressort propre, le flan est trop cuit!

CARAMEL : Dans une petite casserole en fonte émaillée ou en acier inoxydable (pas en aluminium), verser 1 tasse [250 ml] de sucre et 4 c. à table [60 ml] d'eau. Faire bouillir jusqu'à caramélisé. Bien surveiller pour ne pas brûler le caramel. Verser dans le moule et laisser prendre.

Soyez prudents — Très chaud!

La Fondue
de l'amitié éternelle

Sharon Civalleri

Une bonne amie, quel trésor! J'ai une bonne amie depuis la quatrième année (et c'est une très, très longue période de temps puisque nous sommes maintenant dans la cinquantaine). Joyce et moi ne nous voyons qu'occasionnellement mais, quand nous sommes ensemble, c'est comme si nous nous étions vues la veille. Être avec elle, c'est aussi beau qu'un arc-en-ciel de couleurs, qu'une nouvelle boîte de crayons à colorier ou qu'une douche fraîche par temps chaud — c'est rafraîchissant.

Une des choses favorites que nous aimons, c'est de jouer ensemble dans la cuisine. Beaucoup de problèmes peuvent être résolus pendant que nous hachons et que nous tranchons. Partager une recette, c'est partager votre vie. Toutes ces larmes sont-elles causées par les oignons ou par les souvenirs? Peu importe parce qu'il n'y aura bientôt que des rires. Nous ressentons toujours un sentiment de compréhension, de paix et de bien-être, nous nous sentons complètement chez nous. Plus que tout, il y a l'acceptation de l'autre, peu importe ce que nous avons fait. Il y a l'amour inconditionnel. Toujours.

Les amis partagent les joies, les peines, les rires et les larmes. À travers les belles choses — mariages, naissances et succès; les choses originales — méditation transcendentale, régime végétarien, yoga; les choses tristes — perte d'une mère, d'un enfant, de notre jeunesse : nous nous déchaînons ensemble. Nous partageons nos secrets de beauté — après tout, nous ne pouvons pas laisser trop paraître les effets de la gravité et des années. C'est ainsi quand on passe du temps dans la cuisine avec une amie qui le restera pour toujours.

Fondue de l'amitié éternelle

12 portions

੬**

Servir avec des morceaux de pain français grillés de 1½ po [4 cm], avec une variété de légumes frais coupés en bouchées ou avec des croustilles tortilla.

2 boîtes [10 oz / 284 ml] chacune] de soupe au fromage cheddar
1 livre [500 g] de fromage suisse râpé
8 oz [250 ml] de tomates étuvées en conserve, écrasées (ou de salsa mexicaine douce)

1 livre [500 g] de fromage cheddar râpé
7 oz [200 ml] de piments chili verts en dés, en pot
⅓ tasse [75 ml] de vin blanc (facultatif)
1 petit oignon, émincé

1. Combiner tous les ingrédients dans une casserole épaisse. Brasser sur feu doux jusqu'à ce que les fromages soient fondus et que le tout soit onctueux.

2. Verser dans un plat à fondue au centre d'un plateau garni de pain, de légumes ou de croustilles pour tremper.

Quiche rapide de Cyndi

Cyndi James Gossett

Il y a trois ans, ma vie a changé. J'étais en instance de divorce et j'étais confrontée au fait que ma vie se transformait du tout au tout. Je vivais une transformation spirituelle et toutes mes croyances étaient mises à l'épreuve sur tous les plans. Soudain, j'étais une mère célibataire plus occupée que jamais.

Mes enfants aussi étaient en crise et, parfois, il semblait que j'étais incapable d'être là pour eux parce que j'étais moi-même confuse. J'étais tellement reconnaissante d'avoir le soutien d'un merveilleux groupe d'amies de femmes. Elles me prenaient dans leurs bras, m'écoutaient et, à maintes occasions, elles priaient pour moi.

J'avais acheté une nouvelle maison et je voulais la rendre aussi confortable que possible pour moi et pour mes enfants. Il était important que je puisse nous offrir un environnement paisible et confortable. Je savais qu'il me faudrait travailler dur pour équilibrer ma carrière et ma vie de famille.

Mes amis m'ont aidée à déménager et à installer ma cuisine. Je n'avais plus d'aide domestique ou de cuisinière et mes garçons adolescents mangeaient encore comme s'il n'y aurait pas de lendemain. Je devais trouver des façons de préparer des repas sains pour les amis et la famille, des repas simples et rapides. Nous avons décidé ensemble de devenir végétariens et d'éliminer toute viande dans notre diète, sauf le poisson. J'ai inventé ma Quiche rapide, qui est devenue un de nos mets favoris.

Le temps a passé rapidement et je me sens tellement privilégiée maintenant. Je peux regarder en arrière et dire que ce fut la plus belle période de ma vie. Mes enfants sont heureux et en santé. Nous avons surmonté ensemble une des tempêtes de la vie et nous en sommes ressortis plus forts et plus unis que jamais.

Quiche rapide de Cyndi

4 à 6 portions

1 croûte de tarte congelée (ou faite à partir d'un mélange)
1 tasse [250 ml] de cheddar allégé râpé
1 tasse [250 ml] de mozzarella allégé râpé (on peut aussi utiliser du fromage de soja)
½ oignon, émincé
1 gousse d'ail
1 c. à table [15 ml] d'huile de canola ou de beurre

¼ tasse [50 ml] d'eau
1 poignée (environ 2 tasses [500 ml] de feuilles d'épinard, bien lavées
Substitut de sel et assaisonnement Spike au goût (voir Note)
Poivre de cayenne au goût
2 œufs
1 tasse [250 ml] de lait de soja

Note : *Disponible dans les magasins d'aliments naturels. Si vous ne trouvez pas cet assaisonnement, utilisez votre assaisonnement préféré.*

1.   Préchauffer le four à 350°F [175°C]. Décongeler la croûte de tarte ou en préparer une. Mélanger ensemble les fromages râpés et étendre la moitié du mélange dans le fond de tarte.

2.   Dans un poêlon, sauter l'oignon et l'ail dans l'huile de canola ou le beurre. Ajouter l'eau et les feuilles d'épinard bien lavées, en sautant jusqu'à ce que les feuilles soient fanées. Ajouter le substitut de sel, l'assaisonnement Spike et le poivre de cayenne au goût. Étendre le mélange d'épinards sur le fromage dans la croûte et couvrir avec la moitié du mélange de fromages restant.

3.   Battre ensemble les œufs et le lait de soja; verser dans la croûte. Cuire pendant environ 45 minutes jusqu'à consistance ferme. Garnir avec le fromage restant et fermer la porte du four pendant quelques minutes de plus, jusqu'à ce que le fromage soit fondu et que la garniture soit prise. Vous pouvez servir immédiatement ou réchauffer dans le four à micro-ondes. Tout aussi bon le lendemain.

La relation finlandaise

Dennis Mannering

*Si vous avez beaucoup, donnez de votre fortune; si vous
avez peu, donnez de votre cœur.*

— Proverbe arabe

Il y a plusieurs années, j'étais à un tournant très difficile
de ma vie, et j'ai rencontré une jeune professeure à l'école élémentaire qui a plus tard accepté de m'épouser. Elle m'avait
amené chez elle pour rencontrer ses parents et ce fut le début
d'une leçon de vie sur la vraie signification d'être « citoyen du
monde ».

Maman et papa (Carl et Agnes) Pokela ont grandi dans
des maisons finlandaises où on parlait souvent le finnois et,
dans le cas de papa, on le parlait exclusivement. Il est allé à
l'école et ne connaissait pas l'anglais. Il a donc dû l'apprendre
sans l'avantage de l'entendre parler quand il retournait chez
lui.

L'école dans un petit village agricole limitait le choix de
personnes avec qui sortir et se marier éventuellement, mais,
comme le disait papa, « dès que j'ai vu maman sur la balan-
çoire avec ses nattes qui volaient au vent, je n'ai jamais
regardé une autre fille ».

Leurs trois enfants ont grandi dans le même petit village
au nord-ouest du Wisconsin, dans la même maison qu'ils
occupent encore aujourd'hui. Dans notre société itinérante,
ils font partie de ce petit groupe décroissant qui a des racines.

Quand je suis entré dans la famille, j'étais fasciné par les
traditions que ces gens avaient conservées : chanter des
chants en finnois dans les réunions de famille, manger du
Kropsu pour le petit déjeuner, prendre des saunas et partager leur inlassable hospitalité.

Il y a mille et une histoires sur le nombre de personnes que Carl et Aggie ont accueillies chez eux pour un repas ou pour être hébergées. Papa Pokela disait qu'il était stipulé dans leur contrat de mariage que personne n'entrerait jamais dans leur maison sans prendre au moins une tasse de café et quelque chose à manger.

Une de ces histoires concerne un garçon allemand qui visitait l'Amérique, la traversant à bicyclette, d'est en ouest. Son voyage l'a conduit sur l'Autoroute 8 au nord du Wisconsin, où papa Pokela travaillait au bout de son allée. Il était presque midi et le garçon avait faim. Il a donc demandé à papa s'il connaissait un restaurant dans les environs. Sachant qu'il n'y avait pas de restaurant pour les prochains 25 à 30 kilomètres, et sachant que sa femme était la meilleure cuisinière des alentours, papa a dit : « Tu peux prendre un excellent repas ici même, à la maison. » Encore une fois, papa avait invité quelqu'un à manger sans prévenir maman. Elle ne s'en offusquait pas puisque sa politique était : « Toujours en faire plus que nous pouvons manger ; on ne sait jamais quand quelqu'un peut arriver inopinément ! » (Tout le monde devait savoir qu'il y avait beaucoup de nourriture chez les Pokela à la façon dont les gens venaient « inopinément » et aussi souvent à l'heure des repas.)

Le jeune homme n'a pas seulement mangé mais il est resté pour la nuit. Après que papa lui eut joué de l'accordéon et l'eut nourri de *Kropsu* pour déjeuner, il a repris la route avec plusieurs sandwiches emballés pour son voyage. Plusieurs mois après, maman et papa ont reçu une lettre d'Allemagne pour les remercier de leur chaude hospitalité. Le jeune homme disait dans la note : « De tous les paysages merveilleux que j'ai vus et de toutes les expériences que j'ai vécues, vous avez été le point culminant de mon voyage. »

La recette de *Kropsu* est donnée plus bas. Si vous arrêtez chez Carl et Aggie un samedi ou un dimanche matin, on pourra vous en servir. Cela demande une longue cuisson au four, ce qui donne amplement de temps pour parler.

KROPSU
Crêpe au four finlandaise

Prononcer kroup'sou avec le « r » roulé.

2 à 3 portions

❧

3 c. à table [45 ml] de beurre ou de margarine

2 à 3 œufs [une plus grande quantité d'œufs donne une consistance plus onctueuse)

1 ½ c. à table [22 ml] de sucre

½ c. à thé [2 ml] de sel

1 tasse [250 ml] de lait (entier, faible en gras ou écrémé)

½ tasse [125 ml] de farine

POUR SERVIR :
Sirop, fraises écrasées, framboises écrasées, garniture de tarte aux bleuets, ou créer votre propre garniture à partir de vos fruits frais préférés.

Note : *Pour 4 à 6 portions, doubler la recette et utiliser un poêlon en fonte ou un plat en verre de 9 x 13 po [23 x 32 cm].*

1. Préchauffer le four à 400°F [205°C]. Mettre le beurre ou la margarine dans un poêlon en fonte de 9 à 10 po [23 à 25 cm] ou dans un plat en verre épais (les casseroles à fond mince feront brûler le dessous de la crêpe) et déposer dans le four jusqu'à ce que le beurre soit fondu.

2. Dans un bol à mélanger, battre les œufs. Ajouter en brassant le sucre et le sel. Ajouter le lait en alternant avec la farine, en mélangeant bien après chaque addition.

3. Mettre la pâte dans le beurre chaud du poêlon ou du plat en verre. Cuire pendant 20 à 25 minutes. Augmenter le temps de cuisson pour une recette doublée.

4. Couper en gros morceaux et servir avec votre garniture préférée.

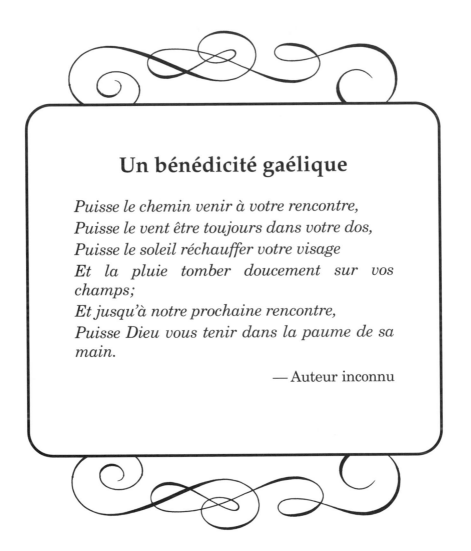

Un bénédicité gaélique

Puisse le chemin venir à votre rencontre,
Puisse le vent être toujours dans votre dos,
Puisse le soleil réchauffer votre visage
Et la pluie tomber doucement sur vos champs;
Et jusqu'à notre prochaine rencontre,
Puisse Dieu vous tenir dans la paume de sa main.

— Auteur inconnu

Cuisiner pour un ami,
c'est plus que juste le nourrir

Barbara Swain

N'attendez pas des occasions extraordinaires pour faire le bien; profitez des situations ordinaires.

— Jean Paul Richter

Dernièrement, je me suis longuement arrêtée à penser combien j'étais chanceuse d'avoir développé et aimé l'art de la cuisine. J'ai grandi dans un foyer où toutes les occasions spéciales se célébraient à table avec la famille et les amis. Partager une bonne nourriture a toujours semblé une chose naturelle à faire.

Pendant les fêtes de Noël, il y a environ 15 ans, j'ai été confrontée de façon différente à la puissance de la cuisine. J'ai reçu un appel d'un homme que je ne connaissais pas. Il était de Chicago, et un ami commun lui avait suggéré de me téléphoner quand il serait à Los Angeles. J'ai répondu par un geste qui semblait tout à fait normal — je l'ai invité à dîner. Quand il est arrivé, le feu brûlait dans le foyer. Devant le feu, j'avais dressé une petite table et je l'avais agrémentée avec quelques décorations de Noël.

Comme d'habitude, j'étais encore très concentrée sur la préparation de la nourriture. Il s'est installé sur un tabouret de cuisine et nous avons parlé en prenant un petit verre de vin et des amuse-gueule pendant que je brassais la sauce Mornay pour le poisson et que je remuais la salade César. Il a dit qu'il était divorcé et nous avons parlé des changements que cette situation a apportés dans sa vie. Ce n'est que vers le milieu du repas, en nous assoyant devant le foyer, que j'ai soudain constaté que c'était son tout premier Noël seul —

loin de la maison qu'il avait habitée pendant des années et des enfants qu'il avait élevés.

J'ai compris à ce moment-là que j'avais donné plus que simplement de la nourriture et l'hospitalité. Même s'il me connaissait à peine, j'ai eu le sentiment d'avoir probablement donné à cet homme le cadeau le plus gentil que je pouvais — non seulement de la nourriture mais le réconfort d'une maison où quelqu'un cuisinait pour lui, une table spéciale avec la chaleur d'un feu de foyer, et une soirée à la maison dont il était le centre.

Depuis ce Noël, j'ai de plus en plus pris conscience de la souffrance dans la vie des autres, que ce soit la perte de la santé, de la sécurité financière, le sentiment d'inutilité ou, plus important, la perte d'un être cher. Je suis tellement reconnaissante qu'en faisant quelque chose d'aussi simple que de recevoir quelqu'un à dîner, je peux faire en sorte qu'une vie soit un peu moins désespérée, un peu moins solitaire et avec un peu plus d'amour.

La merveilleuse surprise dans le fait d'agir ainsi est que la récompense que je reçois d'un tel don est précisément la même que pour celui qui le reçoit. C'est une des raisons pour lesquelles je me sens privilégiée de pouvoir prendre plaisir à cuisiner.

Voici une superbe recette à partager avec quelqu'un qui souffre. C'est un plat réconfortant à son meilleur!

Poulet et grands-pères

2 portions

Si vous voulez aller plus vite, ne faites pas dorer le poulet.

*2 c. à table [30 ml] de beurre
ou d'huile*

*2 cuisses de poulet ou demi-
poitrines de poulet, ou un
de chaque*

*Sel et poivre noir
fraîchement moulu au
goût*

*½ tasse [125 ml] d'oignon
haché grossièrement*

*3 c. à table [45 ml] de farine
tout usage*

*1 ¼ tasse [300 ml] de
bouillon de poulet, fait
maison, en boîte ou
reconstitué*

*1 ou 2 branches de céleri,
coupées en morceaux*

*2 à 4 carottes, pelées et
coupées en morceaux de
2 po [5 cm]*

*Grands-pères (recette ci-
après)*

*½ tasse [125 ml] de pois
congelés*

*Persil haché ou ciboulette
pour garniture (facultatif)*

1. Dans une casserole de 2 à 3 litres ou une cocotte, chauffer le beurre ou l'huile sur feu moyen. Assaisonner les morceaux de poulet avec sel et poivre et dorer de tous les côtés; enlever le poulet et réserver.

2. Ajouter l'oignon dans la casserole et sauter jusqu'à translucide. Ajouter la farine dans la casserole et cuire une minute en brassant continuellement.

3. Ajouter le bouillon, amener à ébullition et cuire en brassant pour dissoudre tout ce qui est collé au fond de la casserole. Continuer de cuire en brassant constamment, jusqu'à épaississement.

4. Remettre le poulet dans la casserole et ajouter le céleri et les carottes; saler et poivrer au goût. Couvrir la casserole, réduire la chaleur pour simplement mijoter et cuire 1 heure.

5. Pendant ce temps, préparer la pâte à grands-pères. Après que le poulet aura cuit 1 heure, diviser la pâte en 4 portions égales et déposer avec une cuillère dans la casserole de poulet et légumes, en laissant assez d'espace autour de chaque grand-père pour l'expansion. Mijoter à découvert 10 minutes. Couvrir et mijoter encore 10 minutes.

6. Ramasser à la cuillère les grands-pères, le poulet et les légumes et les déposer dans deux assiettes; couvrir et garder au chaud. Ajouter les pois congelés dans la sauce et réchauffer. Si la sauce est trop épaisse, ajouter de l'eau; verser la sauce sur le poulet, les légumes et les grands-pères. Garnir si désiré avec du persil ou de la ciboulette. Servir immédiatement.

Variantes : POULET ET GRANDS-PÈRES AVEC SOUPE EN CONSERVE. Omettre la farine et le bouillon de poulet. Substituer 1 boîte de 10 oz [284 ml] de crème de poulet, de crème de céleri ou de crème de champignons diluée avec ¼ tasse [50 ml] d'eau. Compléter la recette ci-dessus.

Grands-pères

2 portions

ॐ

Cette recette est extraite du livre Intimate Dining — Memorable Meals for Two, *par Barbara Swain (Fisher Books).*

½ tasse [125 ml] de farine
  tout usage
½ c. à thé [2 ml] de poudre à
  pâte
½ c. à thé [2 ml] de sel
⅛ c. à thé [0,5 ml] de poivre

¼ c. à thé [1 ml]
  d'assaisonnement à
  volaille (facultatif)
1 c. à table [15 ml] de beurre
  fondu ou d'huile
3 c. à table [45 ml] de lait

1. Mesurer la farine, la poudre à pâte et le sel dans un bol à mélanger moyen; mélanger jusqu'à ce qu'il n'y ait plus de grumeaux.

2. Ajouter en brassant le poivre et l'assaisonnement à volaille, si désiré. Ajouter le beurre, ou l'huile, et le lait aux ingrédients secs, et ne brasser que jusqu'à ce que les ingrédients secs soient humides.

Variantes : Ajouter aux grands-pères n'importe lequel des ingrédients qui suivent avant d'ajouter le gras et le liquide : ¼ c. à thé [1 ml] de poivre moulu, ½ c. à thé [2 ml] d'assaisonnement à volaille moulu, ½ c. à thé [2 ml] de thym séché, 1 c. à table [15 ml] de persil frais émincé, 1 c. à table [15 ml] de ciboulette émincée, 1 c. à table [15 ml] de piments en conserve émincés, 2 c. à table [30 ml] de fromage cheddar fort râpé.

GRANDS-PÈRES FAITS DE MÉLANGE DE PÂTE À BISCUIT (PAINS AU LAIT) : Mélanger ensemble ⅔ tasse [150 ml] de mélange de pâte à biscuit et n'importe lequel des ingrédients optionnels ci-dessus dans un petit bol. Ajouter ¼ tasse [50 ml] de lait et brasser juste ce qu'il faut pour que les ingrédients secs soient humides. Continuer comme dans la recette principale.

8

Inspirations et intuitions

Le signe infaillible de la sagesse, c'est de voir le miraculeux dans l'ordinaire.

— Ralph Waldo Emerson

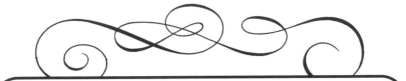

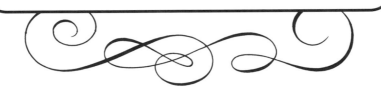

La nourriture n'est pas seulement quelque chose que nous mangeons. C'est un rappel incessant que nous sommes mortels, reliés à la terre, que nous avons faim et que nous avons des besoins. Nous sommes liés par un impératif biologique qui nous renvoie constamment vers la terre, les plantes, les animaux et l'eau vive pour nous réapprovisionner.

Manger est la vie. Chaque fois que nous mangeons, l'âme poursuit son voyage sur terre. Avec chaque bouchée de nourriture avalée, une voix dit : « Je choisis la vie. Je choisis de manger, car j'aspire à quelque chose de plus. »

— Marc David

La fête des Mères

Diana von Welanetz Wentworth

Susie Gross et moi nous sommes rencontrées il y a plus de 30 ans; j'avais alors 19 ans et elle, 29. J'ai été immédiatement attirée vers elle, sentant qu'elle deviendrait mon amie pour la vie.

Susie était grande et gracieuse, avec sa silhouette de garçon, un visage doux et des cheveux bouclés naturellement; un des mannequins les plus populaires de Los Angeles, elle déambulait avec aisance sur les passerelles des défilés de mode. Elle avait un mari séduisant et dévoué, une fille de quatre ans et un bébé garçon adopté depuis peu. Sa maison reflétait son don pour la cuisine, la décoration, l'artisanat et le jardinage. Mieux encore, Susie a toujours été et continue d'être encore plus belle à l'intérieur qu'à l'extérieur. Elle s'intéresse à de nombreuses choses, telle l'abeille qui butine de fleur en fleur, en laissant un peu de son essence partout où elle va, une parcelle d'elle qui émeut et qui vit sans s'accrocher. Par exemple, elle m'a montré comment lâcher prise sur ce qui était vieux, passé et usé pour avancer vers la phase suivante de la vie.

Susie et moi nous sommes rencontrées récemment pour le thé afin de partager nos nouvelles. J'avais hâte d'entendre les derniers faits et gestes de ses petits-enfants qu'elle aime tant. Susie était particulièrement heureuse de me raconter qu'elle avait joué avec Violet, trois ans, et Lily, un an, il y a quelques semaines et elle s'était soudain sentie submergée de reconnaissance et d'amour pour elles. Elle ne pouvait pas s'empêcher d'être triste à l'idée que la mère naturelle de son fils Bill manquait tout le bonheur d'être proche de ces bébés adorables — sa mère naturelle ne sachant même pas qu'ils existaient. C'est alors que Susie a fait le vœu de trouver la mère naturelle de Bill, Victoria (son nom a été changé pour protéger sa vie privée).

Au moment de l'adoption, le médecin avait dit à Susie le nom de la femme. Quelques années plus tard, son amie Louise avait apporté à Susie une photo de la mère de Bill découpée dans un journal, en lui disant : « Sais-tu qui c'est? »

Susie, en voyant la grande ressemblance, a répondu : « C'est la mère de Billy! » Si Louise avait gardé cette coupure de journal — c'est probablement parce que « Louise est le genre de personne qui ne jette rien, même pas sa petite tasse d'Ovaltine Annie l'orpheline » — c'était peut-être le lien dont Susie avait besoin.

Louise avait toujours la coupure de journal défraîchie et jaunie par le temps, et seulement quelques téléphones plus tard, au cours desquels elle s'était identifiée simplement comme une vieille amie, Susie avait le bon numéro.

Au téléphone, Susie a entendu un message sur un répondeur. Remplie d'émotion en entendant la voix douce, Susie a pris une profonde respiration et a laissé un message émouvant mais discret : « Victoria, vous ne me connaissez pas… mais vous m'avez fait une faveur énorme il y a 33 ans. Il est temps maintenant pour moi de vous rendre la pareille… »

Plus tard dans la journée, Susie a reçu un téléphone. Victoria était enchantée de savoir que son fils allait bien, qu'il était heureux, et qu'elle (miracle des miracles!) avait aussi une bru et deux belles petites-filles qui lui ressemblaient beaucoup. Pendant les deux heures qu'a duré la conversation, Susie a pu entendre l'histoire de Victoria pour la première fois. « J'ai toujours rassuré Bill en lui disant que sa mère ne voulait pas le faire adopter, a dit Susie, qu'elle n'avait vraiment pas d'autre choix. Et c'était vrai.

En 1959, Victoria avait 18 ans et elle était la fille d'une famille très connue de la Côte Est. Quand elle est devenue enceinte, son père, dont les paroles faisaient loi dans la maison, n'a pas voulu entendre parler de son mariage. L'idée de se faire avorter n'est jamais venue à l'esprit de Victoria. Même si elle a supplié pour garder l'enfant, il a été décidé qu'elle devait le donner en adoption privée. Victoria n'avait pas le choix. Elle n'avait vu son bébé garçon qu'une seule fois.

En milieu de grossesse, elle a téléphoné à sa mère pour lui dire : « Je veux garder cet enfant et l'élever moi-même. »

« Si tu fais cela, Victoria, a dit sa mère, nous ne te soutiendrons pas financièrement et tu ne pourras pas emmener l'enfant à la maison. » Ainsi, Victoria n'a pas eu le choix. Elle n'a vu son bébé garçon qu'une seule fois.

Susie disait souvent à Billy à mesure qu'il grandissait qu'elle croyait que sa vraie mère l'avait aimé et qu'elle n'avait pas voulu le faire adopter. Bill s'épanouissait et il a finalement épousé DeAnne, une jeune femme qui avait un penchant pour la musique. Ensemble, ils ont découvert leur chanson préférée, « From God's Arms to My Arms to Yours » (Des bras de Dieu à mes bras et aux tiens), à propos d'une femme qui avait donné son enfant. DeAnne aimait fredonner le refrain :

Et peut-être, peux-tu dire à ton enfant,
Alors que tu l'aimes tant, qu'il a déjà été aimé
*　　auparavant*
Par quelqu'un qui a mis au monde ton fils
Des bras de Dieu à mes bras et aux tiens.

　　　　　　– Tiré de « From God's Arms to My Arms to Yours »,
　　　　　　　　　　par Michael McLean © 1990

Victoria n'a plus eu d'autres enfants et n'avait aucun espoir de revoir son fils. Pourtant, par un jour de printemps ensoleillé, toute la famille Gross, les bras chargés de fleurs, l'ont embrassée à l'aéroport de Los Angeles. Les premières émotions passées, Victoria a remis une note dans la main de Susie :

Que pourrais-je dire ou vous donner pour vous exprimer ma gratitude éternelle face à votre générosité et à votre bonté tout à fait extraordinaires ? Au bout du compte, je ne peux que vous regarder dans les yeux, vous prendre la main et vous dire merci. Mon respect et mon affection à votre endroit sont sans limite et j'ai personnellement l'impression que vous avez établi un modèle pour les femmes du monde entier.

L'évêque de l'église que fréquentait Susie lui avait demandé pendant des années de s'adresser à l'assemblée des fidèles en tant que laïque. Elle avait toujours refusé en disant : « Qu'est-ce que je pourrais dire? » Maintenant, elle savait.

Son discours avait été prévu pour la fête des Mères. Susie a raconté son histoire de très belle façon, en rendant hommage à Victoria comme étant une sorte de mère très spéciale.

« Il y a trente-trois ans, le trois septembre, une femme a mis au monde un bébé garçon et a regardé son visage — regarder le visage de votre premier-né, c'est comme regarder le visage de Dieu. Puis, en raison de toute une série de circonstances, elle l'a abandonné aux soins d'une autre femme afin qu'elle l'aime et l'élève comme son propre enfant. Il doit lui avoir fallu une foi inouïe… et son cœur a dû en être brisé. Peu de gens sont appelés à faire ce genre de sacrifice dans la vie. Mon cœur est déchiré en pensant à sa peine.

« Je suis la mère qui a emmené son bébé à la maison pour l'aimer et l'élever. J'étais très malheureuse parce que je ne pouvais pas avoir un autre enfant, mais, grâce à Dieu, mes prières ont été entendues.

« Depuis la semaine où j'ai trouvé la maman de Billy, j'ai vécu une cascade d'émotions et je sais maintenant qu'il y a une vérité suprême qui régit l'univers. Elle éclipse toutes les autres vérités, toute pensée, tout être, toute émotion — Dieu vit. Il nous aime et dirige nos vies. Victoria a dû aller en Californie pour donner naissance et c'est là qu'elle m'a trouvée et qu'elle m'a donné son bébé. Je sais que Dieu m'a guidée pour trouver Victoria et pour lui donner cette joie. »

Bill a ensuite parlé spontanément et avec tendresse de sa joie immense de trouver une deuxième mère, et de son admiration pour « ma maman Susie, la meilleure personne que je connaisse ». Le service s'est terminé par une chanson de DeAnne :

> *Ce n'est peut-être pas la réponse pour une autre fille comme moi*
> *Je ne suis pas en train de prêcher pour dire comment nous devrions être*
> *J'ai seulement confiance dans mes sentiments et je fais confiance à Dieu là-haut*
> *Et j'ai aussi confiance que tu peux donner à cet enfant l'amour de ses deux mères*
> *Et peut-être peux-tu dire à ton bébé,*
> *Alors que tu l'aimes tant, qu'il a déjà été aimé auparavant*
> *Par quelqu'un qui a mis au monde ton fils*
> *Des bras de Dieu à mes bras et aux tiens.*

– Tiré de « From God's Arms to My Arms to Yours »,
par Michael McLean © 1990

Poulet au romarin de Susie

4 portions

੨✿

Pendant nos longues années d'amitié, Susie m'a donné de nombreuses recettes qui ont été publiées dans mes livres de cuisine, dont ses Noix aux Sherry, sa Salade de dinde au curry, sa Marmelade d'abricots, et maintenant son Poulet au romarin. « La recette a été adaptée du Supper Cookbook *de Marion Cunningham, m'a-t-elle dit. Le romarin est l'herbe la plus facile à faire pousser et nous en avons d'énormes tales à l'année dans notre jardin. Ses toutes petites fleurs violettes sont comestibles et elles donnent un joli résultat si on en parsème sur le poulet comme garniture. L'estragon et autres herbes fraîches en saison sont également délicieuses. »*

1 poulet de 3 livres [1,5 kg]
4 pommes de terre rouges moyennes, coupées en quartiers (ou 8 petites pommes de terre, coupées en deux)
3 à 4 poireaux moyens, la partie blanche seulement, coupés en moitié sur la longueur et bien rincés (conserver la partie verte des poireaux pour faire de la soupe)

3 gousses d'ail, émincées
1 c. à table [15 ml] de romarin frais haché (ou 2 c. à thé [10 ml] de romarin séché émietté)
Sel et poivre
1 à 2 c. à table [15 à 30 ml] d'huile d'olive
Brins frais de romarin et quelques fleurs de romarin pour garnir, si les herbes sont en fleurs

1. Préchauffer le four à 425°F [220°C]. Utiliser des ciseaux à volaille pour couper le long des deux côtés de la colonne vertébrale du poulet. Jeter cet os et enlever tout gras qui reste. Rincer le poulet et l'aplatir.

2. Au centre d'une rôtissoire de 9 x 13 po [23 x 32 cm] ou d'un plat allant au four, déposer les pommes de terre rouges. Entourer les pommes de terre avec les poireaux. Saupoudrer les pommes de terre avec l'ail émincé, le romarin, le sel et le poivre au goût. Verser en filet environ 1 c. à table [15 ml] d'huile d'olive sur le dessus.

3. Déposer le poulet aplati sur le dessus des légumes. Assaisonner de sel et de poivre. Cuire pendant 45 minutes (ou pendant 1 heure à 350°F [175°C].

4. Égoutter le bouillon dans une tasse à mesurer, laisser reposer quelques minutes pendant que vous coupez le poulet en quartiers, et servir avec les pommes de terre et les poireaux. Enlever de la rôtissoire le gras du bouillon et le jeter; mettre le bouillon sur la table. Garnir avec des brins de romarin frais et parsemer de fleurs de romarin.

La qualité de la présence détermine
la qualité de la vie.

— Jack Kornfield

Gâteau pour le café de grand-maman Victoria

Un gâteau de 9 pouces

ॐ

La deuxième recette vient de la mère naturelle de Billy. DeAnne Gross la partage avec nous.

Graisse ou enduit anti-
  adhésif pour le moule
2 tasses [500 ml] de farine
1 c. à thé [5 ml] de
  bicarbonate de soude
1 c. à thé [5 ml] de poudre à
  pâte

½ c. à thé [2 ml] de sel
½ tasse [125 ml] de beurre
1 tasse [250 ml] de sucre
2 œufs
1 tasse [250 ml] de crème
  sûre
1 c. à thé [5 ml] de vanille

GARNITURE :
⅓ tasse [75 ml] de cassonade
¼ tasse [50 ml] de sucre
  blanc

¼ tasse [50 ml] de pacanes
  finement hachées
1 c. à thé [5 ml] de cannelle

1.   Préchauffer le four à 350°F [175°C]. Graisser généreusement un moule à gâteau rond de 9 po [23 cm] avec une bonne couche de graisse ou de l'enduit anti-adhésif.

2.   Tamiser ensemble la farine, le bicarbonate de soude, la poudre à pâte et le sel. Dans un grand bol, battre en crème le beurre et le sucre avec un batteur électrique jusqu'à ce que le mélange soit onctueux et léger. Ajouter les œufs, en battant jusqu'à très onctueux. Ajouter en alternance les ingrédients tamisés et la crème sûre. Quand le tout est bien mélangé et onctueux, ajouter la vanille.

3.   Mélanger ensemble les ingrédients de la garniture.

4.   Verser la moitié de la pâte dans le moule préparé; parsemer avec la moitié du mélange de la garniture; verser le reste de la pâte sur le dessus et parsemer également le reste du mélange de la garniture. Cuire 35 à 40 minutes, jusqu'à ferme.

Les biscuits miracle

Helice Bridges

Il y a des gens qui mettent leurs rêves dans une petite boîte et qui disent : « Oui, j'ai des rêves, bien sûr. J'ai des rêves. » Puis, ils rangent la boîte et la ressortent de temps à autre pour regarder à l'intérieur, et ils sont encore là. Ce sont de grands rêves, mais ils ne sortent même pas de la boîte. Il faut énormément de courage pour exposer ses rêves, les tenir haut et dire : « Suis-je bon ou mauvais, et à quel point ? » C'est là qu'il faut du courage.

— Erma Bombeck

Sur un banc de parc — à 60 mètres au-dessus des flots tumultueux de l'océan Pacifique — j'étais assise tranquille, je relaxais et j'absorbais les rayons du soleil. La journée était claire, calme et douce. Le soleil se coucherait déjà dans une heure.

J'ai remarqué sur un banc, seulement 15 mètres plus loin sur le sentier, une dame âgée. Elle était frêle et courbée par le poids de ses épaules. Elle avait un gros nez large, crochu comme celui d'une sorcière. Malgré son apparence, quelque chose m'attirait vers elle.

J'ai marché jusqu'à elle. En m'assoyant tout près, j'ai continué à regarder l'océan. Pendant un très long moment, je n'ai rien dit. Sans réfléchir, je me suis spontanément tournée vers cette vieille femme et je lui ai demandé doucement : « Si jamais nous nous rencontrions de nouveau, que voudriez-vous que je sache à propos de qui vous êtes vraiment ? »

Il n'y a pas eu de réponse — le silence s'est prolongé pendant ce qu'il m'a semblé près d'une heure. Soudain, des larmes ont coulé le long de ses joues. « Personne ne s'est jamais autant soucié de moi », a-t-elle dit en sanglotant. J'ai gentiment mis ma main sur son épaule pour la réconforter et j'ai dit : « Je me soucie de vous. »

Après m'avoir dit qu'elle s'appelait Isabel, elle a gémi : « Depuis que je suis toute petite, j'ai toujours voulu être une ballerine. Ma mère me disait que j'étais trop maladroite. Je n'ai jamais eu la chance d'apprendre à danser. J'ai, par contre, un secret. Je ne l'ai jamais dit à personne avant. Voyez-vous, depuis que j'ai quatre ans, je pratique ma danse. J'avais l'habitude de me cacher dans ma penderie pour pratiquer afin que ma mère ne me voie pas. »

« Isabel, montrez-moi votre danse », l'ai-je suppliée.

Isabel m'a regardée, surprise. « Vous voulez voir ma danse ? »

« Absolument », ai-je répondu avec insistance.

C'est là que j'ai vu le miracle. Le visage d'Isabel a semblé se dépouiller d'années de souffrance. Son visage s'est adouci. Elle s'est assise fièrement, la tête droite, les épaules en arrière. Puis, elle s'est levée, s'est retournée et m'a fait face. C'était comme si le monde s'était immobilisé pour elle. C'était la scène qu'elle avait attendue toute sa vie. Je pouvais le voir sur son visage. Elle voulait danser. Elle voulait danser pour moi.

Isabel s'est tenue devant moi, a pris une profonde respiration, puis s'est détendue. Seulement quelques moments auparavant, ses yeux bruns étaient enfoncés profondément dans son crâne ; maintenant, ils étaient vifs et pétillants. Avec élégance, elle a pointé son orteil en avant pendant qu'elle étirait sa main gracieusement. Le geste était magistral. J'en avais le souffle coupé. J'étais témoin d'un miracle. Une minute, elle était une femme difforme, vieille, misérable ; l'instant suivant, elle était Cendrillon avec ses souliers de verre.

Il lui a fallu une vie entière pour apprendre sa danse, et seulement un moment pour l'exécuter. Mais elle réalisait le rêve de sa vie. Elle avait dansé.

Isabel a commencé à rire et à pleurer presque en même temps. En ma présence, elle était de nouveau devenue humaine. Nous avons continué à parler de mathématiques et de science, et de toutes les choses qu'Isabel aimait. Je l'écoutais et je dévorais chacun de ses mots. « Vous êtes une très grande danseuse, Isabel. Je suis très heureuse de vous avoir rencontrée. » Et je le pensais sincèrement.

Je n'ai jamais revu Isabel. Je me souviens encore de son sourire et de lui avoir envoyé la main en guise d'au revoir. Depuis ce jour, j'ai pris le temps de m'arrêter et de reconnaître les gens partout. Je leur demande quels sont leurs rêves. Je leur fais retrouver leurs racines. Chaque fois, je suis témoin d'un miracle. Tout comme Isabel, les gens se tiennent plus droit, sourient et, en un sens, recommencent à croire en eux.

À chacune de ces personnes, j'ai décerné un ruban bleu *Qui je suis fait une différence*. J'ai enseigné à plus de trois millions de personnes comment démontrer leur appréciation pour les autres. Vous pouvez être un faiseur de miracles, vous aussi. Il y a des gens formidables partout. Il y a une Isabel en chacun. Peut-être changerez-vous la vie de quelqu'un aujourd'hui. Peut-être leur ferez-vous des Biscuits miracle, miraculeusement faciles à faire, pour leur rappeler que ce qu'ils sont fait une différence et que les rêves deviennent vraiment réalité.

Nous réveillons chez les autres le même état d'esprit que celui que nous entretenons à leur égard.

— Elbert Hubbard

Biscuits miracle

Environ 3 douzaines de biscuits

ેક

La recette telle que formulée ici donne des biscuits de 3 po [8 cm]. Vous pouvez les faire plus gros et leur donner une forme pendant qu'ils sont encore chauds, sur l'envers de petits bols. Quand ils durcissent, servez-les avec de la crème glacée et des petits fruits frais.

¼ *tasse [50 ml] de cassonade foncée bien tassée*
¼ *tasse [50 ml] de sirop de maïs clair*
4 *c. à table [60 ml] de beurre, fondu*

½ *tasse [125 ml] de farine*
½ *tasse [125 ml] de pacanes finement hachées*
2 *c. à thé [10 ml] de vanille*

1. Préchauffer le four à 350°F [175°C]. Tapisser de papier d'aluminium deux tôles à biscuit. Dans une petite casserole, combiner la cassonade, le sirop de maïs et le beurre. Brasser constamment sur feu fort jusqu'à ébullition; retirer du feu. Ajouter en brassant la farine et les noix jusqu'à mélange parfait, et ajouter la vanille.

2. Déposer de pleines cuillerées à thé de pâte sur le papier d'aluminium, en les espaçant d'environ 3 po [8 cm] (les biscuits s'étendent!). Cuire pendant environ 8 minutes ou jusqu'à ce que les biscuits prennent la couleur d'un beau brun doré.

3. Retirer du four. Laisser refroidir environ 2 minutes jusqu'à ce qu'ils soient fermes, puis avec une spatule, les transférer du papier d'aluminium sur un papier essuie-tout pour enlever l'excès de beurre. Lorsque refroidis, les garder dans des boîtes métalliques hermétiques pour conserver leur texture croustillante.

Le poulet de l'étudiant affamé

John et Kyoko Enright

Il y a plusieurs années, au Japon, un étudiant affamé vivait dans une petite mansarde juste au-dessus d'un restaurant chic où des gens riches allaient manger. (Il semble que ce soit une culture universelle que les étudiants aient faim.) L'étudiant ne prenait qu'un repas par jour — une maigre ration de riz qu'il mangeait le soir avant d'étudier.

Un jour que l'étudiant retournait chez lui pour son repas frugal, il a rencontré un ami à l'extérieur du restaurant. Ils se sont arrêtés pour parler. Comme c'était juste avant le repas de l'étudiant, il n'est pas surprenant qu'ils aient parlé de nourriture.

« C'est tellement merveilleux de vivre au-dessus de ce restaurant, a dit l'étudiant à son ami. Chaque soir, quand je mange mon petit bol de riz, je peux sentir la délicieuse odeur de la superbe cuisine de ce restaurant et je m'imagine mangeant ces plats savoureux, installé en bas avec les gens riches, au lieu de manger mon riz seul dans ma chambre en haut. Il y a un plat de poulet que j'aime particulièrement. L'odeur de l'ail et du poivre semble s'infiltrer dans mon bol de riz et me nourrir! »

Malheureusement, le propriétaire radin du restaurant se trouvait tout près de la porte pour accueillir ses clients, et il a entendu les propos de l'étudiant. Il est sorti, a attrapé l'étudiant par l'oreille et a demandé paiement.

L'étudiant, horrifié, a protesté en disant qu'il n'avait pas d'argent, mais le propriétaire l'a tout simplement conduit au poste de police le plus près et a porté plainte en insistant pour être payé.

Par chance, le tribunal siégeait au même moment, et le juge Ohta présidait. La cause serait entendue immédiatement. Le juge Ohta avait la réputation d'être juste et sage, mais l'étudiant était trop troublé et malheureux pour le comprendre au moment de l'audience.

Le propriétaire a été étonnamment éloquent en présentant son accusation. Il a parlé du terrible fardeau de dépenses encourues par le restaurant et de la nécessité que chaque personne qui en profite de quelque façon paie sa part des coûts. La défense de l'étudiant a été pitoyable : il a simplement plaidé qu'il n'avait pas d'argent et ne pouvait pas payer. Le juge Ohta a semblé songeur un moment et il a prononcé son jugement.

« De toute évidence, a-t-il dit à l'étudiant, vous devez payer pour la valeur que vous avez reçue du propriétaire. » Si c'était possible, l'étudiant avait l'air encore plus apeuré et abattu qu'avant, et le propriétaire, si c'était possible, avait l'air encore plus suffisant et vertueux. « Avez-vous de l'argent sur vous ? »

L'étudiant a trouvé quelques *yens* (beaucoup moins qu'un sou) au fond de sa bourse déformée et il les a sortis. « Faites-les sonner ensemble », a dit le juge. Déconcerté, l'étudiant l'a fait, ce qui a donné un bruit pathétiquement faible. « Bien!, a dit le juge Ohta. Le bruit de l'argent constitue un paiement suffisant pour l'odeur de la nourriture. Affaire classée. »

Le plat de poulet si envié par l'étudiant ne peut pas être exactement le même que la recette qui suit, mais il doit s'en rapprocher.

Poulet de l'étudiant affamé

4 portions

ই৯

1 à 1 ½ livre [500 à 750 g] de
poitrines de poulet
désossées, sans peau,
dégraissées
½ tasse [125 ml] de saké ou
de vin blanc
16 oz [500 g] de spaghetti,
linguine ou autre pâte de
votre choix
1 c. à table [15 ml] de beurre
ou de margarine

½ tasse [125 ml] d'huile
d'olive
8 à 10 gousses d'ail émincées
½ à 1 c. à thé [2 à 5 ml] de
flocons de piment rouge
séchés broyés
1 c. à thé [5 ml] de sauce soja
½ à ¾ tasse [125 à 175 ml]
de persil émincé
Fromage râpé parmesan ou
romano (facultatif)

1. Couper les poitrines de poulet en petits morceaux, de la grosseur de la première jointure de votre annulaire. Arroser avec le saké ou le vin blanc et laisser mariner de 2 à 4 heures.

2. Cuire le spaghetti, le linguine ou autre pâte de votre choix selon les instructions sur l'emballage. Rincer et égoutter dans une passoire; ajouter en brassant le beurre ou la margarine pour éviter que les pâtes ne collent.

3. Pendant la cuisson des pâtes, dans un grand poêlon à frire, chauffer l'huile d'olive, l'ail émincé et les flocons de piment rouge au goût, suivant que vous aimez manger épicé (le goût devient plus fort quand la préparation repose). Amener la chaleur à la plus haute température et ajouter le poulet, en réservant la marinade. Cuire jusqu'à ce que le poulet ait perdu sa couleur rose au centre.

4. Ajouter les pâtes cuites dans le poêlon et assaisonner au goût avec le sel et le poivre. Ajouter le reste de la marinade, la sauce soja et le persil émincé. Servir immédiatement (avec fromage parmesan ou romano, si désiré) et attendez-vous à recevoir des compliments dans la langue locale!

Voyez comme elles courent

Bobbie Jensen Lippman

Qui peut ignorer la vogue actuelle pour la condition physique? Partout où vous regardez, les gens font du jogging, de la marche rapide, du vélo, du patin à roues alignées, du tennis. Pour nous, les mi-sédentaires, cela peut devenir mi-déprimant.

Un jour, mon amie Roz et moi étions assises dans un délicatessen, nous apitoyant sur notre besoin de perdre du poids tout en dévorant une danoise, en buvant du café et en attendant que notre amie Sherrie nous rejoigne. Nous trouvions que Sherrie était un drôle de numéro parce qu'elle faisait du jogging trois fois par semaine, alors que Roz et moi marchions à peine deux kilomètres.

Sherrie s'est assise, a fouillé dans son sac et en a sorti une feuille qu'elle a déposée sur la table. Il était écrit : « LA GRANDE COURSE DE LA CITROUILLE. UNE COURSE DE 10 K SUR TERRAIN PLAT. DES T-SHIRTS POUR TOUS LES PARTICIPANTS. » Jusqu'à ce moment-là, le terme 10K ne faisait pas partie de mon vocabulaire. Il n'était pas pertinent que je sache que 10K (signifiant 10 kilomètres) représentait 6,2 milles… de course.

« Écoutez, a dit Sherrie, c'est dans deux mois. Pourquoi ne nous mettons-nous pas en forme pour essayer ? »

Nous nous sommes regardées. *Ce serait peut-être une façon de perdre du poids,* ai-je pensé. Quand nous avons eu fini de manger nos danoises, nous avons accepté de partir en campagne. Nous nous rencontrerions trois fois par semaine et nous commencerions lentement. Nous cesserions de manger des danoises. Je me suis même efforcée de prendre une sorte de breuvage énergisant pour satisfaire mon goût du sucré et m'éviter de manger des sucreries.

Les semaines ont passé et nous avons graduellement réussi à jogger jusqu'à 6 kilomètres. Nous n'allions pas vite, mais au moins nous le faisions. Le jour où nous avons décidé de faire ces 6 kilomètres, nous avons dû abandonner parce que mes lunettes étaient embuées, Sherrie avait mal aux côtes et Roz devait aller aux toilettes. Pendant notre « conditionnement », nous n'avons jamais réussi à courir plus de 6 kilomètres. Mais nous commencions à perdre du poids !

Le jour de la course est arrivé. Nous avions chacune nos propres inquiétudes. Je m'inquiétais de la buée dans mes lunettes et de mes chaussettes qui tombaient. J'avais aussi peur que les bretelles de mon soutien-gorge se brisent et que tout tombe. Sherrie s'inquiétait de ses maux aux côtes, et Roz se demandait s'il y avait des salles de toilettes. Nous nous inquiétions toutes de ne pouvoir terminer.

La table d'inscription qui indiquait FEMMES 40-49 n'était pas particulièrement occupée. La plupart des autres personnes étaient agglutinées autour des autres tables, elles s'inscrivaient et épinglaient leur numéro de coureur. Partout où nous regardions, les coureurs étaient penchés, s'étiraient et sautaient.

Le haut-parleur a grésillé et une voix a crié à tue-tête que les débutants devaient se placer à la fin du peloton pour éviter d'être bousculés. *Super,* ai-je pensé. Par contre, dès que nous nous sommes retrouvées à l'arrière du peloton, le signal du départ a été donné et deux mille personnes se sont élancées. Nous avions toutes les trois projeté de rester ensemble pour nous donner du courage, mais nous avons bientôt été séparées dans la bousculade.

Une personne qui ressemblait à un officiel était postée à chaque kilomètre et donnait la distance et le temps. Les cinq premiers kilomètres ont été presque un jeu — jusqu'à ce que la sueur coule dans mes yeux et embue mes lunettes. Les bretelles de mon soutien-gorge ont tenu, mais ma chaussette gauche a glissé autour de ma cheville.

Les coureurs étaient au bout de leur rouleau et je n'avais pas vu Roz ou Sherrie depuis la fin du premier kilomètre. Je regardais anxieusement les visages des policiers aux intersections fermées à la circulation, espérant un sourire d'encouragement. Une belle jeune fille sur le trottoir, en survêtement rouge, a crié : « SIXIÈME KILOMÈTRE! » Pourquoi n'était-ce pas moi qui étais à sa place, au lieu d'être ici?

Je pouvais à peine distinguer la personne au huitième kilomètre, qui gesticulait et criait aux gens quand ils passaient devant elle. J'ai jeté un coup d'œil au sol, certaine de voir des boulets attachés à chacune de mes jambes, car c'est exactement comment elles se sentaient. Il était temps de prendre une décision. Si je pouvais seulement me rendre à la personne postée au huitième kilomètre, j'abandonnerais! J'en avais assez. En aucune façon, je ne traînerais mon corps plus loin.

Soudain, j'ai entendu un bruit de pas presque silencieux derrière moi. Un homme âgé — il devait bien avoir au moins 75 ans — m'a dépassée sur ma gauche. Il était dévêtu jusqu'à la taille, son dos brun plissé en accordéon par l'âge. Il était presque chauve, sauf une petite touffe de cheveux blancs sur la tête. Et il souriait.

Je me suis dit : « Toi… si ce vieil homme peut le faire, tu le peux aussi! »

En fixant mes yeux voilés sur son dos cuivré, je me suis vue comme Joanne Woodward dans le film « See How She Runs ». Les boulets à mes pieds sont tombés, je ne sais trop comment, j'ai réussi à suivre le vieil homme jusqu'à la ligne d'arrivée.

J'y ai retrouvé Sherrie, qui sautait d'excitation et qui m'encourageait. Quelques moments plus tard, Roz est apparue trébuchant dans nos bras grands ouverts. « Nous l'avons fait! Nous l'avons fait! » nous criions-nous les unes aux autres.

Peu importe que nous ayons commencé et fini à la fin du peloton. L'important est que nous nous sommes fixé un but et que nous l'avons atteint. Ce faisant, nous avons maigri et nous sommes en meilleure santé.

J'ai cherché le vieil homme autour de moi, voulant lui dire combien il m'avait inspirée, mais il avait disparu dans la foule. Pour une raison inconnue, je l'imagine allant chercher son T-shirt 10K et s'en aller chez lui sur une planche à roulettes.

Breuvage énergisant de Bobbie

Un verre

ë▟

Je garde des bananes très mûres au congélateur pour ce breuvage énergisant. Une minute à « haute température » au four à micro-ondes et la banane gelée glissera de sa pelure dans le mélangeur.

1 à 2 tasses [250 à 500 ml] de lait faible en gras ou de yogourt naturel sans gras
1 banane
1 ou 2 c. à table [15 ou 30 ml] de beurre d'arachide

½ à 1 mesure de Slim Fast au chocolat (ou de la protéine en poudre de votre choix)
Quelques gouttes d'édulcorant (facultatif)
Quelques glaçons

1.   Mettre le lait ou le yogourt dans un mélangeur. Ajouter les autres ingrédients et activer le mélangeur.

2.   Pour un changement de rythme (et moins de calories), je prépare aussi mon breuvage énergisant avec des bleuets, des fraises, des raisins, des pêches ou du Slim Fast au parfum de fraise. Sans oublier d'omettre le beurre d'arachide, bien sûr.

3.   *Bon appétit,* et continuez à bouger!

Le faisan

Bettie B. Youngs

Grandir sur une ferme m'a permis de voir tous les jours comment l'humanité et la nature sont interreliées. Mes parents avaient tous deux un immense respect pour Dame Nature et son royaume. Durant l'enfance, la démonstration en a été faite encore et encore, et elle a été personnifiée par les événements d'un jour particulièrement mémorable du début du printemps.

Un soleil éclatant filtrait à travers les nuages et réchauffait les champs de luzerne que mon père fauchait. Dans un jour ou deux, on en ferait des ballots, que l'on ramasserait du champ et qu'on entreposerait dans le grenier à foin pour nourrir notre bétail. J'étais près de la clôture avec le repas que ma mère avait préparé pour papa, et je le regardais pendant qu'il guidait avec soin le tracteur d'un bout à l'autre du champ, la tête baissée, ses yeux observant attentivement les mouvements de la faucheuse. Comme il approchait du bout du champ, papa m'a vue avec son repas. Il s'est arrêté et m'a fait signe que je pouvais en toute sécurité le lui apporter.

« S'il te plaît, papa, emmène-moi faire un tour », l'ai-je supplié pendant qu'il mangeait. J'aimais monter sur le tracteur avec mon père. C'était toute une joie parce qu'on défendait aux enfants de le conduire sans être accompagnés; seuls les grands pouvaient le faire. Papa, qui était extrêmement prudent, permettait rarement aux enfants de même s'en approcher, encore moins de grimper sur cette grosse machine « dangereuse ». Il protégeait tellement sa famille qu'il demandait rarement à ma mère de conduire le tracteur sur la ferme, même pour de courtes distances — pour y mettre de l'essence par exemple.

J'aimais aussi monter sur le tracteur parce que j'aimais la sensation du vent qui soufflait dans mes cheveux et la chaleur du soleil sur mon visage, mes bras et mes jambes. Surtout, j'aimais être près de papa; j'aimais m'asseoir près de lui sur le siège à côté, dans ses bras protecteurs. J'adorais mon père et tout ce qu'il représentait. Je trouvais son énergie et sa passion pour la vie au grand air contagieuses, son charisme excitant, et ses commentaires sur tout ce qui l'entourait intéressants — rien ne lui échappait — oiseaux, abeilles, fleurs, nuages, voitures et camions qui passaient. Tout était propice à un commentaire, à une histoire ou à une leçon.

« S'il te plaît, papa, est-ce que je peux monter avec toi? » ai-je demandé de nouveau.

« Non, non. Ce n'est pas sécuritaire que tu sois sur un tracteur ouvert; je ne sais jamais quand les lames de la faucheuse passeront dangereusement près d'un faisan qui couve ou d'un lapin ou d'un renard. Quand c'est le cas, je dois freiner brusquement et tu pourrais tomber. Non, je t'emmènerai faire un tour une autre fois. »

« S'il te plaît, papa, je serai très prudente. Je ne serai pas dans ton chemin. Prends-moi avec toi pour quelques rangées, ensuite, je descendrai et je ne me plaindrai pas, même si je dois marcher longtemps pour retourner à la maison. »

Je n'ai jamais tant supplié papa. Quand ses enfants voulaient être avec lui, il était une bonne pâte.

Je me suis assise sur le bord du siège du tracteur entre les jambes de papa, m'agrippant à ses genoux, essayant aussi fort que possible de ne pas être dans son chemin quand il changeait les vitesses d'un côté et de l'autre. Avec le talent d'un chirurgien, papa a tout d'abord regardé devant lui pendant qu'il alignait le tracteur avec la ligne absolument droite de la luzerne non coupée — un contraste frappant avec les tiges, coupées de leur source de vie par la faucheuse, qui gisaient à plat sur le sol. Après cette opération, il s'est tourné pour regarder derrière, tout en surveillant la longue rangée de lames des faucilles coupantes comme des lames de rasoir, pendant qu'elles tranchaient adroitement des milliers de fortes tiges de luzerne dès qu'elles entraient en contact. Un bras puissant guidait le tracteur pendant que l'autre enveloppait sa fille de dix ans pour la protéger.

Soudain, un faisan a gloussé et s'est élevé en saccades dans le ciel. Au même instant, mon père a instinctivement appuyé sur la pédale d'embrayage. Comme le tracteur faisait une embardée pour s'arrêter, mon père a mis ses deux bras autour de moi pour m'empêcher d'être projetée sur le volant ou en bas du tracteur.

Parce qu'il me protégeait, il lui a été impossible de sauver la femelle qui veillait sur son nid. Aussi rapidement et brusquement qu'elle s'était élevée dans le ciel, elle en est retombée, frappant le sol lourdement dans un bruit mortel, pour s'agiter violemment et sans but. Ses deux pattes avaient été coupées près du corps.

« Oh, non », a doucement dit mon père, en descendant du tracteur et en me prenant avec lui. Il s'est empressé d'aller vers l'oiseau blessé, l'a ramassé et, les larmes aux yeux, a caressé ses belles plumes, en s'excusant auprès d'elle pour la douleur qu'il lui avait causée.

Il a secoué la tête et a dit d'une voix aussi dégoûtée que passionnée : « Elle ne pourra jamais vivre ainsi. » Il s'adressait autant à l'univers qu'à moi. « Elle sera une proie facile pour tout prédateur. » Et dans un second souffle, il lui a enlevé la vie avec un petit coup rapide du poignet; elle n'avait plus à contempler son destin dans la nature.

Il a lancé la tête de l'oiseau décapité loin de nous. Gentiment, il a ensuite replié les ailes de l'oiseau qu'il tenait à l'envers afin que le sang s'écoule de son corps et ne soit pas absorbé par la chair, ce qui la rendrait non comestible.

Tout au long de ma vie, j'ai souvent observé quand on tuait de la volaille : poulets, dindes, oies et canards se retrouvaient tous sur notre table de la même manière. J'étais donc aussi triste de voir le sentiment de dévastation de mon père que d'avoir été témoin de la mort de l'oiseau.

Papa a pris les trois œufs orphelins du nid du faisan, lequel était maintenant en désordre, il les a mis dans sa boîte à lunch vide qui se trouvait près du faisan et nous sommes rentrés à la maison.

Maman a préparé le faisan pour le repas du soir. À table, papa a parlé de Dame Nature et de notre rôle pour protéger et réconforter toutes ses créatures. Sa tristesse a été remplacée par son appréciation d'un excellent repas, et par l'assurance d'avoir sa famille en sécurité près de lui.

Nous, les enfants, avons été pris par surprise. Nous nous étions présentés à table, prêts à pleurer avec notre père. J'avais raconté à tous mes frères et sœurs le déroulement des événements et la réaction de papa; nous étions tristes pour lui autant que pour le faisan. Notre père, pourtant, n'était pas du tout triste; en fait, il semblait jubiler. Nous, les enfants, ne comprenions pas son changement d'humeur. Après tout, nous étions encore un peu tristes — et pas du tout certains que nous pourrions manger le faisan rôti qui reposait dans un plat de cuisson en verre.

« Papa, pourquoi n'avons-nous pas laissé la vie au faisan?, a demandé ma sœur Judy. Elle pourrait encore couver ses œufs, même sans pattes. »

« Sans pattes, a répondu papa, la mère faisan ne pourrait plus enseigner à ses petits à chasser après la couvée. Pire, sans pattes, elle ne pourrait pas se protéger des prédateurs, comme le renard. Non, je crains qu'elle n'aurait pas survécu sans pattes. »

Mon frère Mark, l'humaniste, a répliqué. « Papa, personne, même un vieux renard affamé, ne blesserait un pauvre faisan qui n'a pas de pattes. »

« Avec ou sans pattes, a répondu papa, un renard mangera un faisan n'importe quel jour et à n'importe quelle heure. »

« Ce n'est pas très gentil », a protesté mon plus jeune frère.

« Pourquoi? demandai-je. Pourquoi un renard voudrait-il d'un oiseau blessé? »

« Parce que c'est dans sa nature », a répondu papa.

Nous avions tous l'air perplexe. Soupçonnant qu'il n'avait pas été bien compris, notre père s'est penché vers l'avant, a mis ses deux coudes sur la table et, de sa plus belle voix de raconteur d'histoires, a commencé :

Il était une fois un faisan qui, alors qu'il cherchait de la nourriture, s'est cassé les deux ailes. Puisque ses ailes étaient brisées, il ne pouvait pas voler. C'était là le vrai gros problème parce que sa maison était de l'autre côté du lac, et il voulait s'y rendre. Il s'est installé au bord du lac pour réfléchir. Il battait et battait ses ailes, mais en vain; il était trop blessé pour voler.

Un renard est venu et, voyant le problème du faisan, lui a dit : « Il semble que tu aies un problème. Que se passe-t-il ? »

« Oh, dit le faisan, j'habite de l'autre côté du lac et je me suis cassé les ailes, si bien que je ne peux plus voler vers la maison. »

« Quelle coïncidence!, a répliqué le renard. J'habite aussi de l'autre côté du lac et je m'en vais chez moi. Pourquoi ne grimpes-tu pas sur mon dos et je vais t'y emmener. »

« Mais tu es un renard et tu me mangeras », a dit le faisan.

« Non, non, a dit le renard. N'aie pas peur. Grimpe. Je vais t'emmener chez toi. »

Le faisan, pressé de retourner chez lui, a grimpé sur le dos du renard qui s'est mis à nager vers la maison. Juste avant d'atteindre la rive de l'autre côté du lac, le renard s'est secoué pour faire tomber le faisan de son dos, le faisant tomber dans l'eau. Apeuré, le faisan a crié : « S'il te plaît, ne me mange pas. »

« J'ai bien peur d'être obligé de le faire », a dit le renard.

« Mais pourquoi? » a imploré le faisan.

« Parce que, a grimacé le renard, c'est dans ma nature. »

Avec différents degrés de compréhension — et en profonde réflexion — nous, les enfants, avons commencé à manger en silence, plongés dans les images de l'histoire que nous venions d'entendre. Et ainsi, il s'est avéré que le goût du faisan avait été rendu délicieux — et il devint symbole de la nature de Dame Nature, et de la compréhension et du respect que mon père avait pour elle.

Les trois œufs du faisan ont été confiés à une vieille oie dodue qui s'est fait un devoir de les couver jour et nuit, se levant du nid seulement pour tourner les œufs ou pour manger. En quelques semaines, trois faisans ont éclos. Après plusieurs semaines de soins, nous les avons libérés dans la nature, complétant le cycle; mon père avait pris de Dame Nature et lui avait aussi redonné. Par cet échange, il nous a enseigné un peu plus de choses sur la nature de Dame Nature et sur notre rôle de protéger et réconforter ceux qui y vivent. Il nous a aussi enseigné à la respecter au plus haut point — tout comme nous respections notre père.

Je m'attends à ne parcourir qu'une seule fois le chemin de la vie. Par conséquent, si je peux démontrer de la bonté, ou si je peux faire quelque chose de bien pour un de mes semblables, que je le fasse maintenant, puisque je ne reviendrai plus ici.

— William Penn

Faisan rôti

3 portions

1 faisan [2 à 3 livres / 1 à
1,5 kg], nettoyé et paré, en
morceaux
1 tasse [250 ml] de farine
assaisonnée avec
½ c. à thé [2 ml] de sel et
¼ c. à thé [1 ml] de poivre
3 c. à table [45 ml] de beurre
ou ½ tasse [125 ml]
d'huile végétale

1 ½ tasse [375 ml] de
bouillon de poulet
1 petit oignon, haché
finement
¼ tasse [50 ml] de céleri
haché finement
2 tasses [500 ml] de crème

1. Préchauffer le four à 375 °F [190 °C]. Rouler légèrement le faisan dans la farine assaisonnée. Chauffer le beurre ou l'huile dans un poêlon à frire et sauter pendant 6 à 8 minutes.

2. Transférer les morceaux dans une rôtissoire, ajouter le bouillon de poulet, l'oignon et le céleri. Rôtir au four pendant 45 minutes. Ajouter la crème, baisser la température à 350 °F [175 °C] et continuer à cuire 15 minutes de plus.

3. Servir sur un lit de riz sauvage à long grain ou avec des pommes de terre en purée. Accompagner d'un plat de carottes et/ou de pointes d'asperges cuites à la vapeur.

Mon père croyait en moi et il m'aimait. Peut-être n'apprendrez-vous pas vraiment de cette histoire, mais elle vous permettra d'accepter le monde. J'ai grandi en sachant que j'étais accepté et aimé, et cela a fait une différence incroyable.

— Bernie Siegel

Tu nous manques, Dina!

Susan Zolla et Kathy Jensen

Toute chose contient ses merveilles, même la noirceur et le silence. J'ai appris que quel que soit mon état, je peux en retirer du contentement.

— Helen Keller

Le Channel Road Inn, un gîte du passant situé dans une maison historique près de la mer, a eu le privilège d'être le site de plusieurs fins de semaine romantiques et d'innombrables événements heureux : nuits de noces, fêtes, anniversaires, graduations, même l'arrivée d'un premier petit-enfant. Nos invités ne logent pas tous au Inn pour célébrer des événements heureux — certains restent ici pendant qu'ils subissent des traitements médicaux en ville.

Tel est le cas de Dina Wigmore, qui est venue y rester une fois par mois pour une thérapie pour le cancer. Parfois, elle venait avec son mari, parfois avec sa fille Mary, et parfois seule. Nous pouvions dire, à la voir, que la thérapie ne fonctionnait pas. Dina était de plus en plus maigre et faible à chaque visite.

Le tremblement de terre de Northridge a frappé impitoyablement le Channel Road Inn le lundi matin, 17 janvier 1994. Des parties de Santa Monica ont été affectées aussi fortement que Northridge, et le Inn n'a pas fait exception. Les invités ont été jetés en bas de leurs lits, les meubles ont glissé, les tableaux et les miroirs ont volé, les fenêtres ont éclaté, et la cheminée s'est écrasée contre deux chambres, puis s'est détachée de la maison. Le chauffe-eau de 400 litres situé au deuxième étage s'est renversé, déversant des litres d'eau chaude au bas de l'escalier et à travers le plafond du salon.

La structure n'a pas été affaiblie, mais la destruction à l'intérieur et le manque de commodités nous a obligés à fermer cette nuit-là et à commencer à nettoyer immédiatement. Tout le personnel s'est présenté au travail le mardi matin, peu importe leur horaire. Des travailleurs ont aussi été appelés pour installer un nouveau chauffe-eau, enlever les murs endommagés et la cheminée, et remplacer tous les carreaux brisés.

Ce n'est que tard le mardi soir que quelqu'un a remarqué que Dina Wigmore était censée arriver le jour suivant. Le mercredi matin, nous travaillions tous avec frénésie pour que sa chambre soit prête. Elle préférait la chambre 5 en raison de sa lumière, et surtout pour le patio où elle pouvait profiter de la chaleur du soleil et de la vue des arbres, du jardin et de l'océan.

Le plâtre dans la chambre 5 était à peine sec quand Dina s'est présentée à la porte arrière comme elle le faisait habituellement à treize heures, marchant à travers des montagnes de débris, de la poussière de plâtre et des bâches pour se rendre à sa chambre. Nous nous sommes excusés profondément pour les dégâts. Elle nous a regardés avec ses doux yeux bruns encore plus exorbités par sa minceur, et nous a répondu qu'aucun tremblement de terre ne pouvait l'affecter; elle menait une plus grande bataille. Plus tard, quand j'ai regardé vers son balcon et que je l'ai aperçue avec son foulard sur la tête, face au soleil et à l'océan, je savais alors qu'un tremblement de terre ne pouvait pas nous affecter non plus.

Dina est morte un mois après, dans son propre lit, qui faisait aussi face à l'océan. Elle avait toujours aimé le Pain doré aux pommes du Inn, et elle disait que la nourriture chaude faite maison lui donnait de l'énergie. Elle n'a jamais su qu'en réalité c'est elle qui nous donnait sa force intérieure. Ultimement, elle nous a donné une perspective dont nous avions un urgent besoin pendant la semaine qui a suivi ce tremblement de terre dévastateur. En prenant exemple sur son courage et sa dignité, nous avons pu aller de l'avant, plus forts que jamais. Tu nous manques, Dina.

Pain doré aux pommes

8 portions

ॐ

On peut substituer des pêches aux pommes, ou on peut complètement éliminer les fruits. Cette préparation pour déjeuner peut être cuite immédiatement ou on peut la couvrir avec du cellophane et la réfrigérer pendant la nuit.

3 grosses pommes vertes
½ tasse [125 ml] de beurre
½ tasse (ou plus) [125 ml] de cassonade
12 onces [360 g] de fromage à la crème
12 tranches de pain ferme (votre choix — blanc, au blé, français, au levain, à la cannelle, ou votre préféré)

8 œufs
1 pinte [1 litre] de lait
2 c. à table [30 ml] de vanille
Cannelle

1.   Installer la grille du four au tiers du bas et préchauffer le four à 350°F [175°C]. Beurrer un moule à gâteau de 13 x 9 po [35 x 23 cm]. Enlever le cœur des pommes et les couper en tranches minces, sans enlever la pelure.

2.   Dans une casserole, faire fondre le beurre avec la cassonade et 1 c. à table [15 ml] d'eau. Ajouter les pommes et cuire en brassant pendant 2 à 3 minutes. Déposer dans le moule à gâteau et laisser refroidir.

3.   Couper en cubes le fromage à la crème et disposer également sur les pommes. Couper des tranches de pain en diagonale et étendre sur les pommes pour couvrir tout le moule.

4.   Dans un grand bol à mélanger, battre ensemble les œufs, le lait et la vanille. Verser le mélange d'œufs sur le pain, en prenant soin de l'imbiber complètement. Saupoudrer avec de la cannelle. Cuire pendant 40 à 50 minutes, jusqu'à doré et gonflé. Laisser refroidir 10 minutes avant de servir. (Un plat qui se réchauffe très bien.)

Un héritage d'aspic de tomate et de pain de viande

Elaine Cannon

Pendant ma dernière année à l'Université de l'Utah, j'étais présidente de l'association des étudiants Chi Omega et j'ai développé une grande amitié avec la responsable de groupe, Mamie C. Robinson. Elle vivait sur les lieux, surveillait la préparation des repas et l'ambiance afin que la gent étudiante puisse survivre à des horaires serrés, aux problèmes de bourses d'études et à la peur de la guerre. C'était l'âge tendre des amours perdues, des cœurs brisés et des mariages précipités.

En raison de la Seconde Guerre mondiale, la nourriture était rationnée et rare. Mme Robinson devait être innovatrice en nourriture et elle a réussi à nous gâter avec des repas appétissants.

J'ai épousé mon soldat entre le trimestre d'hiver et de printemps et pendant les 50 années suivantes, j'ai conservé le cadeau offert par Mme Robinson. C'était un trésor pour ce temps-là, un petit cahier noir à six anneaux contenant plus de 100 recettes écrites de sa propre main. L'inscription du début se lisait comme suit :

J'espère que ta maison sera toujours remplie de bonne nourriture. La façon de conquérir un homme, à ce qu'on dit, c'est par son estomac. Mon intérêt et mon amour t'accompagnent. Puisses-tu connaître des quantités de repas joyeux.

Ce petit livre m'a aidée dans les débuts de ma vie de famille, et maintenant que la fin est proche, il me donne de l'assurance. Cinquante années d'utilisation dans mes diverses cuisines, pour ma famille et ses différentes configurations, comme pour toutes sortes d'occasions, l'a laissé taché et

collé de glaçage, de garnitures, de sauces, de jus, de pâtisseries, de bonbons et de soufflés.

Les recettes de mon précieux livre reflètent l'époque — la
Seconde Guerre mondiale. La plupart des recettes sont fai-
bles en gras parce qu'on utilisait le gras pour les munitions et
il était fortement rationné. De nos jours, avec une génération
axée sur la forme physique, certaines de ces recettes sans
gras font un retour. L'Aspic de tomate, par exemple, est redevenu un plat préféré chez nous.

D'autres recettes dans le livre sont plus nourrissantes, tel
le Pain de viande servi avec un gratin de pommes de terre à
l'ancienne, ou à savourer en grosses tranches entre deux
épaisses tranches de pain au levain. Le pain de viande offre
le réconfort d'un bon hamburger sans risquer que le bœuf ne
soit pas assez cuit au centre.

Juste au-dessus de la recette du Pain de viande dans le
livre de Mamie, j'ai griffonné une citation de Paul Newman.
Je l'ai trouvée dans le « red rock country » de l'Utah dans le
livre d'invités du restaurant Homespun, un café très couru
pour sa cuisine maison chaleureuse par les vedettes de
cinéma en tournage qui y séjournent. Newman disait : « La
meilleure façon de se préparer à manger au restaurant
Homespun est de se laisser mourir de faim pendant une
semaine pour ensuite se jeter tête première sur le Pain de
viande ! »

Aspic de tomate de Mamie Robinson

8 portions

ॐ

Quand nous étions jeunes, notre aspic était préparé à partir de notre propre jus de tomate en conserve, fait avec des tomates qui avaient poussé dans notre jardin — riche en saveur, mais non dispendieux. Un des avantages de l'aspic, c'est qu'il peut être préparé à l'avance, longtemps à l'avance. C'est un mets coloré, nutritif, satisfaisant et faible en calories.

2 c. à table
[30 ml / 2 enveloppes] de
gélatine sans saveur
4 tasses [1 litre] de jus de
tomate, divisé
Zeste (la pelure jaune râpée
finement) et le jus de ½
citron

½ c. à thé [2 ml] de sauce
Worcestershire
Sel et poivre au goût
Une pincée de sel d'oignon,
au goût

1. Amollir la gélatine dans ½ tasse [125 ml] de jus de tomate froid pendant 5 minutes. Dans une petite casserole, chauffer 3½ tasses [875 ml] de jus de tomate; incorporer le mélange de gélatine jusqu'à dissous. Refroidir. Ajouter le zeste et le jus de citron, la sauce Worcestershire, le sel et le poivre, et le sel d'oignon au goût. Verser dans un moule en couronne contenant 6 à 8 tasses [1,5 à 2 litres]. Refroidir jusqu'à pris.

2. Au moment de servir, démouler sur une assiette ronde et remplir le centre de la couronne avec une salade de votre choix. (Nous aimons un mélange de crevettes avec vinaigrette Mille-Îles, ou une salade de choux et pois verts.)

Meilleur pain de viande de Mamie

Donne 2 pains
En congeler un pour le cuire plus tard

❧

1 ½ tasse [375 ml] de mélange de morceaux de pain séchés (les croûtons en boîte font l'affaire)
1 tasse [250 ml] de lait évaporé en conserve
2 gros œufs, légèrement battus
2 ½ livres [1,25 kg] de bœuf haché maigre
½ livre [250 g] de saucisses hachées (saucisses à déjeuner)

½ tasse [125 ml] de carottes crues râpées ou coupées finement (facultatif)
½ tasse [125 ml] de persil frais haché
1 c. à table [15 ml] de chacun des ingrédients suivants : sel d'ail et marjolaine séchée
½ c. à thé [2 ml] de chacun des ingrédients suivants : thym séché, basilic séché et assaisonnement italien
¼ c. à thé [1 ml] de poivre noir moulu

GARNITURE :
2 tranches de bacon

4 c. à table [60 ml] de ketchup

SAUCE :
2 c. à table [30 ml] de farine

1 boîte [10 oz / 284 ml] de consommé ou de bouillon de bœuf

1.   Préchauffer le four à 400 °F [205 °C]. Dans un grand bol à mélanger, faire tremper les morceaux de pain dans le lait évaporé jusqu'à mous et légers. Ajouter les œufs, le bœuf haché, la saucisse hachée, les carottes crues et le persil frais haché. Ajouter les autres assaisonnements. Diviser la préparation dans deux moules à pain en aluminium de 8 x 3⅞ x 2⅜ po [20 x 10 x 7 cm]. Déposer sur le dessus de chaque pain une tranche de bacon et 2 c. à table [30 ml] de ketchup.

2.   Mettre les moules au four et baisser immédiatement la température à 325°F [160°C]; laisser cuire 1 heure. Enlever les pains des moules, déposer dans un plat chaud et laisser reposer 10 minutes avant de trancher.

3.   Verser le jus des moules dans une petite casserole (pas sur le feu) et incorporer en brassant 2 c. à table [30 ml] de farine. Ajouter le consommé ou le bouillon de bœuf et amener à lente ébullition tout en brassant avec un fouet. Quand la sauce bout et épaissit, ajouter de l'eau si nécessaire pour éclaircir la sauce.

Dans un cours d'art d'une école élémentaire, on a demandé aux élèves de dessiner un chien. Un visiteur est venu et a félicité une fillette pour son excellent dessin. La fillette a regardé le visiteur et a dit très sérieusement : « Je ne suis pas vraiment capable de dessiner un chien. Alors, quand je dois en dessiner un, je fais un cheval et il ressemble toujours à un chien. »

— Auteur inconnu

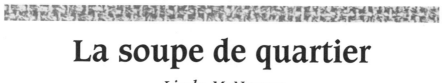

La soupe de quartier

Linda McNamar

En janvier 1994, le tremblement de terre Northridge a frappé le sud de la Californie. Le lendemain de cet horrible tremblement de terre, ma famille et moi avons traversé la région dévastée, en route pour aider notre nièce et notre neveu à nettoyer. Leur maison était tout, sauf de niveau; tout avait été ébranlé, éparpillé ou anéanti. Pendant que leur monde était secoué par le tremblement de terre, ils nous ont dit avoir entendu leur fils de trois ans crier de sa chambre : « Ça va, maman. Je vais bien, papa. Je reste ici sans bouger. » Cette petite voix calme au milieu de la peur les a empêchés de paniquer davantage.

Dans les jours qui ont suivi le tremblement de terre, il y a eu un travail énorme, de la peine et de la peur. À travers tout cela, il y a eu aussi beaucoup de rapprochement humain et de détermination. Dans la voix de leurs enfants, dans les mains de leurs voisins, dans la tension de leurs pertes, ils ont trouvé une force intérieure et un amour plus profond qu'ils n'avaient jamais connus. Les voisins, vivant dans des tentes sur la pelouse avant, ont commencé à se comporter comme s'ils étaient sur un vaste terrain de camping américain. On partageait l'eau puisée dans les piscines à l'arrière des maisons. On se transmettait de l'un à l'autre des histoires, des pelles et des conseils de prudence, dans un esprit de camaraderie et de bénévolat. Puisque peu de choses étaient disponibles les premiers jours, ils ont aussi partagé la nourriture. Dans un cas, on a fait la Soupe de quartier, un genre de ragoût qui nourrissait le corps, le cœur et l'esprit. En partageant leurs repas, ils ont trouvé un profond sentiment de sécurité et un lien entre les familles qui durera des années.

Le temps a passé et les signes de la destruction ont disparu. De nouvelles cheminées sont installées sur les toits des maisons ; les allées et les fondations sont de nouveau droites et lisses. Il y a cependant encore des signes qui témoignent de ce désastre : les voisins se rencontrent encore dans la rue. Aujourd'hui, ils partagent la garde des enfants, il y a des barbecues qui réunissent le voisinage, des fêtes de rue et des conseils pratiques. Nous avons lu la nouvelle du terrible désastre causé par ces événements, et tout cela est vrai. Il y a aussi autre chose dont on ne parle pas toujours, et c'est le changement positif dans les vies quand s'écroulent les barrières qui nous divisent.

Soupe de quartier

6 à 8 portions

જી

Cette soupe peut être préparée avec des légumes frais, ou plus rapidement avec des légumes en conserve. Servir avec pain au levain et salade.

1 oignon haché
2 gousses d'ail
1 c. à table [15 ml] d'huile d'olive
4 boîtes [10 oz / 284 ml chacune] de bouillon de légumes
2 tasses [500 ml] d'eau
6 c. à table [90 ml] d'orge
1 feuille de laurier
1 boîte [28 oz / 796 ml] de tomates en dés ou broyées avec leur jus
1 tasse [250 ml] de carottes, tranchées en deux sur la longueur et coupées en tranches de ¼ po [6,5 mm]
1 tasse [250 ml] de brocoli haché
½ paquet [250 g] de haricots verts congelés et coupés

½ c. à thé [2 ml] de feuilles de romarin séchées et émiettées, ou 1 c. à thé [5 ml] de romarin frais
½ c. à thé [2 ml] de feuilles d'origan séchées et émiettées
½ c. à thé [2 ml] de sel
¼ c. à thé [1 ml] de poivre noir moulu
3 pommes de terre blanches ou rouges, coupées en bouchées
1 courgette moyenne, coupée en deux sur la longueur et tranchée en morceaux de ¼ po [6,5 mm]
1 boîte [19 oz / 540 ml] de fèves noires, égouttées et rincées

1. Dans un grand chaudron, sauter l'oignon et l'ail dans l'huile d'olive sur feu moyen jusqu'à ce que les oignons soient translucides, environ 5 minutes. Ajouter le bouillon de légumes, l'eau, l'orge et la feuille de laurier. Amener à ébullition, couvrir et baisser la température à feu doux; faire mijoter 1 heure.

2. Ajouter les tomates en dés ou broyées avec le jus, les carottes, le brocoli, les haricots verts, le romarin, l'origan, le sel et le poivre. Laisser mijoter encore 30 minutes.

3. Ajouter les pommes de terre, la courgette et les fèves noires; laisser mijoter encore 30 minutes.

Scones en forme de cœur pour Helen

Diana von Welanetz Wentworth

Les meilleures et les plus belles choses au monde sont invisibles et intouchables… mais le cœur les ressent.

— Helen Keller

Par un après-midi pluvieux, après quatre ou cinq jours d'averses continuelles, j'écrivais depuis trop longtemps. Je voulais un changement de décor, du thé chaud et un peu d'exercice. Je me suis dirigée vers le Crystal Court — un centre commercial local que je n'avais jamais visité — parce que je savais qu'il était entièrement recouvert et que j'y serais à l'abri.

En me promenant à travers trois étages de boutiques qui m'étaient inconnues, je n'avais aucune idée pourquoi le hasard m'avait amenée là. Récemment, je m'étais prise d'enthousiasme pour les lettres — celles que j'écrivais et celles que je recevais — et je me suis retrouvée dans une très bonne librairie où j'ai trouvé plusieurs livres sur les lettres historiques. En quittant l'endroit, j'avais un sac plein de livres. Alors que je cherchais un petit coin tranquille dans un restaurant pour les feuilleter, j'ai vu une boutique originale tout à côté, The Gallery of History. Elle se spécialisait dans l'encadrement d'originaux de documents de gens célèbres.

Il s'agissait de lettres d'affaires pour la plupart, de reçus et autres, mais un document se démarquait totalement de tous les autres, tant dans son apparence que dans son contenu. C'était un encadrement contenant une photographie et une lettre dactylographiée et signée à la main de Helen Keller à son éditeur et ami, Frank Nelson Doubleday, qu'elle lui avait envoyée alors qu'elle était en vacances en Écosse. Elle était adressée à « Effendi », mot turc qui veut dire

« maître », ou « chef », un surnom que son ami Rudyard Kipling avait donné à Doubleday à cause de la ressemblance avec ses initiales : F.N.D.

En mangeant des scones avec de la crème anglaise, j'étais hantée par la lettre et émue de découvrir à quel point elle révélait sa nature généreuse dans ses mots :

South Arcan, Muir of Ord, Rose-shire, Écosse
21 janvier 1934

Cher Effendi,

Je suis heureuse que vous ayez encore réussi. Vos « Souvenirs indiscrets » sont délicieux, et j'aime beaucoup marcher avec vous sur le chemin de la Mémoire. C'est agréable de savoir que certains des amis dont vous parlez dans vos écrits étaient aussi les miens. Quel merveilleux livre d'aventures vous avez vécu!

L'un des réviseurs de « Midstream » a dit que je connaissais beaucoup de gens distingués de façon très ordinaire. Je me demande ce que cela veut dire. Tout comme Conrad, ni vous ni moi n'avons connu d'intrigues, de scandales ou de romances exaltantes avec des gens que nous connaissons, c'est vrai, mais l'amitié elle-même n'est-elle pas la plus grande des aventures? Le fait de rencontrer et d'échanger des idées avec un grand personnage n'est-il pas un événement en soi?

Je suis heureuse d'apprendre que les Lindbergh sont de jeunes gens agréables. Ce fut gentil à eux de vouloir se rendre à l'hôpital en avion quand vous étiez malade. D'autres m'ont donné une toute autre impression d'eux.

Le Colonel Lindbergh semble ne pas avoir beaucoup d'amis parmi les journalistes. J'ai pensé — peut-être que je me trompe — que son attitude envers la publicité est inexcusable. Si quelqu'un fait quelque chose d'extraordinaire, que ce soit répréhensible ou admirable, il est naturel que le public soit intéressé et qu'il veuille en savoir le plus possible sur lui. Sans curiosité, le monde ne serait-il pas insupportablement ennuyant?

Je ne sais que trop bien les désagréments d'être poursuivie par des journalistes, mais je crois que la courtoisie et la gentillesse font merveille auprès d'eux, et je crois que j'ai beaucoup d'amis parmi eux.

J'ai en mémoire un incident qui illustre ce que je dis. Une amie de ma sœur a été choisie par un comité d'accueil pour présenter au Colonel Lindbergh un bouquet de roses. Il a demandé froidement : « Est-ce officiel ? » Bien sûr, les jolies filles qui lui offraient toutes sortes de choses, des baisers jusqu'aux roses, l'ennuyaient à mourir, mais il ne lui aurait certainement pas fallu plus de son temps ou d'énergie pour se montrer amical. L'acceptation d'une centaine de bouquets ne lui aurait pas coûté plus que leur refus, et le parfum de la bienveillance l'aurait suivi dans ses heures paisibles.

Si vous avez lu des articles dans les journaux de l'Amérique parlant de ma retraite d'hiver, vous sourirez à la lecture du sombre tableau que les journalistes ont des Hautes-Terres d'Écosse. Aujourd'hui, nous connaissons un des nombreux jours chauds d'un hiver doux. Je peux presque sentir le printemps arriver. Dans mon imagination, je vois l'avalanche de genêts dorés qui tomberont bientôt des collines dans les rentrants et les ruisseaux, les campanules qui tinteront dans tous les champs, les primevères qui joncheront le sol le long des routes. La sève coule déjà des arbres, le gazon est vert en plusieurs endroits et un nouvel oiseau arrive chaque jour. Nous nourrissons les merles, les fringillidés et les grives, et nous attendons un chœur glorieux en mars.

Veuillez transmettre mes amitiés à Mme Doubleday. J'espère qu'elle prend soin d'elle et que le Nouvel An sera riche de bénédictions pour vous deux. Mon professeur et Polly se joignent à moi pour vous envoyer leurs vœux. Je souhaite qu'un des mille pigeons autour d'ici ait les ailes nécessaires pour traverser la mer et l'intelligence pour vous porter mon amour.

Affectueusement vôtre,

Helen Keller

Plusieurs jours plus tard, j'ai décidé que je voulais cette lettre et j'ai justifié son achat par sa valeur marchande. Elle est suspendue au-dessus du bureau à cylindre antique dans mon lieu de travail, me rappelant d'écrire avec ce qu'il y a de plus authentique et de plus chaleureux en moi-même.

Scones en forme de cœur pour Helen

9 ou 10 scones

∂❧

Servir chaud ou à la température de la pièce avec de la crème anglaise ou de la crème fouettée non sucrée.

2 tasses [500 ml] de farine
½ tasse [125 ml] de sucre
1 c. à table [15 ml] de poudre à pâte
Zeste (finement râpé) d'une orange
¼ c. à thé [1 ml] de sel
4 c. à table [60 ml] de beurre froid, coupé en morceaux
2 œufs

⅔ tasse [150 ml] de crème sûre (ou de yogourt faible en gras, à l'essence d'orange ou de citron)
½ tasse [125 ml] de canneberges séchées ou de raisins de Corinthe
1 c. à table [15 ml] de sucre à gros grains ou ordinaire, pour garnir le dessus

1.   Préchauffer le four à 400°F [205°C]. Tapisser une tôle avec du papier parchemin ou la graisser légèrement. Dans un bol à mélanger ou dans un robot culinaire avec lame d'acier, combiner la farine, le sucre, la poudre à pâte, le zeste, le sel et les morceaux de beurre. Utiliser un couteau à pâtisserie, ou de courtes pulsions au mélangeur, jusqu'à ce que le beurre ait l'apparence de miettes.

2.   Séparer les œufs et mettre de côté un blanc d'œuf; battre ensemble l'œuf entier et le jaune restant dans un petit bol. Ajouter la crème sûre (ou le yogourt) et les fruits séchés. Incorporer les ingrédients humides aux ingrédients secs pour en faire une pâte collante.

3.   Déposer sur une surface légèrement enfarinée et tapoter la pâte pour en faire un cercle d'environ 1 po [2,5 cm]
d'épaisseur. Couper la pâte avec un emporte-pièce en forme de
cœur (ou rond) de 2½ po [6 cm]. Déposer sur la tôle en laissant
1 po [2,5 cm] d'espace entre chaque scone. Battre le blanc
d'œuf en réserve avec une fourchette, jusqu'à ce qu'il soit
mousseux; étendre au pinceau sur le dessus des scones. Saupoudrer avec 1 c. à table [15 ml] de sucre.

4.   Cuire au four pendant 15 à 20 minutes, jusqu'à ce qu'ils
soient gonflés et légèrement dorés.

Tarte primée
aux pommes et kiwis

Linda Bruce

En tant que nouvelle mariée, je n'étais pas une cuisinière très expérimentée et j'ai été surprise que quelqu'un me demande d'apporter une tarte au citron meringuée pour l'Action de grâces. N'étant pas satisfaite de la quantité de citrons recommandée dans le livre de cuisine, j'en ai ajouté davantage — si bien que personne ne pouvait décrisper leurs joues. À Noël, on m'a demandé d'apporter une tarte aux pacanes. Elle était belle et délicieuse, mais j'avais oublié d'enlever le papier sur le dessus de la croûte de tarte congelée avant de faire cuire la tarte, ce qui la rendait un peu difficile à manger.

J'ai pensé que c'était la fin de mes expériences de cuisson de tarte et que je ne me rachèterais jamais, jusqu'à ce que je trouve cette recette de Tarte aux pommes et kiwis. Elle était si délicieuse que j'ai décidé de m'inscrire au concours de la foire du comté. Je sais maintenant reconnaître une bonne tarte quand j'y goûte, mais quand j'ai gagné le ruban bleu, vous auriez cru que je venais de gagner un million de dollars! J'ai téléphoné à toute ma famille pour leur annoncer cette nouvelle excitante et, bien sûr, on m'a demandé de préparer la tarte pour notre prochaine réunion. Au fil des ans, c'est devenu une recette préférée de la famille, avec le récit de mes premières tentatives pour faire des tartes.

Tout récemment, la tarte a pris une tout autre signification. Maman se mourait du cancer et comme nous l'avons veillée pendant ces dernières nuits, c'était une période très stressante. Je suis allée dans sa cuisine et j'ai préparé cette tarte pendant deux nuits d'affilée. L'arôme merveilleux de ces tartes qui remplissait la maison nous réconfortait tous. Je sais que par cette odeur, maman savait que nous étions là et que tout irait bien pour nous.

Préparez vos papilles gustatives. C'est une recette primée!

Tarte primée aux pommes et kiwis

1 tarte de 8 ou 9 po [20 ou 23 cm]

ₑ

1 tasse [250 ml] de sucre
3 c. à table [45 ml] de
tapioca à cuisson rapide
1 c. à thé [5 ml] de cannelle
moulue
¼ c. à thé [1 ml] de muscade
moulue
7 kiwis pelés et tranchés
2 pommes à cuire pelées et
tranchées

1 c. à table [15 ml] de jus de
citron frais
Pâte à tarte pour deux
croûtes (voir Note)
2 c. à table [30 ml] de beurre,
coupé en petits morceaux
1 blanc d'œuf
2 c. à table [30 ml] de sucre

Note : *Des croûtes de tarte réfrigérées toutes prêtes facilitent et accélèrent la préparation de cette tarte. Mais il ne faut pas oublier d'enlever le papier.*

1. Préchauffer le four à 375°F [190°C]. Dans un bol, mélanger le sucre, le tapioca, la cannelle et la muscade. Ajouter les kiwis, les pommes et le jus de citron. Tourner délicatement et laisser reposer 15 minutes.

2. Rouler la pâte et en tapisser un moule à tarte. Déposer la préparation kiwis et pommes dans le moule; parsemer de beurre en petits morceaux. Rouler une deuxième croûte et déposer sur le mélange; sceller les bords en festonnant. Faire une incision dans la croûte pour l'aération. Pour une pâte croustillante au sucre, à l'aide d'un pinceau à pâtisserie, couvrir le dessus de la pâte avec un blanc d'œuf battu et parsemer de 2 c. à table [30 ml] de sucre.

3. Pour éviter que la pâte ne brunisse trop, couvrir le bord de la tarte avec une bande de papier d'aluminium. Cuire la tarte au centre du four pendant 20 minutes; enlever la bande d'aluminium et continuer la cuisson pendant 25 ou 30 minutes de plus, jusqu'à ce que la croûte soit dorée.

Antipasto spectaculaire

Vaughn Greditzer

Je suis souvent tombée en amour pendant ma longue vie itinérante — mais je n'ai eu qu'une passion qui a duré plus d'un demi-siècle. Je suis née avec une extraordinaire et sensuelle sensibilité, et j'ai commencé à cuisiner dès l'âge de dix ans. Oh! les arômes exquis, les beautés et les saveurs!

Je suis une artiste et, dans ma cuisine, je crée avec autant d'enthousiasme que dans mon studio, et avec un tout aussi grand plaisir. Bien que je n'aie jamais littéralement utilisé de nourriture ou autres matériaux bruts sur mes canevas, comme le font certains peintres modernes, j'apporte certainement ma couleur et mon sens artistique dans ma cuisine, en planifiant et en organisant chaque détail comme s'ils étaient vraiment un canevas — fleurs, chandelles, nappes, vaisselle et une conscience de la nourriture que je servirai.

Une fois, j'ai passé 17 heures à transformer des petits poulets de Cornouailles en cygnes pour ensuite les disposer directement (20 ou plus!) sur la surface laquée de notre table de salle à manger noire, comme si c'était un lac. Spectaculaire!

Ma mémoire est bourrée de recettes que j'ai essayées et d'autres que je n'ai pas encore testées, et mes livres de cuisine sont de vieux amis que j'ai consultés tant et tant au cours des années. En cuisine, comme dans la vie, les choses ne tournent pas toujours comme on le voudrait; mais si nous persistons à expérimenter, à éliminer, à être enthousiastes, curieux et tenaces, les chances sont que nous deviendrons des créateurs en art culinaire. Voici une palette que j'aime disposer. C'est toujours très spectaculaire!

Antipasto spectaculaire

Les quantités dépendront du nombre d'invités

ॐ

*Diverses sortes de feuilles de
laitue*
*Épaisses tranches de
tomates rouges juteuses
(si possible de grosses
tomates)*
Épaises tranches d'orange
*Filets d'anchois (réserver
l'huile de la boîte de
conserve pour la
vinaigrette)*
Tranches d'oignons doux
*Tranches de concombres de
serre*

Fromage mozzarella
*Poivrons rouges italiens
entiers, en conserve
(pimentos)*
*Minces tranches de salami
italien*
*Poivrons italiens assortis —
forts, doux, cerise*
Huile d'olive extra vierge
Jus de 1 citron
*Morceaux de pain italien
chaud*

1.   Couvrir un grand plateau rond des différentes feuilles de laitue. Sur le dessus, déposer en alternant d'épaisses tranches de tomates et d'orange. Garnir chaque orange avec deux filets d'anchois en croix. Garnir chaque tomate avec une mince tranche d'oignon et une tranche de concombre de serre entaillé.

2.   Couper des poivrons rouges en fines lamelles et des bâtons de mozzarella en morceaux de 4 po de long par ½ po d'épais [10 x 1 cm], en se servant des deux pour séparer les sections de tomates et d'oranges de manière attrayante.

3.   À l'intérieur des sections de tomates et d'oranges, créer un plus petit cercle avec de minces tranches de salami italien. Créer un petit monticule avec d'autres tranches de concombres au centre du plateau et encerclez-les avec des poivrons italiens assortis. Regardez votre œuvre et rajouter du fromage et d'autres lamelles de poivrons ou des petits poivrons pour enjoliver l'arrangement.

4. Verser l'huile des anchois en conserve partout sur le dessus, ajouter un filet d'huile d'olive extra vierge et le jus de citron. Réfrigérer jusqu'au moment de servir.

5. Déposer au centre de la table et régalez-vous! Incitez vos invités à essuyer le jus qui reste avec des morceaux de pain italien chaud. Cela s'appelle *scarpete,* et mon beau-père italien m'a dit que non seulement ce ne sont *pas* de mauvaises manières, mais c'est *de rigueur!*

Un taboulé chilien au quinoa partagé de tout cœur après un tremblement de terre

Carlos Warter

Alors que j'étais à l'école de médecine au milieu des années soixante, un tremblement de terre de magnitude 8,9 sur l'échelle de Richter a frappé le Chili. Comme il n'est pas rare dans mon pays natal, je me suis inscrit avec d'autres étudiants pour faire partie d'une équipe de solidarité afin d'aider les villageois dont les maisons avaient été endommagées. Puisque c'était l'hiver et que le tremblement de terre avait détruit des maisons et emporté des champs d'agriculture, plusieurs personnes avaient besoin d'aide.

On m'a affecté à un village dans les montagnes avec d'autres bénévoles. Nous avions comme responsabilité d'aider à prendre soin des malades et de reconstruire des baraques pour qu'elles servent d'abris temporaires.

Le village était très pauvre et la population était composée de différentes ethnies. Certains descendaient d'une culture autochtone qui remontait aux Mapuches, une tribu qui a été influencée par les Incas. D'autres formaient la deuxième et la troisième génération d'immigrants nés au Chili, qu'on appelait — à leur grand déplaisir — des *turcs*.

On leur a donné ce nom parce qu'ils étaient des descendants de Palestiniens, de Libanais, de Syriens ou autres groupes ethniques du Moyen-Orient qui étaient entrés en Amérique du Sud avant la Première Guerre mondiale, et qui avaient continué de détenir des passeports ottomans.

Ce qu'il y avait de beau dans le village, c'est que les gens y vivaient en harmonie et se mariaient entre eux depuis quelques générations. La seule tristesse évidente était le fait que leurs maisons aient été affectées par ce tremblement de terre et qu'ils devaient maintenant partager un abri de réfugiés.

Après une longue journée de travail bénévole, nous étions fatigués et nous avions faim. Comme la nourriture était très rare, nous avons été surpris que des villageois nous disent d'arrêter le travail, de nous laver et de venir partager un repas du pauvre avec eux.

Bien que nous appréciions leur offre, nous avons tout d'abord refusé, en leur disant qu'il n'était pas nécessaire qu'ils partagent avec nous le peu de nourriture qu'ils avaient puisque chaque étudiant de notre groupe avait apporté de la nourriture en conserve. Un des villageois a alors dit : « Partagez un repas avec les pauvres. Notre nourriture est chaleureuse ; elle aura meilleur goût que votre nourriture en conserve. »

Une femme a dit que nous mangerions un repas originaire du Moyen-Orient. Une autre, que nous partagerions un ancien mets inca. Pendant le repas, nous avons compris que nous mangions tout un festin.

Au milieu du désastre, ces villageois appréciaient ce qu'il y avait. Même si c'était un repas du pauvre provenant de ceux qui avaient perdu leurs maisons, une synthèse a été créée entre les cultures et a donné lieu à un des dîners les plus chaleureux de toute notre vie.

Le quinoa se trouve dans la section des aliments naturels de n'importe quel magasin en Amérique. C'est un grain perlé délicat qui est délicieux servi chaud ou froid dans des salades. À l'origine, il poussait dans les Andes et constituait un élément important de l'alimentation inca ; pour l'occasion, il est devenu un mets inspiré du Chili et du Moyen-Orient, servi avec avocats, tomates, maïs, concombres et coriandre. En préparant cette recette, éviter de mélanger avec trop de vigueur, pour permettre au quinoa de rester léger. Comme l'a dit un des paysans, si on ne mange pas tout le plat le même jour, on peut manger les restes le lendemain matin.

Taboulé au quinoa

Environ 10 portions

₹🐌

Ces ingrédients étaient tout ce que nous avions. Il était fascinant de voir le partage et la chaleur en observant comment les cultures se mélangeaient pour en arriver à ce plat combiné qui a très bien nourri tout notre groupe. Même si vous trouvez inhabituelles certaines des instructions suivantes, je crois qu'elles étaient essentielles à la joie et à l'unité que nous avons ressenties. Je vous encourage à suivre ces étapes comme je les ai écrites afin que vous puissiez éprouver le même sentiment de partage.

2 tasses [500 ml] de quinoa
4 tasses [1 litre] d'eau
½ c. à thé [2 ml] de sel
¼ c. à thé [1 ml] de poivre noir frais
5 c. à table [75 ml] de jus de citron frais
⅓ tasse [75 ml] d'huile d'olive
½ tasse [125 ml] de feuilles de coriandre hachées grossièrement

2 c. à thé [10 ml] d'ail émincé
1 avocat mûr, pelé et coupé en cubes de ½ po [1,25 cm]
1 tasse [250 ml] de grains de maïs frais, cuits
1 tasse [250 ml] de concombres en dés
½ tasse [125 ml] d'oignon rouge frais, haché
4 tomates rouges, coupées en dés de ½ po [1,25 cm]

1.   Rincer le quinoa à l'eau froide et égoutter. Mettre dans une casserole moyenne. Ajouter l'eau et amener à ébullition. Réduire la chaleur à faible et laisser mijoter, à feu couvert, pendant environ 10 minutes ou jusqu'à ce que le liquide soit absorbé.

2.   Quand le quinoa est cuit, saler et poivrer et brasser. Ajouter 4 c. à table [60 ml] de jus de citron et l'huile d'olive. Incorporer la coriandre et l'ail.

3.   Mélanger l'avocat en dés avec la c. à table [15 ml] de jus de citron qui reste.

4. Ajouter le maïs, les concombres, l'avocat, l'oignon et les tomates au mélange de quinoa. Assaisonner au goût. Laisser reposer à la température de la pièce 2 à 3 heures avant de servir.

Si vous voulez partager dans l'esprit de la nourriture et du groupe comme nous l'avons vécu, suivre également ces deux étapes :

5. Apprécier chaque personne qui participera au repas.

6. Raconter des histoires. Dans notre cas, les histoires provenaient des Andes et du Moyen-Orient, et elles étaient racontées à cœur ouvert. Elles démontraient notre solidarité et l'essence véritable des personnes présentes. (Vous pourriez vouloir partager des histoires tirées de la série *Bouillon de poulet pour l'âme.*)

Enfant, on m'a dit qu'il y avait un trésor enfoui au bout de chaque arc-en-ciel, et j'y ai cru. J'y croyais tant, que je n'ai cessé de pourchasser sans succès les arcs-en-ciel toute ma vie. Je me demande pourquoi personne ne m'a jamais dit que l'arc-en-ciel et le trésor étaient tous deux à l'intérieur de moi.

— Gerald G. Jampolsky

La cuillère de bois

Tony Luna

J'ai souvenir que mes parents ne m'ont donné la fessée qu'à deux reprises. Une fois, c'était quand je m'étais mal comporté pendant un service religieux — je portais un costume qui ne m'allait pas et j'ai fait une colère qui n'a pas plu à mes parents. Mon père m'a amené à l'extérieur, m'a mis sur ses genoux et m'a donné quelques bonnes tapes sur les fesses. Je suis resté à genoux jusqu'à la toute fin du service. Je ne me souviens pas de ma désobéissance la deuxième fois, mais je n'ai pas oublié que ma mère m'a donné une forte tape sur le derrière avec une vieille cuillère de bois qu'elle gardait sur la cuisinière.

L'incident de la cuillère de bois est un parfait exemple de la conception que ma mère se faisait de la modification du comportement. Chaque fois que je commençais à mal me comporter, elle m'avertissait : « Si tu ne changes pas, jeune homme, je vais prendre la cuillère de bois. » Aussi loin que je puisse me rappeler, la simple mention de cet outil provoquait chez moi l'attitude conditionnée désirée. Pavlov et Skinner auraient été fiers de maman.

Les années ont passé et, en règle générale, je menais une vie plutôt droite. Je marchais entre les lignes blanches aux intersections, je me changeais de vêtements après l'école pour mettre des habits de jeux, et je faisais les bons signaux de la main lorsque je conduisais ma bicyclette dans la circulation. J'ai toujours eu des bonnes notes de conduite et de civisme, et je n'étais habituellement pas un suspect quand quelqu'un faisait un bruit insolite en classe pendant que le professeur avait le dos tourné. En fait, j'ai eu une enfance tranquille, presque pieuse; les autres parents, à ma grande gêne, me comparaient à leurs propres enfants en disant : « Allons, mon fils, pourquoi ne peux-tu pas agir comme le fils de Mme Luna? »

De l'enfance à l'adolescence, j'ai assez bien suivi la ligne droite. Je n'étais pas un saint, mais j'avais le don d'éviter les problèmes là où mes compagnons se faisaient prendre. Il ne m'est jamais venu à l'esprit d'être autre chose qu'un bon garçon, et je n'ai jamais pensé à me rebeller jusqu'au milieu de la vingtaine.

Quelque temps après l'université et différents emplois, et pendant mon service militaire, j'ai eu cette envie de mettre en doute les conventions, à une période qui coïncidait avec le mouvement hippie, l'amour libre et les manifestations hebdomadaires anti-gouvernement et anti-establishment. Disons que l'argent que j'avais économisé sur les coupes de cheveux a servi à acheter beaucoup de jasmin et de patchouli. C'était une période de grand idéalisme et d'expérimentation.

J'ai fait un pèlerinage au Revolutionary People's Constitutional Convention à Berkeley, en novembre 1970, où j'ai rencontré beaucoup d'anticonformistes. J'étais aussi impressionné par leur engagement que par leur diversité. Il y avait des groupes de pression qui ont pris le podium d'assaut pour gagner une voix; il y avait des tracts, des pétitions et des discours en faveur des Panthères noires, des Panthères grises, des Bérets bruns et des Végétariens mâles gais, pour n'en nommer que quelques-uns.

Comme j'avais négligé ma santé au retour de Berkeley, j'ai attrapé une mononucléose. J'ai eu une infection de la rate et sans médicaments, j'aurais certainement dû être opéré.

Alors que j'étais à l'hôpital, la fièvre et ma façon de vivre déréglée m'ont transporté souvent hors de la réalité. Tantôt, j'étais calme et entouré d'anges, et l'instant d'après, j'étais jugé par des démons. Parfois, les médecins et les infirmières me rendaient visite, et d'autres fois, c'était des chamans archétypaux avec des vêtements fluorescents.

Une fois, j'ai vu maman et un prêtre à mon chevet — le prêtre priait pour moi. La perspective d'entendre les derniers sacrements à un si jeune âge me mit hors de moi — je me suis tenu droit comme un piquet et j'ai proféré des injures. Je ne laisserais personne me priver de la chance de poursuivre ma vie comme je l'entendais. Plus tard, j'ai eu honte de mon comportement, mais j'étais trop orgueilleux pour l'admettre.

Après avoir obtenu mon congé de l'hôpital, j'ai essayé de reprendre ma vie là où je l'avais laissée, mais ce n'était plus comme avant — j'avais franchi une ligne. Je n'avais pas de mots pour le décrire, mais le monde ne serait jamais plus pareil.

Le Noël suivant, ma famille s'est réunie comme d'habitude. Je me suis présenté avec un maillot de l'armée chiné par la teinture, des salopettes et des mocassins. Je n'ai pas manqué une occasion de dire pourquoi je ne croyais pas à Noël (un complot capitaliste motivé par la culpabilité) et à aucun de ses fioritures. Ma famille était patiente. Après le repas, nous nous sommes tous assis autour de l'arbre. (J'avais également une opinion là-dessus.)

Les cadeaux ont été distribués et je regardais le rituel d'un air suffisant. Quand on m'a remis, de papa et maman, ce qui semblait une boîte à cravate enveloppée dans un papier de Noël usagé avec une étiquette recyclée attachée au ruban, j'ai eu un petit sourire en coin. « Bravo. Une cravate. Exactement ce dont j'ai besoin! » J'ai enlevé le ruban, déchiré le papier, ouvert la boîte, très surpris par le cadeau à l'intérieur. C'était la cuillère de bois. La cuillère de bois qui avait guidé et discipliné ma jeune vie. La vieille cuillère de bois avec des brûlures sur le manche, qui avait été sur la cuisinière pendant tant d'années, était maintenant dans mes mains. D'un air penaud, j'ai regardé mes parents. « Elle est à toi maintenant, a dit ma mère. Tu es responsable de la cuillère de bois. »

Par ces mots, ils m'ont donné le sceptre de la responsabilité, ils m'ont donné le pouvoir et, en même temps, ils m'ont montré la force redoutable qui nous échoit quand on est responsable de son propre destin. Par un geste prompt, ils m'ont simultanément élevé et exposé à mes faiblesses. Ces deux modestes personnes qui m'ont donné la vie m'ont donné le pouvoir de gaspiller ou de construire ma propre vie. Je me suis mis à pleurer. Nous nous sommes étreints pendant longtemps.

Des années plus tard, ma femme avait fait fabriquer une boîte spéciale en plexiglas pour y mettre la cuillère de bois. Elle est maintenant suspendue bien en vue dans mon bureau comme un rappel des valeurs, de la responsabilité et de l'amour inconditionnel.

Je suis reconnaissant d'avoir demandé à maman des recettes pour ce livre de cuisine. Avant qu'elle me les écrive, il n'y avait aucune trace des repas qui me rappellent si chèrement mon enfance — ces recettes ont été transmises de générations en générations — aujourd'hui, je peux les donner à ma fille. En les relisant, je peux presque sentir les chilis grillés, la viande et la feuille de laurier pendant la cuisson.

Caldillo de maman Dee et de papa Julio

(Chile Verde con Carne)

4 portions

❧

6 tomatillos moyennes
4 piments chili jalapeno
   frais
1 piment chili pasilla *frais*
3 c. à table [45 ml) d'huile
   d'olive
2 petites gousses d'ail, pelées
1 ½ c. à thé [7 ml] de sel

½ c. à thé [2 ml] de cumin
   moulu
1 livre [500 g] de haut de
   surlonge, coupé en cubes
   de ½ po [1,25 cm]
Épinards frais [environ
   ½ livre / 250 g]
3 feuilles de laurier

1.   Peler et laver les tomatillos. Dans une casserole, faire bouillir les tomatillos et les piments dans environ ½ tasse [125 ml] d'eau pour couvrir, jusqu'à tendre (vérifier en piquant avec une fourchette). Transférer dans un mélangeur avec 2 c. à table [30 ml] d'huile d'olive, l'ail, le sel et le cumin. Activer le moteur rapidement pour faire un mélange de la consistance d'une salsa. Mettre de côté.

2.   Sauter le surlonge dans 1 c. à table [15 ml] d'huile d'olive pendant environ 10 minutes, ou jusqu'à bruni. Pendant ce temps, bien laver les feuilles d'épinard en égouttant l'excès d'eau; jeter les tiges. Ajouter les épinards à la casserole de viande, sauter brièvement et ajouter le mélange de piments-tomates et les feuilles de laurier, et cuire environ 20 minutes ou jusqu'à ce que la viande soit tendre quand piquée avec une fourchette. Ajouter de l'eau au besoin et brasser avec une cuillère de bois pour éviter que la préparation ne colle. Enlever les feuilles de laurier avant de servir.

9

Amour, romance et mariage

Chacun de nous est un ange avec une seule aile. Nous ne pouvons voler qu'en nous soutenant les uns les autres.

— Luciano deCrescenzo

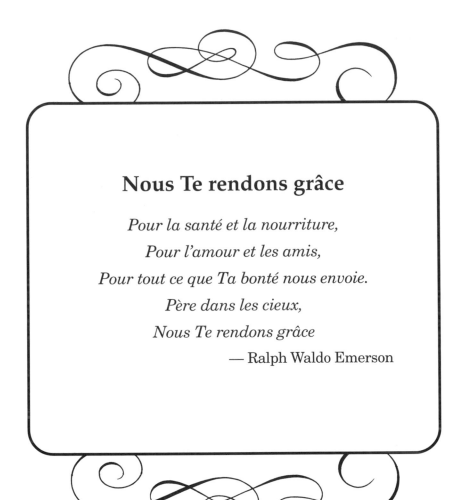

Nous Te rendons grâce

Pour la santé et la nourriture,

Pour l'amour et les amis,

Pour tout ce que Ta bonté nous envoie.

Père dans les cieux,

Nous Te rendons grâce

— Ralph Waldo Emerson

Moussaka végétarienne magique

Sirah Vettese

Un jour où j'étais assise à travailler dans un centre médical, un homme merveilleux est entré et a déposé devant moi un gâteau d'anniversaire au chocolat noir garni de bougies. Nous ne nous étions jamais rencontrés mais je savais que c'était Harold Bloomfield et qu'il avait ouvert son bureau ici au cours de cette même semaine. J'étais étonnée et ravie de ce gâteau parce que c'était le jour de mon anniversaire, mais personne n'était au courant au bureau. Comment a-t-il pu savoir?

J'ai remarqué qu'il manquait un tout petit morceau au gâteau et je lui ai demandé pourquoi. Il s'est contenté de sourire et m'a laissée perplexe. Au même moment, j'ai été frappé en plein cœur par une flèche!

Après nos réunions, je ne pouvais pas cesser de penser à lui. J'avais l'impression d'être dans une sorte de transe. Plus tard, quand nous nous sommes enfin parlé, il m'a dit que son anniversaire était la veille et que le fait de m'avoir offert le gâteau le jour même de mon anniversaire n'était qu'une coïncidence. Dans mon livre à moi, il n'y a pas de tels hasards, seulement des événements qui nous mènent vers notre destinée.

La suite aurait pu être tirée d'une scène du film *Like Water for Chocolate*. J'ai passé tout le week-end suivant à préparer un plat spécial pour lui. J'ai choisi de faire une version végétarienne de la populaire *moussaka* grecque. Pendant que je hachais et brassais et goûtais, j'ai versé mes pensées, mes désirs et tout ce qui mijotait en moi dans la délicieuse sauce. Je croyais qu'on m'avait jeté un sort.

Quand j'ai livré le plat à Harold et que je l'ai observé pendant qu'il prenait une première bouchée, je savais qu'à travers ma recette j'avais imprégné la même intoxication chez lui que celle que je ressentais; il a roulé des yeux et il a gémi de plaisir alors qu'il savourait la moussaka.

Voici ma formule pour ajouter de la magie culinaire :

1. Visualiser la personne pour qui vous cuisinez.

2. Sacher exactement ce que vous voulez transmettre par votre nourriture : plaisir sensuel, passion, rire, amour sans borne, émotions profondes non exprimées, joie.

3. Tout en mélangeant, en brassant, en pelant, en hachant, brassant et cuisant, concentrez-vous sur cette personne et voyez votre énergie pénétrer dans cette nourriture avec toutes vos intentions cachées.

La magie de ma Moussaka végétarienne a duré longtemps. Harold est *encore* sous son charme. Notre amour se renouvelle chaque jour, et il est toujours dans l'attente d'expérimenter de nouveau son goût enchanteur. Je n'ai pas pu reproduire exactement la recette, mais celle qui suit en constitue la base. C'est à vous d'ajouter vos propres désirs et votre propre magie.

Moussaka végétarienne magique

6 portions

1 tasse [250 ml] de fèves
noires sèches (vous pouvez
remplacer par 3 tasses
[750 ml] de fèves cuites)
2 ½ tasses [625 ml] de
bouillon de légumes (je
conserve au congélateur le
liquide des légumes cuits)
1 c. à thé [5 ml] ou à peu
près d'huile d'olive, pour
éviter que le liquide ne
renverse
1 livre [500 g] d'aubergine,
tranchée mince
Sel
3 oignons moyens, hachés
2 c. à table [30 ml] d'huile
d'olive extra vierge
2 gousses d'ail émincées
1 boîte [5,5 oz / 156 ml] de
pâte de tomates

¼ à ½ c. à thé [1 à 2 ml] de
cannelle moulue ou de
quatre-épices, au goût
Sel et poivre
1 pincée de sucre
2 autres c. à table [30 ml]
d'huile d'olive
3 tasses [750 ml] de pommes
de terre en purée
1 ½ tasse [375 ml] de yogourt
nature
1 généreuse pincée de
muscade fraîchement
moulue
⅓ tasse [75 ml] de fromage
parmesan fraîchement
râpé
1 petite pincée de paprika,
pour la couleur

1. Rincer et trier les fèves noires et les mettre dans un chaudron à soupe avec le bouillon de légumes. Amener à ébullition, en écumant la mousse qui vient à la surface. Ajouter 1 c. à thé [5 ml] ou à peu près d'huile d'olive pour éviter que le liquide ne déborde et baisser la température pour faire mijoter. Couvrir et mijoter lentement pendant 1½ à 2 heures, jusqu'à tendre. (Vous pouvez aussi remplacer par 3 tasses [750 ml] de fèves cuites ou en conserve.) Égoutter et réserver le liquide.

2. Saupoudrer généreusement de sel les tranches d'aubergine et déposer sur une pellicule de plastique ou sur une surface non métallique pendant 30 minutes ; rincer à l'eau froide et tapoter avec des serviettes de papier pour assécher, afin d'enlever l'excès de jus.

3. Entre-temps, sauter les oignons dans l'huile d'olive pendant environ 10 minutes, jusqu'à ce qu'ils commencent à brunir. Ajouter l'ail, la pâte de tomates et la cannelle ou les quatre-épices, au goût. Ajouter en brassant les fèves égouttées et les écraser dans le mélange avec le dos d'une grosse cuillère de cuisine. Assaisonner au goût avec le sel et le poivre, et peut-être une pincée de sucre. Ajouter un peu du liquide en réserve si le mélange semble sec.

4. Préchauffer le four à 350°F [175°C]. Huiler un plat allant au four de 9 x 13 po [23 x 32 cm]. Sauter les tranches d'aubergine dans l'huile d'olive pendant quelques minutes de chaque côté, jusqu'à ce qu'elles soient tendres; égoutter sur des serviettes de papier. Étaler une couche de tranches d'aubergine au fond du plat. Étendre uniformément une autre couche avec la moitié du mélange de fèves. Répéter l'opération et terminer avec les dernières tranches d'aubergine.

5. Étendre les pommes de terre en purée sur les aubergines. Dans un petit bol, battre ensemble le yogourt nature, une généreuse pincée de muscade fraîchement râpée, et sel et poivre au goût; étendre le mélange de yogourt sur les pommes de terre en purée. Parsemer le fromage parmesan sur le dessus, suivi d'une légère pincée de paprika pour la couleur. Cuire pendant 40 à 45 minutes.

Conventum

Burt Dubin

Soyez disposé à accomplir ce que vous dicte votre âme si vous voulez créer ce que vous demandez.

— Sanyana Roman

Je ne lui ai pas téléphoné avant d'avoir terminé ma tournée de conférences.

Sachant que je serais à Boston pour prononcer un discours, j'ai négocié comme part de mes honoraires deux nuitées supplémentaires à l'hôtel. Je voulais tant la voir. Je voulais la toucher, regarder dans ses yeux au moins encore une fois. J'espérais, contre tout espoir, que peut-être, juste peut-être…

Nous ne nous étions pas revus depuis le conventum de notre collège à Atlantic City, cinq années auparavant. Je m'étais gardé d'aller à quelque réunion auparavant. Une force intuitive, un sentiment que je devais assister à celle-ci, m'a obligé à envoyer ma réservation pour assister à mon tout premier conventum. Quand ma confirmation est arrivée, il y avait la liste de ceux qui étaient déjà inscrits.

Son nom y était, *son nom de jeune fille!* Mille pensées me sont venues à l'esprit… que de souvenirs me sont revenus! Je n'ai jamais été vraiment capable de l'oublier. Elle était le rêve inaccessible, la vison de ma dernière année de collège.

Nous nous connaissions très peu et nous avions quelques amis communs, mais nous n'avons jamais été ensemble socialement. Je ne me souviens pas de lui avoir jamais parlé — juste de l'avoir admirée de loin. Une année ou deux plus tard, je devins très au courant de sa vie. Nous avions déménagé tous deux à Philadelphie. Je vendais des meubles pour mon oncle tout en essayant d'être admis au Temple University. Elle s'était mariée à un jeune homme qui réussissait bien et avec qui mon oncle faisait des affaires. Comme j'étais le coursier du bureau, je me retrouvais dans le bureau de son mari chaque semaine. Sa photo était accrochée au mur. *(Souffrance extrême! Sur un air de violon mélancolique, de grâce.)*

Elle, bien sûr, ne savait rien de moi. Après quelques années, je me suis marié et j'ai déménagé en Californie.

Tous les cinq ans, une autre invitation m'était adressée pour assister à ma réunion de promotion. Je les ignorais toutes. Elle a obtenu son diplôme une année après moi. Mais cette année fatidique, ils lui ont envoyé une invitation pour assister au mauvais conventum. *Le mien.*

Maintenant seule, tout comme je l'étais, elle avait vécu à Boston pendant plusieurs années. Elle ne s'est pas rendu compte que ce n'était pas *son* conventum et elle a donc envoyé sa réservation. Quand elle *a constaté* son erreur, elle a décidé d'y aller quand même. Elle avait *envie* d'y assister. Entre-temps, j'ai demandé au président de la réunion de la faire asseoir *à ma table.*

Pendant tout le repas, je l'ai regardée à l'autre bout de la table, n'osant pas lui parler. Finalement, j'ai trouvé le courage et je l'ai invitée à danser. *C'était la dernière danse.* Cette danse est devenue la plus importante de ma vie. De *la sienne* aussi.

Nous avons beaucoup plus parlé que dansé et nous avons continué notre conversation après que la musique a pris fin. Nous avons échangé nos numéros de téléphone et nos adresses, 5 000 kilomètres nous séparaient. Maryam — oui, c'est son nom — m'a dit plus tard que, lorsqu'elle est retournée à Boston, elle a parlé à sa fille mariée de la conversation profonde et sérieuse qu'elle avait eue avec un collègue de classe qu'elle avait à peine connu — une des plus riches conversations qu'elle ait jamais eue. Elle avait le sentiment que la plupart des gens n'atteignent jamais ce niveau, même avec ceux qu'ils connaissent depuis des années.

Nous nous sommes écrit pendant un temps. Après quelques mois, plus de lettres. Cinq ans sans *rien* ont suivi. Jusqu'à ce que je lui téléphone ce soir de janvier.

Quand elle a répondu, je lui ai dit que j'étais en ville pour un soir seulement et je lui ai demandé si je pouvais la voir. Elle m'a répondu qu'elle était occupée à cuisiner pour une réception chez elle et elle m'a invité à y participer — et d'arriver une heure plus tôt afin que nous puissions avoir la chance de parler pendant qu'elle préparait le repas.

Notre conversation a commencé où nous l'avions laissée la dernière fois. J'avais été enchanté il y a cinq ans et je l'étais encore plus maintenant. L'arôme de la tarte tamale qu'elle faisait ajoutait une note de sensualité alléchante, me rendant incapable de toute pensée rationnelle.

La réception fut un succès. Même si j'ai à peine eu le temps de partager quelques moments avec elle une fois que les invités sont arrivés, j'ai pris plaisir à rencontrer ses amis.

La soirée tirait à sa fin. Le dernier invité a quitté et finalement nous étions seuls. Je suis allé droit au but — il n'y avait pas de temps à perdre en banalités. La regardant droit dans les yeux, je lui ai demandé : « Accepterais-tu que je te fasse la cour ? »

Elle a répliqué : « Je n'ai aucun prétendant pour le moment… » (Cesse de battre la chamade, mon cœur !)

Il se faisait tard. Elle a marché avec moi jusqu'à la station de taxis sur Harvard Square. Je l'ai embrassée chaleureusement sur la bouche. Nous nous attendions tous deux à de longues fréquentations. Après tout, il y avait tant de choses à apprendre l'un sur l'autre. Même si nous étions faits l'un pour l'autre. Elle vivait sur une côte, moi sur l'autre.

Le destin avait d'autres plans.

Le dimanche matin, j'ai repris l'avion pour Los Angeles. Je ne savais absolument pas quoi faire ensuite. Le lendemain, à la première heure, le téléphone de mon bureau a sonné. C'était un PDG qui avait entendu ma conférence. Il me demandait de venir sur la Côte Est pour agir à titre de consultant pour sa compagnie. Nous avons fait les arrangements.

Je *lui* ai téléphoné, je lui ai dit que je ne serais qu'à une heure de chez elle dans quelques jours, et je lui ai demandé si elle me permettrait d'aller lui rendre visite. Elle *a accepté.*

Oui, elle me réserverait une chambre dans un bon hôtel. Oui, elle nous ferait des réservations au restaurent le plus chic de Cambridge (le Charles). Ce soir-là, nous avons savouré un bon repas. Tout en prolongeant la soirée avec le vin et le dessert, j'ai entendu ma propre voix dire des mots inattendus : « Voudrais-tu m'épouser? »

Elle m'a regardé pendant un long moment. J'avais le cœur dans la gorge. J'étais ébloui par les possibilités de cette proposition imprévue. Soudain, elle a dit : « *Oui!* » Pas une fois, pas deux fois, mais *trois* fois « *Oui,* oui, OUI! » Nous nous sommes regardés, tout étonnés. Nous sommes tous deux du genre intellectuel, et aucun de nous n'est aussi audacieux. Qu'avions-nous fait? Ces « oui » avaient été prononcés, non avec son esprit rationnel, mais étaient venus d'une partie plus profonde de son être sur lequel elle n'avait aucun contrôle.

Nous avons donné suite au projet. Nous sentions — et nous sentons toujours — que nous avons été dirigés l'un vers l'autre. Nous sommes heureux en mariage depuis maintenant trois ans, et tout va en s'améliorant. J'aime raconter cette histoire, *notre* histoire; je ne m'en lasse jamais. Maryam et moi sommes heureux de partager cette recette avec vous, la recette qui nous rappelle des souvenirs si particuliers à tous les deux.

Chaque fois qu'elle prépare cette tarte tamale, elle est aussi bonne que la première fois où je l'ai dégustée le soir de sa réception. Une des raisons est qu'elle la prépare toujours avec amour. Et bien que l'amour ne fasse pas partie des ingrédients, c'est l'élément le plus essentiel.

Tarte tamale

6 portions

1 oignon moyen, haché
1 petit poivron vert, haché
2 à 3 c. à table [30 à 45 ml]
  d'huile de canola ou
  d'olive
2 tasses [500 ml] de haricots
  rouges ou pinto, cuits
  (égouttés, si en conserve)
2 tasses [500 ml] de sauce
  aux tomates assaisonnée
  en conserve
1 ½ tasse [375 ml] de maïs
  cuit ou 1 boîte [14 oz /
  400 ml] de maïs en grain
  en conserve, égoutté

½ tasse [125 ml] d'olives
  noires dénoyautées,
  hachées grossièrement
1 c. à table [15 ml] de sucre,
  de miel ou de malt d'orge
2 à 3 c. à thé [10 à 15 ml] de
  poudre chili
1 c. à thé [5 ml] de sel
1 ½ tasse [375 ml] de
  fromage cheddar râpé (ou
  remplacer par du cheddar
  de soja

GARNITURE À LA FARINE DE MAÏS :

¾ tasse [175 ml] de farine de
  maïs jaune
2 tasses [500 ml] d'eau
  froide

1 c. à table [15 ml] de beurre
½ c. à thé [2 ml] de sel

1.   Préchauffer le four à 375 °F [190 °C]. Dans une grande marmite, sauter l'oignon et le poivron vert dans l'huile jusqu'à tendre. Ajouter en brassant les haricots, la sauce aux tomates, le maïs, les olives, l'édulcorant, la poudre chili et le sel; mijoter 20 à 25 minutes jusqu'à épaississement. Ajouter le fromage et brasser jusqu'à ce qu'il soit fondu, et verser dans un plat allant au four, non graissé, de 8,5 x 11 po [21 x 28 cm].

2.   Dans une casserole moyenne, brasser ensemble la farine de maïs et l'eau froide. Cuire en brassant jusqu'à épaississement. Ajouter en brassant le beurre et le sel. Déposer à la cuillère sur le mélange de haricots, en bandes étroites sur la longueur et la largeur. Cuire pendant 40 minutes ou jusqu'à doré. Servir avec une salade et du pain chaud.

Saumon Wellington, Chez Jo

Ozzie Jurock

Arrivant au Canada en provenance d'Allemagne, je suis venu, j'ai vu une superbe Philippine et j'ai vaincu (ou plutôt j'ai eu de la veine, car elle a accepté d'être ma femme). Et j'étais heureux. Mais nous, les humains, sommes plus que des créatures de cœur : nous avons aussi un estomac. Espérant nous satisfaire tous les deux, et ainsi faire de moi un homme totalement heureux — et pensant à mon temps de pré-célibat et à la fine cuisine maison de ma mère — j'ai demandé à Jo, ma nouvelle épouse, de me préparer du poisson accompagné d'épinards (mon légume préféré) pour notre premier repas ensemble. Bien qu'elle n'ait pas été familière avec la cuisine occidentale, elle s'est mise en frais de me préparer ce plat — exactement. Poisson et épinards… tous deux à partir de boîtes de conserve (des boîtes séparées, j'en conviens, mais le résultat était quand même, disons, inhabituel).

Il m'a été difficile de cacher ma perplexité et ma surprise quand j'ai eu le plat devant les yeux. Étant bon joueur (et ne voulant pas perturber notre tranquillité conjugale), j'ai pris ma fourchette et j'ai commencé à manger le tas vert et gluant. Miam.

Il faut savoir que Jo est perspicace et déterminée. Elle a vu mon regard étonné et, immédiatement, elle a décidé qu'elle allait conquérir la cuisine occidentale et devenir un chef. À ce même moment, elle a donné la preuve de sa personnalité imperturbable, qu'elle a toujours : elle m'a annoncé que son premier plat serait un Saumon Wellington.

Même pour des chefs expérimentés, le Saumon Wellington n'est pas un plat facile à préparer. Les ingrédients en eux-mêmes sont simples, mais comme pour toute autre chose dans cette vie qu'est la nôtre, c'est la façon dont nous mélangeons le tout qui fait qu'un plat est réussi ou manqué. Qu'il s'agisse d'une relation ou d'un *roux*, il suffit d'un mauvais pas irrévocable — un peu trop d'assaisonnement ou pas assez — et ce qui aurait pu être mémorable devient simplement une chose à oublier. Ou pire.

Je ne voulais pas qu'elle prenne de risque. Habitue-toi lentement, ai-je suggéré. Le poisson frit avec frites me convient très bien. Tu tranches un poisson, une pomme de terre ou deux, tu mets le tout dans l'huile chaude et voilà (ce n'est pas tout à fait vrai). Mais je ne pouvais pas lui faire changer d'avis : elle avait décidé que ce serait un Saumon Wellington, et un Saumon Wellington ce serait. En voyant le regard dans ses yeux, j'ai eu vite fait de me taire.

Elle a passé toutes les soirées de la semaine suivante à la bibliothèque, à la recherche des diverses combinaisons et des variations régionales pour ce repas « simple » et à la fois subtilement complexe. En attendant, je me contentais de rôties avec des œufs.

Le dimanche fatidique est enfin arrivé. Jo s'est retirée dans la cuisine pendant que je ne tenais pas en place dans notre minuscule salle à manger, me préparant au pire et m'exerçant mentalement à dire des platitudes peu convaincantes et des « bravos » bien intentionnés.

La porte s'est ouverte et Jo s'est avancée en portant une assiette. Dessus, il y avait, fumant et odorant… un Saumon Wellington. Pas seulement un bon Saumon Wellington, mais un saumon excellent.

Le changement entre ce malheureux saumon en conserve et épinards et ce véritable festin était si spectaculaire, si énorme qu'il m'a fait apprécier la personnalité déterminée de Jo. Tout au long de notre vie commune (27 années et on compte toujours, avec deux enfants, un petit-enfant et d'autres en route), je n'ai fait qu'apprécier davantage cette détermination. Pendant ce temps, nous avons beaucoup grandi ensemble, dans notre vie privée comme en affaires.

Grâce à ses talents culinaires toujours plus perfectionnés, mon tour de taille a aussi pris de l'expansion.

Inutile de dire que mon plat préféré est, encore aujourd'hui, le Saumon Wellington. Avec le temps, la recette a changé quelque peu. Jo dit qu'elle est maintenant plus simple, plus rapide et plus facile à préparer. Quant à moi, elle représentera toujours la force de la détermination et de l'amour.

Saumon Wellington, Chez Jo

8 à 10 portions

à•

Dirigez-vous vers le nord, attrapez un saumon et découpez-le en filets. Si ce n'est pas possible, allez chez votre poissonnier le plus près et trouvez un poisson (relativement) vivant. Un saumon frais devrait montrer des yeux clairs, une peau ferme et une odeur agréable — comme tout bon compagnon de table.

2 livres [1 kg] de filets de saumon frais
½ tasse [125 ml] de lait faible en gras
Sel et poivre

2 paquets [8 oz / 250 g] de pâte feuilletée congelée, décongelés
3 œufs cuits dur, coupés en moitiés sur la longueur
1 œuf battu pour le glaçage

SAUCE BÉCHAMEL :
1 c. à table [15 ml] de beurre
1 c. à thé [5 ml] de farine

½ tasse [125 ml] de lait faible en gras

GARNITURE AUX CHAMPIGNONS :
1 c. à table [15 ml] de beurre
½ tasse [125 ml] d'oignons hachés
½ tasse [125 ml] de champignons tranchés finement

2 c. à thé [10 ml] de jus de citron frais
Sel et poivre au goût

SAUCE CRÈME AUX CHAMPIGNONS :

2 c. à table [30 ml] de beurre
*1 ½ tasse [375 ml] de
champignons tranchés*

2 c. à table [30 ml] de farine
*1 tasse [250 ml] de crème
légère (ou de lait faible en
gras)*

1.   Préchauffer le four à 400 °F [205 °C]. Décongeler la pâte feuilletée. Cuire les œufs dur et laisser refroidir.

2.   Diviser le saumon en deux portions de 1½ livre et ½ livre [750 g et 250 g]. Hacher finement la petite portion et mélanger avec le lait. Assaisonner avec sel et poivre. Trancher finement la grosse pièce de saumon.

3.   Préparer la sauce béchamel en faisant fondre le beurre dans une petite casserole, en ajoutant la farine et en incorporant le lait. Réserver.

4.   Pour faire la garniture aux champignons, faire fondre le beurre dans une casserole et sauter les oignons jusqu'à ce qu'ils soient tendres sans être bruns. Ajouter les champignons et le jus de citron. Incorporer en brassant la sauce béchamel et mijoter pendant 5 minutes. Ajouter le sel et le poivre. Retirer du feu et réserver.

5.   Diviser la pâte feuilletée en deux parties, une légèrement plus large que l'autre. Rouler la petite partie (12 x 6 po [30 x 15 cm]) et la déposer sur une tôle à pâtisserie graissée. Déposer la moitié des tranches de saumon au centre de la pâte. Garnir avec la moitié du mélange de champignons. Couvrir avec le mélange saumon émincé/lait. Garnir avec deux rangées d'œufs, tranchés sur la longueur. Étendre le reste du mélange de champignons sur les moitiés d'œufs et couvrir avec le reste des tranches de saumon.

6.   Rouler le reste de la pâte pour obtenir 14 x 8 po [35,5 x 20 cm] et draper sur les couches de saumon. Brosser les bords avec l'œuf battu; presser les bords et sceller. Avec une fourchette, piquer des trous dans la pâte pour laisser s'échapper la vapeur. Pour un effet artistique — décorer le dessus avec des restes de pâte coupée en différentes formes. Brosser la pâte avec le reste de l'œuf battu. Cuire pendant 25 minutes.

7. Pour faire la sauce à la crème qui accompagnera le Wellington, faire fondre le beurre et sauter les champignons de 2 à 3 minutes. Incorporer la farine en brassant, et verser graduellement la crème légère ou le lait. Brasser continuellement jusqu'à épaississement. Assaisonner avec sel et poivre.

8. Retirer le Saumon Wellington du four et servir avec la sauce.

En manque de chocolat

Diana von Welanetz Wentworth

Je suis rentrée chez moi l'autre soir après mon cours d'écriture pour trouver mon mari, Ted, au lit, qui jouait sur son Gameboy, l'air très satisfait. *Ciel,* me suis-je dit, et je suis allée à la cuisine pour découvrir ses traces de papier d'aluminium et de miettes de chocolat. Il avait découvert les brownies que j'avais préparés pour le pique-nique de samedi. *J'aurais dû savoir,* ai-je pensé, en regardant les restes.

Ted s'est pointé dans la porte de la cuisine. « Mon médecin dit que je ne me déferai jamais en vieillissant de mon besoin de chocolat… c'est thérapeutique! »

« Il a vraiment dit ça? »

« Ouais. Il dit qu'il n'y a rien à faire. »

Ce n'était pas la première fois que je pensais qu'avoir un mari, c'est un peu comme avoir un gros chien.

L'histoire de cas de Ted pour la dépendance au chocolat remonte à loin. Au milieu de l'après-midi, quand il plonge dans le bol de M&M et des Hershey's Chocolate Kisses à son bureau, Paula, sa secrétaire depuis 26 ans, roule des yeux… elle sait qu'en peu de temps il deviendra très excité.

Habituellement une âme généreuse, Ted protège son territoire seulement pour le chocolat. Un soir, je lui ai servi un éclair au chocolat particulièrement appétissant que j'avais trouvé dans la journée. Je suivais un régime et la vue de ce dessert devint insupportable pour moi. J'ai dit : « J'aimerais bien en avoir une bouchée. »

Il a émis un petit grognement et a dit : « Bien sûr, que tu en veux… » pendant qu'il mettait un bras protecteur autour de son assiette, « comme une grenouille voudrait avoir des ailes pour ne pas se frapper le derrière par terre. »

Chaque jour de l'An, il décide d'abandonner le chocolat. Il résiste généralement jusqu'à la Saint-Valentin, alors qu'il commence à en manger un peu, comme tout être normal, et il me dit qu'il garde le contrôle. Graduellement, je commence à remarquer que, chaque soir après le repas, il demande : « Avons-nous du chocolat ? » Le yogourt congelé sans gras avec de la garniture au fudge sans gras ne sont pas pour lui ; il dirige son auto vers le glacier italien où il demande de goûter à chaque sorte de *gelato* au chocolat qu'ils ont.

Finalement, il réalise que le chocolat est devenu une obsession et il parle encore de s'en abstenir. Ce qu'il fait jusqu'à Pâques, et ça recommence. Nous n'avons pas trop de problèmes pendant les mois d'été, mais à l'approche de l'automne et de l'Action de grâces, puis Noël, il rechute avec fracas.

Voici le dessert au chocolat préféré de Ted. C'est un petit gâteau au chocolat chaud avec un centre mou et une sauce au chocolat chaude que notre amie Margo Rogoff lui a fait manger au *mad.61,* le nouveau restaurant le plus branché de New York au moment où j'écris ces lignes, situé au magasin à rayons Barney, sur la 61e rue, au coin de Madison. J'ai des photos de Ted qui utilise ses doigts pour goûter jusqu'à la dernière lichette.

Gâteaux au chocolat Valhrona chauds

6 portions

ॄ✿

La recette est donnée avec la gracieuse permission de la chef pâtissière de mad.61, *Patti Jackson.*

Beurre et sucre pour six
　moules à brioche
8 oz [250 g] de chocolat mi-
　amer Valhrona (des
　Caraïbes — voir Note)
6 oz [170 g] de beurre doux
　(non salé)

5 œufs plus 3 jaunes d'œufs
¼ tasse [50 ml] de sucre
2 c. à table [30 ml] de café
　fort liquide
¾ tasse [175 ml] de farine à
　pâtisserie tamisée

SAUCE AU CHOCOLAT :
¾ tasse [175 ml] de crème
　épaisse (à fouetter)
6 oz [170 g] de chocolat
　Valhrona, haché
　grossièrement

2 c. à table [30 ml] de beurre
　doux
1 c. à thé [5 ml] de vanille ou
　de rhum brun Myers

Note : *Le chocolat Valhrona est un chocolat noir, riche et pas très sucré. S'il est impossible d'en trouver, utiliser un chocolat mi-amer de bonne qualité.*

1. Préchauffer le four à 375 °F [190 °C]. Beurrer généreusement 6 moules à brioche (½ tasse [125 ml]) (ou autres moules de 1 po [2,5 cm] de hauteur) et saupoudrer de sucre; réserver. Dans le haut d'un bain-marie, mélanger ensemble le chocolat, coupé en petits morceaux, et le beurre.

2. Dans un bol à mélanger, battre ensemble les œufs entiers, les jaunes d'œufs et le sucre jusqu'à léger et jaune pâle. Ajouter en mélangeant le café, suivi du mélange de chocolat/beurre et la farine à pâtisserie tamisée. Verser la pâte dans les moules préparés, en les remplissant jusqu'à ⅛ po [2,5 mm] du haut. (Cette préparation peut rester à la température de la pièce jusqu'à 3 heures, ou au réfrigérateur pendant plus de 48 heures.)

3.   Pour faire la sauce au chocolat, chauffer la crème tout juste au point d'ébullition et y verser les morceaux de chocolat. Ajouter le beurre et la vanille ou le rhum; brasser jusqu'à onctueux. L'utiliser pendant qu'elle est chaude; si la sauce venait à refroidir, réchauffer au-dessus d'un contenant d'eau au point d'ébullition, ou dans un four à micro-ondes à faible intensité, en prenant soin de ne pas surchauffer pour éviter que le mélange ne se sépare.

4.   Juste avant de servir, déposer les gâteaux dans le four chaud et cuire pendant 8 minutes ou jusqu'à ce que les bords soient pris — le centre des gâteaux devant rester coulant. Renverser immédiatement les moules dans des plats à servir. Garnir avec la sauce au chocolat et servir chaud avec de la crème glacée.

L'amour à distance

Diana von Welanetz Wentworth

Quand j'ai épousé Ted, il n'était jamais allé à Paris. J'y avais vécu plusieurs années auparavant et j'avais hâte de lui montrer la Ville lumière. Nous sommes arrivés à l'aéroport d'Orly un samedi fort occupé, six jours avant Noël. Tant de choses ne semblaient pas avoir changé depuis le temps, et à travers les yeux de Ted, je me suis retrouvée à vivre la romance de Paris une nouvelle fois. Déjeuner composé d'oranges fraîches, de pain au chocolat et de café au lait; dîner avant un spectacle à l'Opéra de Paris au restaurant *Le Soufflé,* où on servait encore les soufflés les plus délicieux du monde, un soufflé différent à chaque service.

Tôt, lors de notre premier matin à Paris, nous avons pris un autocar de tourisme afin que Ted puisse avoir une vue d'ensemble de toute la ville. Ensuite, nous avons marché partout, et dans l'après-midi, je l'ai amené dans les rues sinueuses de Montmartre, le village historique et pittoresque en haut d'une butte avec vue sur tout Paris. Depuis la fin du 19e siècle, c'est le lieu de prédilection des artistes et l'endroit où est située la charmante Basilique du Sacré-Cœur.

Au tournant d'une courbe dans une rue pavée abrupte, Ted a fait connaissance avec sa première de plusieurs autres vendeuses de crêpes, une blonde ravissante avec un sourire invitant. En expliquant le concept des crêpes à Ted, je lui en ai commandé une avec sucre et Grand Marnier, ce cognac aromatisé à l'essence d'orange. Il regardait avec de grands yeux pendant qu'elle versait à la cuillère la pâte onctueuse de couleur crème sur une immense plaque en fonte ronde, puis l'étendait vers les bords avec un bâton de bois en forme de T.

« Regarde! Elle se sert d'un perchoir pour oiseaux! » a dit Ted.

Elle a retourné adroitement la grosse crêpe, l'a enrobée de beurre et a versé librement du sucre et du Grand Marnier. Après avoir laissé cuire rapidement le deuxième côté, elle l'a pliée proprement en six, l'a enveloppée dans du papier et lui a donné la crêpe. Après une bouchée, Ted a eu ce regard lointain dans les yeux, celui qu'il a quand il mange du chocolat.

J'ai attendu pendant qu'il dégustait chaque bouchée, jusqu'à ce qu'il se souvienne enfin que j'étais là et qu'il m'en offre une bouchée.

« Bien… Je ne sais pas comment te dire cela, Diana… mais je crois que je suis amoureux d'une autre femme. »

J'ai créé une recette pour lui en faire à la maison, et il dit qu'il la trouve tout aussi bonne. Mais de temps à autre, je le surprends avec ce regard et je sais qu'il pense à elle. Ah… l'amour à distance.

Crêpes au Grand Marnier

Environ 20 crêpes

CRÊPES DE BASE :
*1 ½ tasse [375 ml] de farine
  tout usage tamisée*
Pincée de sel
*2 tasses [500 ml] de lait, ou
  plus au besoin*

2 œufs, légèrement battus
*2 c. à table [30 ml] d'huile
  végétale*

POUR SERVIR :
Beurre fondu
Sucre
Grand Marnier

1.   Mettre la farine et le sel dans un bol à mélanger. Combiner le reste des ingrédients et les ajouter lentement, en battant au fouet jusqu'à ce que le mélange soit velouté. Laisser reposer à la température de la pièce pendant 15 minutes.

2. Brosser l'intérieur d'un poêlon épais de 5 ou 6 po [12 ou 15 cm] ou d'une poêle à crêpe avec l'huile végétale, et faire chauffer sur feu moyen, jusqu'à ce qu'une goutte d'eau danse sur la surface. Brasser la pâte et en déposer environ 2 c. à table [30 ml] dans le poêlon, soit juste assez pour couvrir le fond, tout en tournant la poêle. La crêpe devrait être très mince. Ignorer les petits trous. Cela peut paraître difficile au début, mais on s'habitue!

3. Faire dorer légèrement sur un côté, puis tourner avec une spatule pour dorer l'autre côté. Déposer sur des serviettes de papier, le côté le plus joli vers le bas afin que, lorsque la crêpe sera pliée, il se retrouve à l'extérieur. Cuire le reste de la pâte de la même façon. (On peut réfrigérer les crêpes ou les faire congeler une fois cuites, et les utiliser dans plusieurs recettes, sucrées ou salées.)

4. Juste avant de servir, réchauffer les crêpes sur une grille, deux ou trois à la fois, le côté le plus beau en dessous. Brosser avec du beurre fondu, saupoudrer de sucre très fin et verser des filets de Grand Marnier. Plier en quatre et transférer dans des assiettes à servir, en donnant trois crêpes par personne.

La cuisine, c'est comme l'amour. On devrait s'y lancer avec abandon ou pas du tout.

— Harriet Van Horne

Faire des miracles pour le Juge

Andrea Bell

Il n'y a qu'un seul bonheur dans la vie,
aimer et être aimé.

— George Sand

Ce que j'aime dans mon travail de chef et coordonnatrice d'événements, c'est célébrer les passages les plus importants dans la vie des gens. L'amour était le mot qui importait pour décrire la dernière fête offerte au Juge. Le fait qu'elle ait eu lieu ne s'explique que par l'adage qui dit que l'amour fait des miracles.

Le Juge était un homme imposant, brusque, bruyant et autocratique. On pouvait savoir immédiatement qu'il n'aurait pas de difficulté à contrôler *sa* salle d'audience! À travers la planification et l'exécution des nombreux mariages que j'ai organisés pour sa grande famille, c'est lui qui menait la barque. Sa femme, bonne, intelligente et aimante, semblait avoir une sagesse intérieure innée particulière, mais elle laissait le Juge présider. Sa présence était toujours requise, même pour les plus petites décisions.

Bien qu'il fût extrêmement têtu, belliqueux et bourru, le Juge avait un autre côté en lui. Il croyait aux célébrations — de la vie, de l'amour, des amis, des transitions et, surtout, de la famille. Il trouvait plusieurs occasions de les réunir tous ensemble — pour savourer nourriture, amis, famille et fêtes qu'il orchestrait soigneusement.

À l'occasion de sa retraite prochaine de la magistrature, la planification pour célébrer un autre passage de la vie a commencé des mois à l'avance. Le Juge, sa femme et moi étions assis dans leur cuisine et nous discutions de ses préférences culinaires.

« Il nous faut votre Velouté de carottes à l'orange », insistait-il. Je songeais à la simplicité de cette exquise soupe, pleine de saveur — une des préférées du Juge depuis longtemps. Nous avons planifié un menu d'huîtres, de gigot d'agneau sur croustades au levain et à l'ail avec chutney à la poire et mayonnaise à la menthe, et bien d'autres plats fins éclectiques pour sa fête. Le Juge, comme à son habitude, s'est passionné par tous les détails. La fête n'était prévue que plusieurs mois plus tard; mais quand je suis partie, je savais que je serais fort occupée à obéir aux ordres du Juge. En quittant, il m'a crié : « N'oublie pas le Velouté de carottes à l'orange! »

J'ai passé en revue chaque détail pendant des mois. Comme la fête approchait, j'ai téléphoné au Juge pour discuter d'un des mille détails avec lui. J'ai été terriblement bouleversée d'apprendre qu'il était à l'hôpital, qu'on avait diagnostiqué chez lui un cancer en phase terminale et qu'il ne pourrait peut-être même pas assister à sa fête. Le Juge, bien sûr, insistait pour dire qu'il y serait certainement, et on a continué les préparatifs.

Pendant la fête, il m'a prise à l'écart pour partager un rêve secret. Son 40e anniversaire serait la prochaine occasion de célébrer. Il voulait donner une réception surprise pour rendre hommage à « mon ange de femme que j'aime profondément ». J'ai aussitôt accepté de conspirer avec lui, mais quand il m'a dit la date — près de six mois plus tard — j'ai été trop stupéfiée pour ajouter un mot. Je connaissais son pronostic, et c'était évident, à le voir si maigre, si frêle et si faible. Il faudrait un miracle pour que cette fête ait lieu! En quittant, j'étais profondément attristée, mais le Juge était joyeux et il a insisté pour que le premier service de la célébration d'anniversaire soit le Velouté de carottes à l'orange.

J'ai reçu des téléphones clandestins de son lit d'hôpital. Il avait projeté un hommage d'amour à sa femme entre les services du Velouté de carottes à l'orange et le Saumon grillé sur mesquite avec des raviolis au porc et aux champignons. Tout en continuant les préparatifs, le Juge s'affaiblissait. Il a toutefois insisté pour qu'on se rencontre chez son fils, où la fête devait avoir lieu, afin qu'il puisse décider où seraient placées les tables, où serait installé l'orchestre, et quelle serait la couleur des nappes. Ce jour-là, le Juge était si fragile qu'un chauffeur a dû le reconduire et l'aider à marcher jusqu'à sa chambre. Comment pourrait-il vivre trois mois encore, jusqu'à la fête? J'ai quitté cette dernière réunion en larmes. Il avait organisé une si belle soirée pour célébrer la femme qui l'avait aimé dans la maladie et dans la santé — et pourtant, il y avait peu de chances qu'il puisse vivre pour voir cette fête.

Les appels téléphoniques continuaient et je pouvais entendre la voix du Juge, de plus en plus lasse, mais son esprit demeurait clair et concentré. Il était férocement décidé à ce que l'amour de sa vie ait sa fête surprise — un dernier hommage et une attestation pour tout ce qu'elle avait signifié pour cet homme qui avait été autrefois un géant.

Le jour de la fête est arrivé, et le Juge aussi. Bien qu'il ait été en fauteuil roulant, il était très lucide. Il a parlé avec éloquence de sa douce femme dans l'hommage plein d'amour qu'il a partagé avec la famille et les amis. Rares sont les personnes qui n'ont pas pleuré. La fête a été un succès fracassant. Tous ceux qui étaient présents savaient que ce serait leur dernière chance de célébrer avec le Juge. Le Juge m'a remerciée en quittant et il a déclaré que le Velouté de carottes à l'orange était le meilleur qu'il avait jamais mangé. Quelques jours plus tard, le Juge s'est éteint paisiblement.

Velouté de carottes à l'orange

Donne presque 1 litre (environ 10 à 12 portions)

2 gros oignons, hachés
¼ tasse [50 ml] de beurre ou
d'huile d'olive
1 c. à table [15 ml] de cumin
moulu
1 c. à table [15 ml]
d'estragon frais (ou 1 c. à
thé [5 ml] séché)
1 c. à thé [5 ml] de thym
frais, les tiges enlevées (ou
⅓ c. à thé [1,5 ml] de thym
séché)
1 c. à table [15 ml] de sucre
ou de miel
2 c. à thé [10 ml] de sel
1 c. à thé [5 ml] de poivre
noir frais moulu, ou au
goût
¼ c. à thé [1 ml] de muscade
fraîchement râpée

1 c. à table [15 ml] de zeste
d'orange frais (la partie la
plus éloignée de la peau
d'une orange râpée
finement)
1 ½ livre [750 g] de carottes,
pelées et râpées
7 tasses [1,75 l] de bouillon
de poulet (on peut
remplacer par du bouillon
de dinde ou de légumes)
½ tasse [125 ml] de riz blanc
non traité
½ tasse [125 ml] de crème à
fouetter
½ tasse [125 ml] de crème
sûre
2 tasses [500 ml] de jus
d'orange fraîchement
pressé

GARNITURE :
1 tourbillon de crème fraîche
ou de crème sûre

Brins d'estragon frais, si
désiré

1.   Dans une casserole de 4 à 5 litres, sauter les oignons dans le beurre ou l'huile d'olive, jusqu'à translucides. Ajouter le cumin, l'estragon, le thym, le sucre ou le miel, le sel, le poivre noir moulu, la muscade et le zeste d'orange. Ajouter les carottes et cuire sur feu moyen pendant 3 ou 4 minutes, en brassant souvent. Ajouter le bouillon de poulet et amener à ébullition. Ajouter le riz, brasser et réduire la chaleur pour mijoter, couvrir et cuire pendant environ 30 minutes, jusqu'au moment où le riz sera trop cuit et les carottes se désagrègeront.

2. Dans un mélangeur, mettre la soupe en purée, de petites portions à la fois, en prenant soin de ne pas trop remplir le
contenant pour éviter qu'il ne déborde. Remettre la soupe en
purée dans la casserole de cuisson et faire mijoter; avec le
fouet, incorporer la crème à fouetter et la crème sûre.

3. Juste avant de servir, incorporer en brassant au fouet
le jus d'orange fraîchement pressé. Garnir chaque portion du
velouté d'un tourbillon de crème fraîche ou de crème sûre et
de brins d'herbes fraîches. (Cette soupe se congèle très bien,
mais il faut la congeler avant d'ajouter la crème et le jus
d'orange.)

10

Une histoire d'amour et ses recettes

Aimer abondamment, c'est vivre abondamment; et aimer pour toujours, c'est vivre pour toujours.

— Henry Drummond

Une histoire d'amour et ses recettes

Diana von Welanetz Wentworth

J'ai rencontré mon mari actuel (il prétend être le dernier, en affirmant que mon premier mari était mon jeune mari) à l'occasion d'un déjeuner, ce qui était assez approprié. Son entrée en matière était : « Viendrez-vous vivre avec moi? »

Ted venait d'avoir 50 ans. Il était veuf depuis deux ans, alors qu'il avait perdu sa femme, Sharon, après une longue maladie. Comme il avait été heureux dans son long mariage, il était présentement très occupé à « interviewer » le plus de femmes potentielles pour remplir le rôle de nouvelle épouse/ meilleure amie.

Au début de sa recherche, des amis l'ont assuré que ce serait facile, que les femmes du monde entier attendaient impatiemment une superbe prise comme lui — beau garçon, taille moyenne, cheveux blond-roux, avocat prospère depuis 30 ans, père de deux filles adultes et propriétaire d'une maison avec vue. On lui avait dit de s'attendre à ce que les candidates se mettent en ligne dans la rue, petits plats en main.

Bien que quelques-unes se soient présentées, elles ne l'ont pas toutes aimé et aucune ne semblait la personne idéale. Il a donc fait connaître ses intentions à tous ceux qu'il rencontrait, en demandant des suggestions pour des candidates probables. Il était tenace dans sa quête. Il a cherché dans des groupes d'église et il a suivi toutes les pistes qu'on lui donnait. Il savait qu'elle était là, quelque part, et il était déterminé à la trouver.

À ce moment-ci de l'histoire, il vous sera utile que je vous raconte un peu ma vie pour mieux comprendre les circonstances qui ont fait que Ted et moi sommes ensemble. En novembre, l'année avant que je rencontre Ted, mon mari Paul von Welanetz et moi avons célébré notre 25e anniversaire. Notre mariage était un roman d'amour. Dès que j'ai vu Paul dans un hall d'hôtel à Hongkong en 1962, j'ai su qu'il était *l'homme de ma vie.* Je l'ai regardé sortir d'un ascenseur et j'ai été soudainement étourdie par le choc; il m'a coupé le souffle. Il m'a demandé d'où je venais, m'a invitée à dîner et, trois jours plus tard, nous étions fiancés.

Les jours qui ont suivi sont flous maintenant. Il était à Hongkong par affaires; je visitais l'Orient avec mes parents. Nous avions oublié les raisons pour lesquelles nous étions là. Nous avons erré dans la ville, main dans la main, en nous souriant, nous avons traversé la baie sur le Star Ferry et voyagé par téléphérique sur l'île, jusqu'au haut de Victoria Peak, où nous avons gravé nos initiales sur une roche.

DW
PW
62

Paul était un artiste. Pendant les mois qui ont suivi, il a écrit de charmantes lettres sur du papier fin bleu, qu'il insérait dans des enveloppes par avion qu'il couvrait de gentilles caricatures. Je l'appelais Tiger, il m'appelait Kitten, et nous étions certains qu'aucun autre couple n'avait été aussi en amour. Nous nous sommes mariés un an après nous être rencontrés dans une petite église qui n'existe plus dans mon village de Beverly Hills. Le ministre nous a dit : « Votre mariage sera votre ministère. »

Paul et moi avions la certitude d'être des âmes sœurs, que le destin avait voulu qu'on se rencontre. C'était un mariage très heureux. Nous nous sommes sentis liés étroitement dès le jour de notre mariage, comme si nous partagions une seule âme — et finalement, nous avons construit une carrière à partir de notre unité. Très tôt après notre mariage, j'ai commencé un cours qui a duré cinq années avec le chef Grégoire LeBalch, premier chef au célèbre Escoffier Room de l'hôtel Beverly Hilton. Paul me suivait dans la cuisine, hachant, pétrissant et ajoutant sa touche artistique aux plats que j'apprenais à préparer. Pendant ce temps, Julia Child commençait ses séries d'émission à la télévision, sous le titre *The French Chef,* ce qui a suscité l'intérêt de l'Amérique entière pour les techniques culinaires françaises classiques.

Mes cours de cuisine ont commencé presque par accident, le jour où j'ai cessé de fumer. Notre fille, Lexi, venait de naître et j'étais soudainement confinée à la maison pour faire face aux réalités et aux responsabilités d'une nouvelle maman. Lexi faisait la sieste et je voulais faire quelque chose pour occuper mes mains. J'ai donc mis trois poêlons à crêpes sur la cuisinière et j'ai commencé à faire des crêpes pour les congeler — déposant la pâte dans le premier poêlon, tournant la deuxième crêpe, mettant la troisième sur une serviette pour la badigeonner de beurre fondu avec un pinceau. Ce rythme occupé de mes mouvements m'a empêchée de penser à allumer une cigarette. Deux amies sont arrêtées chez moi et furent intriguées par ma méthode. Des centaines de crêpes plus tard, nous avons décidé, avec grand enthousiasme, de nous rencontrer le lendemain pour un cours sur la façon de faire des omelettes et la semaine suivante, pour des soufflés. Nous avions tellement de plaisir que le mot s'est passé rapidement et des étrangers ont bientôt téléphoné pour demander des informations sur les cours.

Comme les cours répondaient à un nouveau besoin d'expression et de créativité de ma part, Paul m'a encouragée à continuer dans cette voie afin de rencontrer de nouvelles personnes sans avoir à quitter la maison. Paul avait trouvé des chaises pliantes pour installer dans notre cuisine, et une nouvelle vocation venait de naître. Je donnais de quatre à cinq cours par semaine pendant qu'une gardienne jouait avec Lexi.

Paul s'est avéré un atout dans mes cours du soir avec ses conseils sur le vin et sur l'affûtage des couteaux, et avec son don pour créer des décorations et garnir les assiettes de nourriture. Paul cannelait artistiquement les chapeaux de champignons pour les sauter et garnir nos plats de poulet favoris.

Poitrines de poulet au champagne

4 portions

4 poitrines de poulet
   entières, désossées (voir
   Note) et la peau enlevée
¼ tasse [50 ml] de farine
1 c. à thé [5 ml] de sel
½ c. à thé [2 ml] de poivre
½ tasse [125 ml] de beurre
   ou de margarine
2 c. à table [30 ml] d'huile

8 oz [250 g] de champignons
1 tasse [250 ml] de crème à
   fouetter
½ tasse [125 ml] de
   champagne
8 gros champignons
1 c. à table [15 ml] de beurre
Jus de citron
Sel et poivre au goût
Persil haché ou autre herbe,
   pour garnir

Note : *Il est facile de désosser avec vos doigts au lieu d'utiliser un couteau à désosser — simplement faire glisser votre index en poussant le long des côtes et la viande se séparera facilement des os.*

1.   Mettre les 8 demi-poitrines de poulet entre deux morceaux de papier paraffiné et les aplatir légèrement avec le côté d'un maillet ou avec le dessous d'un poêlon. Mettre la farine, le sel et le poivre dans un bol et passer les poitrines dans le mélange, en enlevant l'excès de farine.

2.   Dans un grand poêlon avec couvercle, faire fondre le beurre ou la margarine avec l'huile sur feu moyen-fort. Brunir légèrement des deux côtés les poitrines enfarinées. Laver les champignons rapidement sous l'eau courante froide, en enlevant toute saleté avec vos doigts. Les essuyer immédiatement afin qu'ils n'absorbent pas l'eau, couper le bout des pieds et les trancher en quartiers à travers le pied. (Si vous utilisez des champignons shiitake, enlever et jeter les pieds.) Quand les poitrines sont légèrement brunies, ajouter les champignons, couvrir la casserole, diminuer la chaleur et cuire lentement pendant 10 minutes. Enlever le couvercle et la plupart de l'excès de beurre avec une cuillère. Ajouter la crème et le champagne (celui-ci peut être conservé au réfrigérateur pour

une autre occasion semblable — les bulles ne sont pas nécessaires) et laisser mijoter lentement, à découvert, pendant encore 5 minutes. Retirer du feu.

3. Pendant que les poitrines cuisent, enlever les pieds des gros champignons. Sauter les têtes de champignons dans une petite casserole avec 1 c. à table [15 ml] de beurre et quelques gouttes de jus de citron pendant 2 à 3 minutes.

4. Déposer les poitrines de poulet dans des assiettes à service chaudes. Assaisonner la sauce avec sel et poivre au goût. Si elle est trop épaisse, l'allonger avec un peu de lait ou de crème. Verser la sauce sur chaque poitrine et garnir avec une tête de champignon. Saupoudrer avec un peu de persil haché ou autre herbe. Ce repas est très bon servi avec asperges fraîches au début du printemps.

⁂

Rapidement, le mot s'est passé à propos du couple qui aimait cuisiner ensemble et du plaisir que nous avions avec nos étudiants. Peu après, il y avait une liste d'attente pour nos cours. Ces classes du début dans notre cuisine nous ont guidés vers une carrière de 25 ans, au cours de laquelle nous avons écrit six livres de recettes, nous avons donné des cours de cuisine qui ont connu du succès à la fois dans une boutique d'articles de cuisine sur Sunset Boulevard et chez Robinson, une chaîne de grands magasins à rayons, en plus d'avoir été coanimateurs d'une série quotidienne à la télévision nationale pendant trois ans, *The New Way Gourmet*.

Nous aimions notre travail et nous avons voyagé partout aux États-Unis, transportant nos casseroles, nos marmites et nos ingrédients pour apparaître devant la nation à *Good Morning America* et partout dans les talk-shows locaux du matin. C'était un défi que de voyager avec des couteaux bien affûtés, un robot de cuisine et tous les fruits et légumes dont nous avions besoin pour assembler des pièces montées à la caméra. Très souvent, nos vêtements sentaient nettement le persil moisi. Paul disait à la blague : « Pourquoi ne faisons-nous pas quelque chose de moins compliqué, comme élever des fourmis, dans notre prochaine carrière, ainsi nous voyagerons plus léger. »

Nous faisions la une des journaux qui faisaient la promotion de salons de l'alimentation dans des villes comme Toledo, Ohio, et Milwaukee, Wisconsin, où nous donnions des spectacles pour des auditoires de 3 500 à 4 500 personnes, deux fois par jour, pendant deux ou trois jours d'affilée. Je conserve précieusement une photo d'un grand chapiteau devant l'immense auditorium de Toledo, où on annonçait notre présence, suivie de celle de pianistes très célèbres :

Le Salon de l'alimentation de Toledo Blade

Avec Diana et Paul von Welanetz
La semaine prochaine : Ferrante et Teicher

Souvent, les meilleures démonstrations que nous avons données ont été celles où quelque chose clochait, et j'ai développé la réputation de rester imperturbable. Je pouvais calmement réparer une chose qui n'allait pas dans le bon sens, ou démontrer comment la transformer en autre chose. « Ne jamais s'excuser, disais-je. Rien n'est plus ennuyeux qu'un chef qui vous dit que la nourriture n'est pas comme il faut. »

Une seule fois, j'étais si troublée que je n'ai pas pu retrouver ma contenance. Une gentille dame sourde avait assisté aux cours pendant des années et elle s'assoyait toujours dans la première rangée pour pouvoir lire sur mes lèvres; elle me regardait un jour préparer omelette après omelette, les flambant avec du brandy, pour ensuite les faire sauter dans une assiette tout près avec un élan du bras spectaculaire.

« N'en avez-vous jamais échappé une? » m'a-t-elle demandé.

« Jamais! » me suis-je vantée, comme une des omelettes atterrissait sur le dessus de son pied, répandant du beurre partout sur son impeccable soulier de satin rose.

Imperturbable, intournable omelette aux pommes flambée

4 omelettes

ॐ

GARNITURE :
1 pot [24 oz / 720 ml] de
    compote de pommes avec
    des morceaux
1 c. à table [15 ml] de sucre
1 c. à thé [5 ml] de cannelle
    moulue
2 c. à table [30 ml] de jus de
    citron frais

Zeste finement râpé de 1
    citron (la partie jaune
    seulement)
Cognac ou brandy pour
    flamber l'omelette
¼ tasse [50 ml] de crème
    sûre

OMELETTE :
3 œufs par omelette
1 c. à table [15 ml] de beurre
    ou de margarine par
    omelette

1.   Commencer par préparer la garniture : combiner la
sauce aux pommes, le sucre, la cannelle, le jus de citron et le
zeste dans une petite casserole. Amener à feu doux et mijoter
lentement pendant 2 minutes pour dissoudre le sucre. Préparer une bouteille de cognac ou de brandy pour flamber l'omelette et ¼ tasse [50 ml] de crème sûre pour chaque portion.

2.   Pour faire chaque omelette, déposer un poêlon à omelette sur feu moyen-haut. Casser 3 œufs dans un bol à mélanger et battre au fouet pendant 30 à 40 coups. Quand le poêlon
est assez chaud, verser 1 c. à table [15 ml] de beurre ou de
margarine et faire tournoyer le poêlon pour enrober le fond et
les côtés. Quand le beurre a fondu, verser les œufs. Agiter les
œufs lentement avec le bout d'une spatule jusqu'à ce qu'ils
commencent à cuire. Maintenant, tout en faisant tourner le
poêlon délicatement de façon circulaire, lever les bords de
l'omelette avec la spatule pour permettre à la partie non cuite
des œufs d'aller en dessous — comme si on époussetait sous
un tapis. (Éviter de ramener la partie cuite vers le centre du
poêlon, sinon elle sera trop épaisse au centre.) Quand les œufs

sont juste fermes, réduire la chaleur et ajouter environ ½ tasse [125 ml] de la garniture, en ruban au centre. Utiliser la spatule pour plier les côtés sur la garniture.

3. Pour enlever l'omelette du poêlon, brassez-la douce-ment pour la décoller. La façon la plus spectaculaire de la tourner est de tenir une assiette de service chaude dans votre main gauche (les cuisiniers gauchers utiliseront leur main droite), de balancer le poêlon en haut dans un arc et d'inverser l'omelette dans l'assiette. Il faut de la pratique et un peu de courage. Une méthode plus prudente consiste à secouer l'ome-lette vers les bords du poêlon et de la tourner simplement avec soin dans l'assiette. Pour bien assimiler votre technique, sacri-fier une ou deux douzaines d'œufs pour pratiquer.

4. Pour flamber l'omelette, chauffer 1 ou 2 c. à table [15 ou 30 ml] de cognac ou de brandy dans une louche au-dessus d'une chandelle ou sur votre brûleur à gaz et allumer avec une allumette. Tenir le poêlon loin de vous et verser rapidement le liquide flambé sur l'omelette. Enlever votre main immédiate-ment pour éviter les flammes hautes qui se produisent quand le liquide est versé dans le poêlon. Secouer le poêlon genti-ment jusqu'à ce que la flamme s'éteigne. Tourner l'omelette sur une assiette de service et garnir avec une cuillerée de crème sûre.

۶**♪**

Une fois, sur le podium devant une grande foule à Milwaukee, Paul et moi portions des microphones sans fil pour éviter qu'ils s'enchevêtrent en passant l'un autour de l'autre dans la petite cuisine d'exposition. Soudain, Paul a disparu derrière les rideaux. Nous étions rendus au moment où c'était son tour de faire la démonstration. Je l'ai cherché, puis j'ai regardé dans la salle et j'ai demandé : « Où est-il allé ? » Les gens ont haussé les épaules.

Quelques instants plus tard, nous avons tous entendu, grandement amplifié, « AAAAATCHOUMMMM ! » Il s'était poliment retiré pour éternuer, mais il avait oublié qu'il por-tait un micro. La semaine suivante, la rédactrice de la chronique alimentaire a écrit dans son article que Milwaukee devait à Paul von Welanetz un très sonore *Gesündheit,* et elle a publié notre adresse à la maison. Nous avons reçu des centaines de cartes.

Mon moment le plus imperturbable s'est produit sur le plateau de notre série télévisée. Le réalisateur de l'émission nous avait donné des ordres stricts de ne jamais « arrêter l'enregistrement ». Ce n'était pas à nous de décider si une des séquences devait être reprise. Une des émissions fut tout à fait détraquée dès le tout début, un désastre n'attendait pas l'autre : Paul avait échappé des œufs et il nettoyait pendant que je faisais des crêpes, des crêpes françaises très minces, dans une poêle qui n'avait pas été préparée correctement. La crêpe a collé à la poêle et j'ai dû la décoller en la déchiquetant — quel gâchis! Paul et moi avons éclaté de rire et j'ai dit : « Nous sommes vraiment dans de beaux draps. »

Par contre, comme nous n'avons entendu aucune directive pour arrêter l'émission, Paul et moi avons poursuivi tout en échappant des assiettes et en riant nerveusement. Finalement, mon dernier geste fut de me diriger vers la cuisinière qui avait pris feu. En m'y dirigeant, j'ai dit : « Bon, nous avons ici une belle petite flambée. »

Paul a terminé sa garniture finale, nous avons levé nos verres pour un toast et avons entendu : « C'est dans la boîte! » Le producteur a diffusé cette émission telle quelle, et tous — producteurs, réseau, auditoire — l'ont adorée!

Nous avons été pendant trois ans les « Gourous gastronomes » pour Robinson, une grande chaîne de magasins à rayons, et nous étions dans toutes leurs publicités et sur les vidéos en magasin, faisant de nombreuses démonstrations pour des centaines de personnes à la fois, et faisant goûter aux spectateurs tous les plats que nous avions préparés. Nous avions une aide à plein temps pour nous aider à cuisiner les échantillons et à vérifier les listes d'emballage détaillées qui incluaient, en plus des fourneaux, des brûleurs au gaz, des miroirs au-dessus de la tête et un système de son élaboré avec microphones que Paul installait dans les salles pendant que je préparais les plateaux de provisions dont nous aurions besoin. Tout notre équipement pouvait entrer dans une cuisine pliante portable sur roues, que nous roulions sur une rampe dans notre autobus Volkswagen, qui portait le numéro de plaque PWDW62. Sûrement, il devait y avoir des moyens plus simples de gagner sa vie, mais c'était amusant et jamais ennuyeux.

Nous avons même voyagé internationalement en animant une séric de « Croisières gastronomiques » pour les lignes Princess Cruise, sur lesquelles nous avions invité des amis qui cuisinaient, James Beard, Craig Clairborne et Wolfgang Puck, à se joindre à nous pour différentes destinations en mer. Avec toutes ces délicieuses pâtes servies tous les jours sur les bateaux de croisière, voyager s'est avéré une expérience à bien des égards!

Nous avons nommé ce plat en l'honneur du drapeau italien en raison de ses couleurs distinctives blanches, vertes et rouges. C'est une merveilleuse idée que de servir ce plat comme salade de pâtes en tout temps, et la recette peut se multiplier à l'infini. Les restes ne sont pas à négliger.

Pasta tricolore à bord

8 portions

èと

⅔ tasse [150 ml] d'huile
   d'olive extra vierge
2 gousses d'ail
Feuilles de 2 grosses bottes
   de basilic frais
½ botte de persil frais
½ oignon rouge moyen

5 grosses tomates mûres
1 à 2 c. à thé [5 à 10 ml] de
   sel
¾ c. à thé [3 ml] de poivre
   fraîchement moulu
1 ½ livre [750 g] de pâtes
   sèches de votre choix (le
   penne est un bon choix)

1. Verser l'huile d'olive dans un grand bol de service. Émincer finement l'ail, le basilic frais, le persil, l'oignon et les tomates. Déposer dans le bol de service avec le sel et le poivre frais moulu. Couvrir et laisser à la température de la pièce pour au moins une heure afin de mélanger les arômes.

2. Juste au moment de servir, cuire les pâtes dans beaucoup d'eau bouillante jusqu'à peine tendres et encore fermes (*al dente*). Égoutter et rincer; verser et remuer immédiatement dans la sauce. Servir chaud. Les restants peuvent être réfrigérés pour servir en salade de pâtes le lendemain.

Notre carrière de cuisiniers fut une grande aventure tant qu'elle a duré, mais au début des années 1980, l'Amérique a perdu intérêt pour la cuisine maison. Les femmes entraient sur le marché du travail en nombre record et elles ne voulaient pas tant cuisiner qu'être très bien nourries. Les restaurants qui servaient toutes sortes de spécialités ethniques et des variations de la nouvelle cuisine française se sont multipliés. Les chefs étaient soudainement des superstars.

En 1985, notre carrière ne nous semblait plus aussi importante; l'art de bien manger devenait moins un art et plus un exercice pour gens branchés. La nourriture était devenue la nouvelle forme d'art, et nous avions l'impression d'être bousculés dans notre carrière pour rivaliser dans ce domaine. Le plaisir n'était plus là et il était temps de changer.

Par un heureux hasard, nous avons été invités à assister à la Première Conférence internationale sur la Paix en Union soviétique, dans le cadre d'un documentaire télévisé. Notre groupe venait de plusieurs couches de la société, et nous connaissions et admirions la plupart d'entre eux. Il y avait les acteurs Dennis Weaver, Mike Farrell et Shelly Fabares, les auteurs Alan Cohen (*The Dragon Doesn't Live Here Anymore*), la futuriste Barbara Marx Hubbard, la conférencière internationale Patricia Sun, des professionnels de divers milieux, des ménagères, des humanistes et des activistes dans le mouvement du potentiel humain. Nous n'avons pas pu résister à l'invitation.

Nous étions en mai 1985 — l'idéologie de la Guerre froide dominait encore les relations internationales. Notre rôle dans ce projet de base était d'être des citoyens diplomates et de nous mêler aux gens que nous rencontrerions là-bas pour créer un genre de communication de citoyen à citoyen qui pourrait déboucher sur un plus grand dialogue pour la paix entre les gouvernements des deux nations les plus puissantes sur terre.

Aller en Russie semblait une aventure très positive à entreprendre. Nos amis et nos familles n'étaient pas enthousiastes et les émissions de nouvelles télévisées trouvaient l'idée étrange et suffisamment audacieuse pour interviewer plusieurs d'entre nous avant notre départ.

Nous sommes partis avec un groupe de 80 personnes pour Helsinki, où nous avons été endoctrinés pendant trois jours sur le protocole, la langue et la logistique de l'URSS. Par la suite, nous sommes montés à bord d'un train pour le voyage, nous avons traversé la frontière en direction de Leningrad, puis Moscou. Être des *Amerikanski* dans l'Empire du Diable est devenu une de nos expériences des plus exigeantes — et finalement des plus enrichissantes — de notre vie. Nous avons présenté des bannières à de nombreux comités pour la paix, nous avons visité des églises et nous avons pris le thé chez Vladimir Posner, qui était alors la liaison officielle entre le gouvernement soviétique et les touristes américains.

Nous avons découvert pendant ce voyage qui a transformé notre vie que les Soviétiques étaient des gens comme nous. Nous avons appris que, pendant la Deuxième Guerre mondiale, ils ont dû subir des bombardements sur Leningrad pendant 900 jours consécutifs, alors que plus d'un million de personnes étaient mortes de blessures ou de faim. Toutes les personnes que nous avons rencontrées avaient perdu des êtres chers pendant la dévastation. Leurs yeux reflétaient une vie de souffrance.

Les Russes, qui avaient connu invasion sur invasion, n'étaient pas enclins à faire confiance aux étrangers, particulièrement ceux qui venaient d'un pays engagé dans une course à l'armement avec le leur. On leur avait enseigné l'anglais dans leurs écoles et ils avaient étudié notre histoire.

Ils savaient qu'il n'y avait jamais eu de guerre importante sur le sol américain. « Pourquoi votre pays fabrique-t-il autant d'armes? » demandaient-ils.

Un jour, en voyant un charnier à Leningrad qui contenait 475 000 corps, nous étions si attristés que nos sentiments sur le vrai sens de la vie ont changé pour toujours. Quand nous sommes revenus à la maison, nous étions plus confus que jamais sur la direction à donner à notre carrière. Plus que tout, nous voulions faire quelque chose qui avait un sens.

Peu après, nous avons assisté à un séminaire sur la motivation à Hollywood, pour les gens de l'industrie du spectacle, et nous nous réunissions trois jours par semaine, de 6 h à 8 h. C'était exaltant d'être debout avant l'aube et d'être accueillis par des centaines de personnes pleines d'énergie qui apportaient activement elles aussi des changements dans leur vie.

Un jour, après des mois de quête intérieure, nous avons eu un coup de folie. Les Power Breakfasts devenaient la rage à New York, Los Angeles et autres grandes villes. Avec nos talents d'animateurs et notre expérience du divertissement, nos connaissances pour installer des systèmes de son, et le reste, nous pourrions créer un club du petit-déjeuner tôt le matin où nous pourrions réunir, une fois par semaine, des gens qui travaillent consciemment à améliorer leur qualité de vie et le monde autour d'eux. Nous aurions, pensions-nous, tout le reste de la journée de libre pour écrire ou faire quoi que ce soit d'autre que nous déciderions.

Nous avons trouvé un restaurant élégant qui a accepté d'ouvrir pour un petit-déjeuner hebdomadaire, et nous avons envoyé des invitations à tous ceux qui partageaient notre intérêt. Plusieurs de nos premiers membres n'étaient pas encore connus, mais étaient au début d'une carrière très fructueuse : Dr Barbara DeAngelis, psychologue des médias, les auteurs à succès Louise L. Hay et le Dr Susan Jeffers, les conférenciers motivateurs Jack Canfield et Dr Mark Victor Hansen, et les Drs Harold Bloomfield et Sirah Vettese.

Nous avons appelé cette rencontre « The Inside Edge » [L'avantage des initiés]. Nous n'avions aucune idée de son succès ni à quel point elle demanderait du temps. En moins de trois mois, nous avons ouvert un deuxième chapitre à 80 kilomètres au sud de Los Angeles, dans le comté d'Orange, et par la suite, un troisième, à 190 kilomètres au sud de Los Angeles, à San Diego. Trois jours par semaine, nous nous levions à 3 h 30 et nous conduisions dans la noirceur pour arriver assez tôt pour installer les microphones, les étiquettes pour les noms et tout le nécessaire pour les réunions. Nous y consacrions 14 heures par jour, au moins six jours par semaine.

En février 1986, nous avions plus de 500 membres et les affaires étaient florissantes. Le *Los Angeles Magazine* a publié un article spécial pour la Saint-Valentin, où Paul et moi étions décrits comme « l'un des couples les plus romantiques de Los Angeles ».

Nous étions pleins d'énergie et d'enthousiasme pour notre nouvelle entreprise, mais nous avions peu d'expérience en affaires. En conséquence, les quatre années qui ont suivi ont été chargées de défis. Nous badinions en disant que nous étudiions pour obtenir notre doctorat en *Improvisation.* Cette période fut la plus agréable et la plus difficile de notre vie.

En mai 1988, nous avions terminé une émission pilote pour un programme de télévision qui s'intitulerait : « The Breakfast Club » avec le producteur Vin DiBona, le créateur de l'émission à succès *America's Funniest Home Videos.* Nous nourrissions de grands espoirs pour l'avenir.

Puis en novembre, Paul et moi avons fêté notre 25e anniversaire. Des témoignages de félicitations sont arrivés de partout — d'amis, de parents, de gens qui nous connaissaient par nos écrits et par notre carrière à la télévision, de personnes qui nous aimaient et qui croyaient que nous leur appartenions un peu. Nous étions la preuve vivante, comme deux personnes dévouées qui s'adorent, que les romances du genre conte de fées peuvent se réaliser *et* durer.

J'avais l'habitude de dire à Paul en riant : « Si tu meurs avant moi, je ne te parlerai plus jamais! » Nous riions bien de nos petites blagues parce que nous étions tellement certains que nous mourrions ensemble dans un avenir lointain, dans un écrasement d'avion ou un tremblement de terre, sans douleur, et que nous serions toujours ensemble. Un cercueil double était ce que nous espérions à demi.

Nous avons passé notre anniversaire à Laguna Beach dans un appartement au bord de la mer avec une vue imprenable sur l'océan, qui nous avait été prêté par des amis. Tout en sirotant du champagne et en admirant le coucher du soleil, nous avons pratiqué un rituel d'anniversaire qui consistait à allumer une chandelle et passer les quelques heures suivantes à nous rappeler nos moments les plus beaux, les triomphes que nous avons célébrés, et les luttes que nous avons vécues. Remplis de gratitude pour notre vie ensemble, pour les tournants et les rebondissements de notre carrière, pour notre fierté en notre fille de 20 ans, nous riions et pleurions et nous nous félicitions l'un l'autre.

« Qu'aurions-nous changé durant ces années? » nous demandions-nous. La réponse était simple : « Seulement notre résistance à tout ce qui arrivait à ce moment-là. »

Nous nous sommes habillés pour le dîner, Paul dans son smoking et moi dans une nouvelle robe, et nous sommes allés dans un restaurant que nous aimions tous les deux pour un dîner à la chandelle où on servait une combinaison de cuisine chinoise et européenne. Cela nous a rappelé nos fréquentations à Hongkong, et nous a fourni d'autres preuves que les frontières internationales ne faisaient pas que commencer à tomber, mais qu'elles créaient un mélange. Au menu, il y avait des mets exotiques comme la recette qui suit, laquelle est une aventure à réaliser, pourvu que les ingrédients chinois soient disponibles.

Pizza de Pékin

Pizza de 12 pouces [30 cm]

> ?◖

Une croûte de pizza commerciale de 12 pouces, disponible fraîche dans la plupart des grands marchés.

GARNITURE :

1 c. à table [15 ml] d'huile de sésame foncée
3 c. à table [45 ml] de sauce hoisin
1 c. à table [15 ml] de gingembre frais émincé
1 botte d'échalotes finement hachées (avec quelques tiges vertes)
1 c. à table [15 ml] de graines de sésame grillées
½ canard rôti chinois (la viande déchiquetée et la peau réservée)

6 champignons frais shiitake, tranchés (ou des shiitake séchés, trempés, essorés et tranchés, les pieds enlevés)
1 tasse [250 ml] de mozzarella partiellement écrémé, râpé
Morceaux de peau de canard réservés
1 c. à table [15 ml] de coriandre frais finement haché, pour garnir

1. Préchauffer le four à 450°F [230°C] et mettre la grille du four au tiers du bas. Sur une croûte de pizza, mettre la garniture dans l'ordre suivant, en laissant 1 po [2,5 cm] d'espace tout autour : huile de sésame, sauce *hoisin,* gingembre frais, échalotes tranchées, graines de sésame, viande de rôti de canard déchiquetée, champignons tranchés, mozzarella, morceaux de peau de canard réservés.

2. Cuire environ 20 minutes, ou jusqu'à ce que la croûte soit brunie et que la peau du canard soit très croustillante. Parsemer le dessus de la pizza avec la coriandre fraîche. Laisser reposer 10 minutes avant de couper en pointes pour servir.

?◖

Après le dîner, nous sommes retournés au même endroit sur le divan pour allumer une deuxième chandelle, avec l'intention d'établir des objectifs pour les *prochaines* vingt-cinq années, mais aucun de nous n'avait beaucoup à dire. J'ai eu un pressentiment : « Est-ce tout? Avons-nous tout complété? » En allant au lit, j'étais hanté par ces questions, me demandant d'où elles venaient.

Deux jours plus tard, Paul s'est senti malade. Ce qui semblait au début une pneumonie s'est avéré être un cancer du poumon. Il n'a survécu que quatre mois.

Dix jours avant sa mort, Paul et moi avons eu une discussion cœur à cœur sur la façon dont il voulait que ses affaires soient réglées s'il devait mourir. Bien que sous sédatifs et souffrant, il s'est efforcé de rester présent avec moi, et il semblait être redevenu lui-même pendant une heure ou deux, le temps que nous téléphonions à un avocat pour faire les arrangements. Ce travail pénible terminé, je l'ai remercié de ses efforts héroïques. Il a fermé les yeux et, croyant qu'il avait glissé encore une fois dans une brume de médicaments, je me suis levée pour aller à la cuisine.

« Je ne veux pas que tu sois seule. » Ses mots étaient fermes et clairs.

« Alors, *envoie* quelqu'un! » ai-je répliqué aussitôt, surprise moi-même.

« Je le *ferai*! » a-t-il répondu.

Il l'a fait.

Au moment où Paul est mort, je me suis sentie soudainement grandie, comme s'il s'était fusionné directement en moi. Je suis sortie seule de l'hôpital après minuit, la nuit était éclairée par une lune brillante et il ventait; c'était une sensation irréelle, l'air étincelait et était rempli d'électricité. Une paix profonde m'a envahie et j'ai senti qu'il y aurait encore une nouvelle partie à notre relation d'amour.

Bien que sa présence physique me manquât, je ne me sentais pas pour autant seule parce que je pouvais sentir qu'il était avec moi. Peut-être qu'en nous perdant l'un l'autre physiquement, nous pourrions être ensemble d'une nouvelle façon, d'une façon qui transcende la mort physique.

J'avais l'impression que Paul était avec moi à chaque instant pendant les jours qui ont suivi. Quand j'étais seule, je lui parlais à haute voix et je ressentais ses réponses. Le soir précédant la messe du souvenir, je me suis préparée à me coucher et j'ai soudainement ressenti un vide là où je sentais sa présence. *Où est Paul?,* me suis-je demandé.

« Où es-tu? » Pas de réponse.

Quand je me suis réveillée le matin suivant, je pouvais le sentir à nouveau. Je percevais qu'il nous encourageait et qu'il nous réconfortait, Lexi et moi, pendant que nous terminions les préparatifs de dernière minute pour le service.

J'ai écrit à tous ceux que nous connaissions :

Paul et moi croyions que la vie de chacun est une œuvre d'art. Notre mariage était notre chef-d'œuvre, une riche tapisserie d'amour, de vie et de croissance, tissée brillamment et spectaculairement avec triomphes et célébrations. L'œuvre est maintenant terminée. Lexi et moi sommes remplies de gratitude d'avoir pu ces derniers mois nous sevrer doucement de l'attitude protectrice de Paul. Nous vous demandons de le libérer pour son plus grand bien, et de vous souvenir de lui avec tous les hommages que nous ressentons pour lui dans notre cœur.

Des centaines de personnes sont venues, principalement des membres du Inside Edge, plus nos familles et plusieurs vieux amis du temps où nous cuisinions. Mara Getz, la chanteuse préférée de Paul, a chanté « The Wind Beneath My Wings » accompagnée par son ami, le guitariste Zavier. Le ministre, Dr Peggy Bassett, a ensuite invité ceux qui étaient rassemblés à partager des histoires sur Paul. En les racontant, nous nous sommes tous rappelé sa bonté et sa noblesse, comment il avait vécu avec courage, sagesse et cœur. Pendant que les amis partageaient leurs souvenirs préférés du temps passé avec lui, et racontaient ses manies touchantes, nous pouvions tous ressentir un degré de joie et de célébration s'élever en nous, et dans mon cœur je pouvais entendre le rire familier de Paul, sentir sa douce étreinte.

Après le service, un des amis de Paul du groupe de discussion pour hommes, The Razor's Edge, m'a dit : Nous avons fait une fête, un genre de veillée pour Paul la nuit dernière, et c'était merveilleux. Nous avions l'impression qu'il se trouvait vraiment parmi nous. »

« Oh, c'est *là* qu'il était! » ai-je répondu, ravi de connaître la raison de son absence la nuit précédente.

Notre amie Marylin est arrivée traînant une remorque remplie de 500 ballons gonflés à l'hélium. Après le service, tous se sont rassemblés sur le gazon à l'extérieur de l'église pour les lancer ensemble vers le ciel. Les ballons flottaient au loin, disparaissant dans les nuages, mais un restait derrière, s'agitant et dansant dans la brise. Nous savions tous que c'était Paul qui nous disait adieu.

Une jeune femme, Andrea Bell, avec qui Paul et moi nous étions liés d'amitié et que nous avions aidée plus tôt dans sa carrière, était devenue un des traiteurs les plus réputés de Los Angeles. Elle a téléphoné la veille du service pour demander si des personnes viendraient à notre maison par la suite. Je n'y avais pas pensé, mais j'aimais l'idée, et elle a offert de fournir la nourriture. Plus de cent personnes sont venues pour y trouver un buffet somptueux de croissants sandwiches, de salades de pâtes et de desserts. Je n'oublierai jamais ce geste de bonté. (Ne manquez pas de faire le Velouté de carottes à l'orange d'Andrea, à la page 259. C'est spectaculaire.)

Les amis et la famille craignaient que je sois dans un état de déni de réalité pendant les mois qui ont suivi la mort de Paul, et je l'étais probablement. Si oui, le déni est merveilleux; j'avais plutôt l'impression que c'était un état de grâce.

Avec l'aide de notre fille, Lexi, et de Lauren, ma directrice au bureau, j'ai continué à gérer notre entreprise.

Dr Barbara DeAngelis, qui était devenue une amie très proche juste avant le décès de Paul, m'a dit : « Diana, Paul t'a ouvert les yeux sur tes capacités. Il a passé sa vie à t'encourager et à te nourrir. Sa mission ne sera pas terminée avant que tu puisses marcher seule comme un être humain indépendant. »

Paul et moi nous sommes mariés quand j'avais seulement 22 ans. Marcher seule était une aventure tout à fait nouvelle pour moi, et j'avais peur, tout en étant intriguée par le défi. Si je pouvais seulement apaiser la douleur qui m'envahit parfois. Eh bien, peut-être que je le pourrais!

Paul et moi avons tous deux été impressionnés des résultats obtenus par Tim Piering, un de nos conférenciers du matin les plus populaires et l'auteur de *Breaking Free to Mental and Financial Independence,* pour aider les gens à surmonter leurs peurs en faisant ce qui les effraie le plus. J'ai décidé de prendre rendez-vous avec lui.

Nous nous sommes rencontrés tôt un samedi matin à son bureau à Sierra Madre. Nous avons parlé pendant quelque temps et il m'a demandé si Paul avait voulu que je sois affligée. Je trouvais difficile d'imaginer qu'il l'aurait voulu. Alors, Tim m'a conduite en auto bien haut dans les montagnes avoisinantes. Il a stationné l'auto et m'a emmenée sur un pont qui traversait le lit asséché d'une rivière 100 mètres plus bas. J'ai regardé pendant qu'il s'attachait avec des cordes et une poulie, et je l'ai observé monter sur le garde-fou et descendre au fond du canyon. En remontant la colline, il a dit : « Veux-tu essayer? »

« Pas question! »

Il y est allé encore une fois, en me montrant comment il pouvait manœuvrer la poulie pour monter et descendre, et pourquoi une corde de sécurité était là, juste au cas. La chose semblait très sécuritaire. J'ai commencé à penser que je pourrais peut-être le faire et je lui ai dit que j'essaierais, un de ces jours. Ce petit encouragement a suffi à Tim pour qu'aussitôt il m'installe le matériel d'alpinisme et attache une corde à l'anneau pour la sécurité. Il m'a montré comment manier graduellement la poulie et comment faire un arrêt complet pendant la descente. Il s'est attaché avec la corde de sécurité et a dit : « D'accord, monte sur le garde-fou. »

« C'est facile à dire pour toi. »

« C'est une métaphore, Diana, jusqu'où es-tu prête à vraiment aller pour puiser l'or dans ta vie. »

Je ne me rappelle pas avoir jamais été aussi terrifiée physiquement. Moi qui avais des cauchemars à répétition, me voyant dans mes rêves vaciller sur le rebord d'une fenêtre, tremblant à la seule idée de passer ma jambe par-dessus le garde-fou. Très, très lentement, j'ai monté une jambe en disant : « Oh, mon Dieu, j'ai tellement peur ! » Tim m'a tenu les deux mains sur le garde-fou pendant que je passais la deuxième jambe, en m'appuyant le plus possible sur lui.

« Oublions tout ça », lui dis-je.

« Tu n'es pas obligé de le faire, Diana. C'est ta décision. »

Encore une fois, j'ai décidé d'essayer.

« Maintenant, enlève une main et tiens la corde fermement pour ne pas commencer à bouger. »

Rendue là, j'avais si peur que je bêlais comme un agneau. Puis, j'ai fait comme Tim avait dit. Je crois que ce fut le moment crucial, celui de laisser aller la première main. Ensuite, la deuxième main, et voilà, je balançais en petits arcs par-dessus le canyon. Tout va bien pour le moment.

« Maintenant… très lentement… descends de quelques centimètres. » Tout allait bien. À ce moment-là, la peur s'est transformée en excitation. J'ai passé beaucoup de temps à me glisser jusqu'en bas, en savourant la vue et ma victoire. Tim est descendu pour me rejoindre.

« Vois ce que tu as fait, Diana ! Tu l'as *fait* ! »

Oui, j'ai réussi, n'est-ce pas ?

Voici une recette que je trouve réconfortante à préparer quand le monde est sens dessus dessous. La pâte prend toutes sortes de teintes bizarres quand je la mélange, du pourpre à un gris brun affreux, résultat de cette chimie intéressante. Jusque-là, nous n'avons aucune idée du beau pain très satisfaisant qu'il deviendra.

Pain fou aux prunes

Un pain de 9 x 5 pouces [23 x 12 cm]

❧

La recette est une courtoisie de Frances Pelham.

1 boîte [14 oz / 398 ml] de prunes pourpres
¼ livre [125 g] de beurre
2 c. à thé [10 ml] de bicarbonate de soude
2 tasses [500 ml] de farine tamisée
1 tasse [250 ml] de sucre
½ c. à thé [2 ml] de sel

½ c. à thé [2 ml] de cannelle moulue
½ c. à thé [2 ml] de clou de girofle moulu
½ tasse [125 ml] de raisins secs sans pépins
¾ tasse [175 ml] de noix finement hachées
Fromage à la crème fouetté, pour servir

1.   Préchauffer le four à 350°F [175°C]. Beurrer et enfariner un moule à pain de 9 x 5 po [23 x 12 cm]. Égoutter les prunes; enlever les noyaux et, dans un mélangeur ou un robot de cuisine, réduire en purée. Dans une casserole, chauffer la pulpe avec le beurre en brassant jusqu'à fondu. Retirer du feu et mettre dans un grand bol à mélanger. Ajouter le bicarbonate de soude — le mélange deviendra mousseux et prendra la couleur peu appétissante de charbon brun — ne pas s'en inquiéter. (Je vous ai dit que c'était un pain fou!) Laisser le mélange refroidir jusqu'à tiède.

2.   Ajouter la farine, le sucre, le sel, la cannelle, le clou de girofle, les raisins et les noix. Bien mélanger et verser ensuite dans le moule préparé. Cuire 70 à 80 minutes, jusqu'à ce que le centre soit ferme. Refroidir 1 heure dans le moule et le tourner sur une grille. Servir chaud avec du fromage à la crème fouetté. Délicieux!

« Qui suis-je sans Paul? » Je me le suis demandé pendant les semaines qui ont suivi. Quand des amis m'ont téléphoné pour m'offrir leur maison pendant une semaine sur une plage tranquille à Kauai, j'ai accepté avec empressement. Là-bas, j'ai vécu en solitaire, marchant, pensant, écrivant mon journal, suivant presque tous mes caprices.

J'ai exploré ma nouvelle liberté et, pour la première fois depuis 26 ans, je me suis demandé ce qui *me* faisait plaisir, au lieu de *nous*. J'ai apprécié sans fin les journées privées, ininterrompues, à lire, à chercher des coquillages sur la plage, à manger du maïs soufflé pour déjeuner si je le voulais. Pendant cette solitude, des désirs sexuels dormants se sont réveillés. En me regardant dans la glace, je me suis demandé si, en temps voulu, mon vieux corps de 48 ans se recyclerait dans une nouvelle relation. Dans les restaurants et les marchés, je commençais à observer les hommes et à les étudier. Comment un homme pourrait-il tolérer de vivre à mes côtés, avec le souvenir du mari que j'ai eu? Paul était beau, sage, poète, bon, dévoué, romantique, un prince parfait. J'ai fait l'envie de plusieurs femmes au cours des ans. Je ne pouvais pas m'imaginer être avec quelqu'un d'autre.

Pendant ce temps, Ted, qui cherchait toujours, a été invité à notre réunion petit-déjeuner dans le comté d'Orange. Il a dit plus tard à sa fille que, dès qu'il est entré dans le restaurant, il *savait* que sa future femme était dans la pièce.

C'était le premier matin que je retournais au travail. J'étais debout sur le podium devant le microphone, face à une salle bondée, pour animer la réunion du matin. Je connaissais bien les personnes présentes — ils étaient des amis et des supporters qui avaient été près de moi pendant les derniers mois et qui avaient hâte d'entendre le récit de mon séjour à Hawaii et comment j'allais. Sachant que les gens sont mal à l'aise face à ceux qui ont récemment perdu un être cher, j'ai décidé de traiter le sujet avec légèreté et de les mettre à l'aise. J'ai décrit comment mon séjour à Hawaii avait été beau et relaxant, et j'ai dit en riant : « J'apprécie ma solitude, tellement en fait, que le premier homme qui me regardera avec l'idée de vivre ensemble pourrait être victime d'un meurtre à la hache! » Ils ont répondu par des rires étonnés et des applaudissements.

Après la réunion, pendant que je me mêlais au groupe, une voix derrière moi a demandé : « Viendrez-vous vivre avec moi? »

J'ai tourné les talons et j'ai regardé dans les yeux bleu clair d'un homme que je n'avais jamais vu auparavant. Surprise, j'ai levé la main comme si te tenais une hache et il s'est esquivé. J'ai souri et j'ai continué mon chemin, en n'y pensant plus.

Je continuais de profiter de ma solitude pendant les mois qui ont suivi. Quand on est dans une relation, ou même si on prend soin d'un enfant ou qu'on l'élève, il y a toujours place à l'interruption. Cette permission est au cœur de toute relation. Maintenant, j'appréciais cette période où je savais que je ne serais pas interrompue. Je passais du temps seule à faire ce qui me plaisait, sentant que Paul était encore avec moi à mesure que les journées passaient, même si ce n'était plus aussi intense qu'au début.

Chaque mercredi soir, pour éviter de conduire entre Los Angeles et San Diego, j'allais rester seule au même appartement sur la plage que nos amis, les Probstein, nous avaient prêté pour notre anniversaire. Cet appartement, meublé simplement, avec tapis et beaucoup de meubles couleur sable, des masses de coussins bleu océan, ce coin paisible était devenu mon cocon. Un soir où j'écoutais de la musique du système de son extraordinaire, alors que le soleil se couchait, j'ai eu envie de danser. Je portais une robe de nuit que j'aimais, et longtemps, j'ai tourbillonné, j'ai fait des pirouettes et je me suis laissée porter par la musique. Le téléphone a sonné. C'était Lexi. « Que fais-tu? »

« Je danse en robe de nuit sur la musique de Barbra Streisand et je regarde le coucher du soleil. »

« Je suis contente de ne pas être là. »

« Moi aussi, ai-je dit, parce que je ne pourrais pas faire ça s'il y avait quelqu'un ici. »

J'étais seule, mais parce que je sentais encore la présence protectrice de Paul, je n'étais pas solitaire. J'avais plusieurs amis chez les hommes dans mon entreprise, et je prenais souvent le lunch avec l'un ou l'autre; pourtant, après quelques mois, j'ai commencé à me demander à quoi ressemblerait d'aller à un rendez-vous. Si Paul devait envoyer quelqu'un, comment le saurais-je?

Un matin, la conférencière au déjeuner de San Diego a parlé du flirt. C'était un concept auquel je n'avais pas pensé depuis très longtemps. Elle a expliqué que le flirt voulait simplement dire être amical et se rendre disponible. J'étais embarrassée rien que d'y penser.

Elle a dit : « Allez, tout le monde, levez-vous et regardez autour. Trouvez quelqu'un du sexe opposé et allez vers lui ou elle. Vous devez lui dire la chose la plus extravagante possible. »

J'ai regardé autour pour voir si je pouvais m'éclipser sans bruit de la salle, mais je pouvais entendre des gens rire et bien s'amuser, alors je me suis forcée à participer.

J'ai aperçu un vieil ami tout près, un homme très séduisant, qui vivait une relation sûre.

En rougissant terriblement, j'ai bredouillé : « Holà, Bill! Je crois que tu es sexy! »

Il m'a serrée dans ses bras et a essayé son boniment sur moi. « Holà, Diana! Je crois que tu as un corps vraiment magnifique. »

Nous avons ri de nos sottises, et par ce simple exercice, l'idée de flirter m'a semblé drôle, et beaucoup, beaucoup plus facile.

Le samedi suivant, il y avait le pique-nique annuel du Inside Edge, et on attendait 400 personnes. Le soir précédent, sous le coup de l'impulsion, je suis allée dans un magasin de jouets et j'ai acheté un drôle de pistolet à eau qui ressemblait à un hot-dog. Pendant le pique-nique, je me suis amusée à arroser différentes personnes, surtout des hommes, qui me pourchassaient plutôt poliment. Chacun était respectueux; personne n'était espiègle. J'étais, après tout, une sorte de mère supérieure qui dirigeait l'organisation.

Quand j'ai vu Ted Wentworth (qui était très mignon ce jour-là — un peu comme Robin Williams en shorts avec une casquette de baseball), je l'ai arrosé, lui aussi. Mais sa réaction a été très différente de celle des autres. Il s'est mis à courir après moi pour se venger. Il m'a attrapée! Avant que je le sache, il m'avait enlevé de force le pistolet des mains et m'arrosait à mon tour, juste sur le visage! Fini mon côté imperturbable — j'étais sous le choc.

Il a souri de l'expression sur mon visage et a dit : « Oh, pardon, jolie dame! Allez, venez avec moi. »

Il m'a emmenée à une fontaine tout près pour remplir mon pistolet. En me le rendant, il a demandé : « Alors, allez-vous venir dîner avec moi? »

Notre premier rendez-vous fut un dîner tôt — avant une réunion où nous étions attendus tous les deux. Le dîner m'a plu. La semaine suivante, alors que j'étais de nouveau dans le comté d'Orange, nous avons pris rendez-vous pour dîner chez Ted. J'étais impressionnée qu'il veuille cuisiner pour moi, car il connaissait mes antécédents. (Tout au long des ans, peu de gens se sont offerts à cuisiner, car ils pensaient que Paul et moi ne mangions qu'aux endroits les plus sophistiqués où les plats étaient présentés élégamment — tels des œufs de caille et des légumes de serre miniatures.) En suivant ses directives par téléphone vers sa maison, je me suis sentie très timide et quelque peu craintive de me sentir prise en souricière dans la tanière d'un étrange célibataire.

Sa maison tout en haut de Spyglass Hill était très belle. Il était surtout fier de son jardin, aménagé pendant la maladie de sa femme décédée, et d'une pierre de grès rose qu'il avait choisie dans une carrière à Sedona, Arizona. Il m'a fait faire le tour du propriétaire, puis m'a servi du poisson grillé avec des pommes de terre au four que nous avons mangé sur le patio. Il a oublié de servir les petits pains qu'il avait mis au four et j'ai trouvé cela charmant.

Pour le dessert, Ted a suggéré d'aller prendre un cornet de crème glacée et marcher près de l'île Balboa. Il m'a avoué plus tard que j'avais quelques années de plus que ses spécifications de sa future femme idéale, alors il m'a mise à l'épreuve. « Voulez-vous y aller en auto ou sur ma motocyclette? »

« Oh, prenons la motocyclette. » Ouf! J'ai bien répondu!

Après avoir marché pendant plus d'un kilomètre, Ted m'a pris la main pour m'aider à monter sur le ferry, et il l'a reprise pour m'aider à descendre, mais la seconde fois, il ne l'a pas laissée. Nous avons marché et parlé pendant des heures. C'était la première fois que je tenais la main d'un autre homme en 26 ans, et c'était étrange… excitant… un peu dangereux.

Dès le début, Ted m'a fait rire. Il regarde le monde à travers un œil différent de la plupart des gens. J'aimais sa vivacité, son intelligence et ses réparties rapides.

Je ne pensais pas à lui de façon romantique au début, mais j'aimais parler avec lui. Nous avions tellement de choses en commun : perdre nos conjoints du cancer, nos filles avaient le même âge (ma fille de 21 ans, Lexi, était née entre les siennes, Christy et Kathy, ce qui fait qu'elles avaient huit mois de différence chacune), et notre passion pour des sujets semblables. Ted disait qu'il ne voulait pas m'effaroucher en me téléphonant trop souvent. Il m'encourageait à faire les premiers pas quand je voudrais le voir ou lui parler ou faire avancer notre relation. Puisque je vivais à Los Angeles, et lui 80 kilomètres plus loin, à Newport Beach, nous passions beaucoup d'heures au téléphone. Nous avons développé une amitié confortable et sûre. J'aimais la façon dont je me sentais près de lui — chaleur, respect, protection.

Nous parlions au téléphone un jour quand j'ai mentionné la possibilité de nous voir le samedi suivant. Ted a suggéré que nous allions à Catalina Island pour la fin de semaine sur son bateau. J'étais surprise et je voulais qu'il sache bien que je ne suggérais pas de passer toute une fin de semaine ensemble et que cette pensée me terrifiait un peu. Il m'a rassurée en me disant qu'il continuerait à me laisser faire les premiers pas, quand je serais prête. Avant de raccrocher, il m'a demandé comment je me sentais suite à notre conversation. J'ai dit : « Chaude et confuse. »

Deux heures plus tard, dix-huit roses à longue tige American Beauty étaient livrées chez moi. Sur la carte, il était écrit :

Chère Chaude :

Observe les boutons — tout comme une amitié, chacun ouvre un pétale à la fois.

Confus

Le samedi suivant, nous avons déjeuné sur son patio. Quand il m'a offert le choix d'une promenade en bateau ou d'un vol dans son Cessna 210, j'ai choisi l'avion. Ted m'a amenée à l'aéroport John Wayne, jusqu'à l'avion, où il a stationné juste sous l'aile. Avant de sortir, il s'est approché de moi et m'a regardée dans les yeux.

« Diana, je vais t'ouvrir mon cœur complètement et au niveau le plus profond. Si tu dois partir, je comprendrai. »

Je me suis rapprochée plus près et je l'ai embrassé. Ses lèvres étaient merveilleuses. C'est alors que j'ai compris que j'étais en amour.

J'ai su rapidement que Ted avait une intuition extraordinaire. Un soir, assise devant mon ordinateur, j'ai eu une douleur cuisante à l'estomac. J'en ai eu le souffle coupé mais la douleur n'a pas duré longtemps et je l'ai mise sur le fait que j'avais mangé trop de maïs soufflé. (J'étais devenu assez dépendante du maïs soufflé et j'en mangeais plusieurs fois par jour.)

Quelques instants plus tard, le téléphone a sonné et Ted a demandé : « Quelle était cette douleur? »

J'avais déjà oublié et j'ai dit : « Quelle douleur? »

« Celle à ton abdomen, juste à la gauche de ton nombril. »

« Comment le sais-tu? »

Il m'a dit qu'il était sorti prendre une marche, qu'il avait senti la douleur et compris que ce n'était pas la sienne, « j'ai donc pensé que c'était la tienne ».

Peu après, j'ai pensé qu'il pourrait être agréable de vérifier ses talents intuitifs. Alors, je lui ai envoyé mentalement un message de me téléphoner. Quelques minutes plus tard, le téléphone a sonné. « Qu'y a-t-il? » a demandé Ted.

Un jeudi, pour pousser mon enquête plus à fond, je lui ai mentalement transmis un message de m'envoyer encore des fleurs. Rien n'est arrivé et je n'y ai plus pensé. Tard le vendredi après-midi, nous nous dirigions vers Temecula pour visiter son ranch pour la première fois. Pendant qu'il me montrait les lieux, j'ai vu deux bouquets de fleurs avec des cartes qui portaient mon nom.

« Comme c'est gentil de ta part! »

« Voici, l'un, c'est parce que tu les voulais hier, a-t-il dit. Il n'était pas nécessaire de les envoyer chez toi puisque tu allais venir ici avec moi. L'autre, c'est pour aujourd'hui, pour te dire : *Je suis heureux que tu sois ici.* »

Le soir, nous avons dîné au restaurant préféré de Ted, et il avait très hâte de me faire goûter au poulet au vin rouge qu'il qualifiait du meilleur Coq au vin au monde. Il a eu un regard étonné. « Paul avait-il les épaules carrées, et mangeait-il comme ça ? » Ted a levé sa fourchette de la même façon que Paul le faisait, et j'ai répondu : « Oui. »

« Il est en *moi,* Diana. » Plus tard, en quittant le restaurant, il a dit : « J'ai un curieux désir de lancer de l'argent sur le trottoir. » Je lui ai dit que Paul laissait toujours tomber de la monnaie de ses poches pour que les enfants la trouve.

Coq au vin du Bistro Ferrari

8 portions

Les Ferrari servent ce repas avec des nouilles maison additionnées d'une sauce à la crème légère et d'un soupçon de fromage parmesan frais. (La recette est une courtoisie de Josette et Giuseppe Ferrari.)

2 poulets [3 à 4 livres / 1,5 à 2 kg], coupés
½ tasse [125 ml] d'huile végétale
4 c. à table [60 ml] de farine
¼ tasse [50 ml] de cognac ou de brandy
3 oignons, en quartiers
2 gousses d'ail émincées
1 bouteille [750 ml] de bourgogne rouge (environ 3 tasses)
1 c. à table [15 ml] de pâte de tomates
⅛ c. à thé [0,5 ml] de thym séché émietté

1 c. à table [15 ml] de sucre
1 c. à thé [5 ml] de sel
Poivre fraîchement moulu
4 branches de céleri et 4 bouts des branches attachés avec une corde
2 feuilles de laurier entières
2 tasses [500 ml] de champignons
1 c. à table [15 ml] de beurre
1 c. à table [15 ml], ou à peu près, de madère (et peut-être un peu plus de cognac)
Persil frais haché

COLORANT BRUN (une technique française classique) :

¼ tasse [50 ml] de sucre	1 c. à thé [5 ml] d'huile
¼ tasse [50 ml] d'eau	végétale
2 c. à table [30 ml] d'eau	Quelques gouttes de colorant
bouillante	alimentaire rouge

1.   Rincer et bien essuyer les morceaux de poulet. Dans une grande marmite, chauffer l'huile végétale et brunir les morceaux de poulet. Lorsqu'ils sont brunis, jeter l'huile en laissant les parties brunes et croustillantes au fond de la marmite. Enlever la peau du poulet et remettre dans la casserole. Saupoudrer la farine sur les morceaux de poulet et brasser avec une cuillère de bois jusqu'à ce que la farine soit absorbée. Chauffer le cognac ou le brandy dans une louche au-dessus de la flamme, l'allumer avec une allumette, et le verser sur le poulet, brasser la casserole jusqu'à ce que la flamme s'éteigne. Ajouter les oignons en quartiers et sauter jusqu'à ce qu'ils soient tendres.

2.   Ajouter l'ail, le bourgogne, la pâte de tomates, le thym, le sucre, le sel et le poivre fraîchement moulu au goût. Brasser souvent jusqu'à ce que le mélange commence à bouillir. Entre-temps, attacher ensemble les branches et les feuilles de céleri avec une corde; ajouter dans la marmite avec les feuilles de laurier. Quand le liquide commence à bouillir, réduire la chaleur, couvrir et laisser mijoter lentement environ une heure.

3.   Rincer brièvement les champignons. Si les têtes des champignons sont petites, les laisser entières; si elles sont grosses, les couper en quartiers dans le sens des pieds. Mélanger 1 c. à table [15 ml] de beurre dans une casserole moyenne, sauter les champignons pendant deux minutes et réserver.

4.   Préparer la coloration brune — le surplus peut être réfrigéré pour d'autres utilisations. Dans une petite casserole, faire bouillir le sucre et l'eau jusqu'à ce que le sucre caramélise et devienne très foncé, d'un brun brûlé (le sucre perd son goût sucré quand il est brûlé). Ajouter l'eau bouillante, l'huile et le colorant alimentaire rouge. Brasser, laisser refroidir et conserver jusqu'au moment de l'utilisation.

5. Quand le poulet est prêt à servir, enlever le paquet de céleri et les feuilles de laurier. Colorer la sauce pour qu'elle devienne d'un brun rouge riche avec le colorant rouge. Ajouter en brassant 1 c. à table [15 ml] de madère, un peu plus de cognac, si désiré, et goûter pour ajuster l'assaisonnement.

6. Déposer le poulet dans des assiettes de service. Si la sauce doit être un peu épaissie, la cuire en brassant sur feu fort pendant une minute ou deux pour faire évaporer un peu du liquide. Garnir le poulet avec la sauce et saupoudrer avec le persil frais.

❧

Environ une fois par semaine, Ted me disait qu'il pouvait sentir la présence de Paul en lui. La chose se produisait quand nous dansions ou quand nous faisions quelque chose que Paul aimait. Ted disait qu'il n'en portait pas ombrage, qu'il était prêt à me partager.

La demande en mariage de Ted a été très romantique et absolument parfaite. Un vendredi matin, je faisais mes valises pour ce que je croyais être une fin de semaine à Carmel, juste au nord de Big Sur, sur la Côte centrale de la Californie. Nous y avions passé plusieurs fins de semaine et, à mon avis, c'était un endroit idéal pour ce que je soupçonnais. J'aurais dû savoir que Ted est toujours imprévisible.

Ted est venu me chercher à l'aéroport de Santa Monica et je suis montée dans son avion en apportant la robe spéciale qu'il m'avait dit de porter pour le dîner. Nous avons volé assez au nord pour être loin des zones achalandées de trafic aérien, et je nous ai servi à chacun un repas léger de sandwiches et de fruits frais.

Peu après, j'ai remarqué que nous ne volions pas le long de la côte, comme d'habitude, mais plus loin dans les terres. J'ai regardé avec curiosité pendant qu'il tournait pour atterrir au petit aéroport de Mariposa. Quelques minutes plus tard, une automobile louée a été conduite près de l'avion, nous avons transféré les valises et nous sommes partis en voiture pendant une heure à Yosemite National Park à l'hôtel historique Ahwahnee.

Ted avait réservé la table la plus romantique dans l'immense salle à manger aux plafonds en voûte, près d'une fenêtre en arche de 6 mètres de haut avec vue sur le terrain et la forêt au loin. Bien sûr, je savais ce qui se produirait pendant le dîner, mais je m'émerveillais de la beauté de l'endroit et de ses paroles.

Ted m'a pris la main et a dit : « Diana, ce que j'aime dans notre relation, c'est… » et il a passé les trois premiers services du repas à me dire toutes les choses qu'il aimait de nous ensemble.

Au moment du dessert, il m'a pris les deux mains, m'a regardée un peu timide et a demandé : « Alors, veux-tu m'épouser ? » J'étais inondée de la certitude que c'était absolument la chose à faire, tout comme j'ai su que c'était bien d'épouser Paul.

« J'aimerais t'épouser ! »

Les larmes aux yeux, il a fait un grand sourire et a dit : « Commence à magasiner pour une bague. Tu peux avoir celle que tu veux ! »

Quand j'ai téléphoné à ma meilleure amie, Mary Kelly, à Hawaii pour lui dire que Ted et moi nous marierions, elle a dit : « Sensass ! Tu n'as pas été sur la touche très longtemps ! »

Puisque Mary avait une licence de ministre, elle a célébré notre mariage devant quelques proches amis et nos deux familles, lorsqu'elle et son mari Don sont venus nous visiter pendant leur propre lune de miel. À notre demande, elle a invité les esprits de Sharon et de Paul à participer à la cérémonie. Personne dans la salle n'a douté qu'ils étaient là, applaudissant silencieusement et nous souhaitant du bonheur.

Nous sommes mariés depuis maintenant cinq ans. Il est facile de vivre avec un homme qui partage avec moi l'expérience d'avoir été veuf. Nous sommes ravis de pouvoir parler, sans nuancer nos propos, de nos conjoints d'avant chaque fois qu'un souvenir ou un nouveau niveau de chagrin fait surface. Nous savons que nous ne ressentons pas moins d'amour l'un pour l'autre parce que nous ressentons encore tant d'amour pour eux. Aucun de nous n'est troublé si on est appelé par le nom de notre prédécesseur. (Une bonne chose! Car c'est souvent le cas.)

Parfois, les gens me demandent comment était mon premier mariage comparé à celui-ci. Je leur réponds que même si je n'avais jamais pensé à un programme double, je dirais que mon premier mariage était poignant comme *Love Story*, et que le deuxième ressemble plus à *Romancing the Stone* — une comédie d'aventure romantique pleine de surprises.

Oui, Paul fait toujours des apparitions. La preuve la plus étrange de la présence de Paul jusqu'à maintenant a été le résultat de la grande différence de personnalité entre mes deux hommes. Paul était un artiste et très visuel. Si je changeais la couleur de mon vernis à ongles, si j'achetais un nouveau rouge à lèvres ou si je me coiffais différemment, Paul le voyait et en faisait la remarque immédiatement.

Souvent, je me suis demandée si Ted me voyait. Je fais des efforts particuliers pour soigner mon apparence et il ne le remarque tout simplement pas. Une fois, j'ai même essayé des verres de contact verts sur mes yeux brun foncé et, quand Ted est arrivé à la maison, je lui ai demandé s'il voyait quelque chose de différent.

« Non. »

« Regarde mes yeux. Là, vois-tu quelque chose de différent? »

« Eh bien, Diana, je regrette mais je ne vois pas. Tu es très jolie. »

Ted me ressent profondément, cependant. C'est incontestable. Et depuis le temps, sa manière de me voir a perdu de son importance. (C'est une bonne chose aussi, car je suis un peu orgueilleuse et je ne rajeunis pas.)

Imaginez ma surprise, il n'y a pas longtemps, quand nous marchions dans les allées d'un magasin à rayons et Ted s'est arrêté soudainement et a dit : « Diana! *Ces boucles d'oreilles!* »

« *Quelles* boucles d'oreilles? »

« Ces boucles avec des *marguerites*! »

J'ai vu un grand étalage de boucles d'oreilles avec simple et double marguerites sur le comptoir.

« Qu'est-ce qu'*elles* ont? »

« *Paul* veut que tu aies ces boucles d'oreilles avec marguerites! »

« *Lesquelles?* »

« Les simples marguerites avec le centre jaune. »

J'ai senti un frisson en approchant du comptoir pour regarder de plus près. Elles étaient presque en tout point identiques à une paire que j'ai portée pendant des années — les préférées de Paul qu'il me réparait année après année.

Quand ces choses arrivent, je sais que Paul me dit : « C'est *lui,* Kitten. N'est-ce pas merveilleux? Tu peux nous avoir tous les deux! »

11

Pour
le plaisir
de la chose

Je regrette de ne pas avoir bu plus de champagne.

— Dernières paroles de
Maynard Keynes, économiste

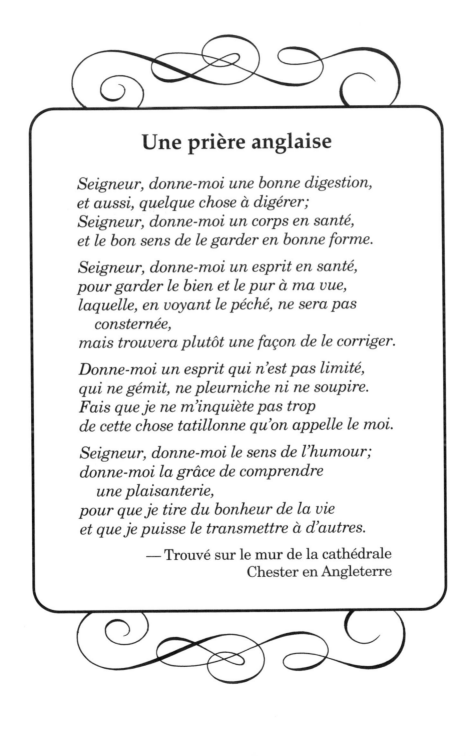

Une prière anglaise

Seigneur, donne-moi une bonne digestion,
et aussi, quelque chose à digérer;
Seigneur, donne-moi un corps en santé,
et le bon sens de le garder en bonne forme.

Seigneur, donne-moi un esprit en santé,
pour garder le bien et le pur à ma vue,
laquelle, en voyant le péché, ne sera pas
*   consternée,*
mais trouvera plutôt une façon de le corriger.

Donne-moi un esprit qui n'est pas limité,
qui ne gémit, ne pleurniche ni ne soupire.
Fais que je ne m'inquiète pas trop
de cette chose tatillonne qu'on appelle le moi.

Seigneur, donne-moi le sens de l'humour;
donne-moi la grâce de comprendre
*   une plaisanterie,*
pour que je tire du bonheur de la vie
et que je puisse le transmettre à d'autres.

— Trouvé sur le mur de la cathédrale
Chester en Angleterre

Douce revanche

Diana von Welanetz Wentworth

J'ai rarement vu une espièglerie aussi bien préparée. Elle est une religieuse en mission spirituelle, alors qu'elle lève sa jambe gauche, se penche vers l'arrière et vise bien avec une balle. Sa cible est une petite planche ronde qui fera tomber le moine en robe brune dans un bac d'eau froide. En fait, ce qui se passe ici au prieuré de San Lorenzo dans les montages de Santa Ynez est bien plus qu'une simple partie de « trempez le moine ». C'est une question de revanche. Je connais bien la revanche. La nuit, je suis étendue, éveillée à comploter pour faire subir à *mon* compagnon spirituel ce qu'il mérite.

Nous sommes dans un pré parmi les collines, entourés de stands qui vendent de l'artisanat, des confitures et des tartes maison, et des coupes de cheveux sur place, enveloppés par la fumée des saucisses italiennes qui grésillent sur le barbecue. Nous sommes arrivés ici en serpentant dans des prés verts et en suivant des affiches qui nous promettaient une foire champêtre. Je ne résiste pas à ces événements ruraux sans prétentions et j'ai promis à Ted qu'il ne regretterait pas son escale.

Des toiles bleues sont tendues entre des piquets pour protéger les stands du soleil du printemps. Les gens sont étendus sur des ballots de foin et regardent le lancer de la bouteille de lait, celui du sac de fèves et celui du muffin des prés. Un jeune garçon et une jeune fille se frappent à coup d'oreillers sur deux chevalets. Leurs yeux pétillent du désir de prendre leur revanche!

Ted m'a appris l'existence du principe de la douce revanche dans un couple qui ajoute un peu de piquant à un mariage! Quand vous savez qu'on vous a eu, l'âme a envie de jouer!

Il arrive que Ted ait quelque chose d'appétissant dans son assiette et qu'il fasse comme s'il m'en préparait une délicieuse bouchée. Puis, il avance la fourchette vers ma bouche. Quand je suis prête à mordre, je vois la bouchée s'éloigner et disparaître dans sa bouche. Il sourit et je fais semblant d'être fâchée. Il en prépare une deuxième et me l'offre. Dans ma précipitation, j'avale presque la fourchette de plastique.

« C'est deux fois meilleur maintenant, non? » dit-il.

Pour le dessert, nous nous rendons au stand du pâtissier.

« Mon médecin prétend que je ne réussirai jamais à contrôler mon besoin de chocolat », murmure Ted, en se commandant un carré au chocolat et un morceau de tarte au beurre d'arachide pour moi. Il avale le sien d'un trait pendant que je savoure chaque bouchée de la mienne. Bam! Il a fini son assiette et a volé un morceau de ma tarte que j'avais conservé pour la fin.

« Taxe de lenteur! » crie-t-il en s'éloignant rapidement. La taxe de lenteur est la raison que se donne Ted pour voler quelque chose dans l'assiette de ceux qui mangent lentement après avoir vidé sa propre assiette. J'éclate de rire en me souvenant de toutes les taxes qu'il a prélevées dans mon assiette.

En regardant vers le stationnement, nous voyons la religieuse qui en est à son deuxième essai. L'élan, le lancer et plouf! Le moine trempé se relève lentement de son bac d'eau froide avec un sourire gêné.

« Tu es bien calme », me fait remarquer Ted alors que nous partons en voiture.

Je le regarde un peu de travers avec un sourire entendu. *Oh, oui!*, me dis-je tout bas, *la revanche sera douce*. (À suivre…)

Brownies de la douce revanche

48 carrés

*Ted les aime chauds sortis du four avec de la crème glacée
à la vanille.*

6 oz [170 g] de chocolat à
  cuisson non sucré
½ livre [250 g] de beurre
2 tasses [500 ml] de sucre
  blanc
4 gros œufs
1 tasse [250 ml] de farine
  tout usage

1 c. à table [15 ml] d'extrait
  de vanille pure
2 tasses [500 ml] de
  guimauves miniatures
1 ½ tasse [375 ml] de
  brisures de chocolat mi-
  sucré, divisées

1. Préchauffer le four à 300°F [150°C]. (Ne pas faire cuire
à plus haute température, car les brownies vont brûler.)
Graisser généreusement un moule de 8 x 12 po [20 x 30 cm],
ou utiliser un moule d'aluminium, vendu dans un supermar-
ché, idéal pour congeler ou offrir les brownies en cadeau.

2. Combiner le chocolat et le beurre dans une casserole
moyenne. Faire fondre sur feu moyen-faible, en brassant continuellement, jusqu'à ce que le chocolat soit presque fondu.
Enlever du feu et brasser jusqu'à onctueux.

3. Incorporer le sucre en brassant avec un fouet jusqu'à
bien mélangé, et ajouter les œufs, un à la fois, la farine et la
vanille.

4. Incorporer en pliant les guimauves miniatures et
1 tasse [250 ml] de brisures de chocolat.

5. Mettre la préparation dans le moule et lisser également. Verser sur le dessus le reste des brisures de chocolat.

6. Cuire pendant 53 à 55 minutes, ou jusqu'à ce qu'un
cure-dents inséré au centre en ressorte propre. Ne pas trop
cuire. Refroidir à la température de la pièce. Envelopper dans
du papier d'aluminium et entreposer à la température de la
pièce ou congeler. Pour servir, couper en 48 carrés.

Quelqu'un a dormi dans mes cheveux!

Diana von Welanetz Wentworth

« Quelqu'un a dormi dans mes cheveux », dit souvent Ted quand il se regarde dans le miroir au mur de la chambre.

« Ouais. On appelle ça les cheveux du matin, dis-je. Reviens ici maintenant et prends-moi dans tes bras. »

Y a-t-il quelque chose de plus délicieux que de se serrer contre la personne aimée sous les couvertures? Particulièrement le samedi matin quand on n'a pas besoin de se presser, quand on peut profiter de la chaleur et sommeiller un peu?

Parfois, pour Ted, il y a autre chose. Parfois, c'est l'observation des oiseaux. (Il peut identifier la plupart des oiseaux et adore prendre des marches matinales dans les sanctuaires près de chez nous, les jumelles au cou.) D'autres fois, c'est la navigation. (Nous traversons le chenal de 40 kilomètres, aller-retour, vers Catalina quand la température est favorable pendant les week-ends.) Ou ce peut être aussi une promenade matinale autour de l'île Balboa en donnant des morceaux de pain aux canards sur la plage.

Habituellement, j'ai un avertissement qu'il se sent aventureux et que ma langueur prendra fin rapidement quand il lance ses pieds en l'air en disant « PIEEEDS! », ce qui, ai-je appris, signifie que ses pieds sont prêts à se lever, à sortir et à s'occuper.

Pourtant, un matin, il n'y a pas eu d'avertissement. Ted s'est levé et a rampé vers le pied du lit. Soudain, deux mains fortes ont saisi mes chevilles et ont tiré mes jambes vers le sol. Je me suis retrouvée dans une position peu commode, le dos plié, la chemise de nuit en bataille et ma tête encore sous les couvertures. Cela ne s'est pas répété — certaines choses ne sont drôles qu'une fois.

Il a maintenant une nouvelle stratégie. S'il m'entend sortir du lit pour visiter les toilettes, il se lève en un éclair et fait le lit avant mon retour. Il gagne à tout coup!

Je me suis plaisamment résignée à l'horaire matinal de Ted le samedi parce qu'il ajoute tellement d'aventure et de plaisir dans ce qui serait autrement une vie plutôt sédentaire d'écrivain. Soyons honnêtes — si j'insistais pour rester au lit, je raterais le vol des hérons à tête noire de l'île Balboa, en route pour aller dormir à Huntington Beach, ou la vue d'un pic des chênes perçant des milliers de trous dans un poteau de téléphone près de notre ranch, ou la première bouchée d'une brioche au chocolat et à la cannelle, toute chaude, qui n'aurait pas le même goût à tout autre moment de la journée.

La recette m'a été donnée par ma première belle-mère. Elles sont faciles à faire. Je les conserve au congélateur, enveloppées individuellement dans du papier d'aluminium, puis je les mets au four à 300°F [150°C] pendant 20 à 30 minutes pendant que nous nous habillons. En moins de deux, elles sont prêtes à être dégustées dans la voiture ou sur la moto de Ted.

Brioches au chocolat et à la cannelle

10 brioches

૨**ə**

(Recette tirée de Celebrations, A Menu Cookbook for Informal Entertaining, *par Diana et Paul von Welanetz [publié chez J.P. Tarcher].)*

PÂTE :

1 enveloppe de levure sèche
¾ tasse [175 ml] de beurre
¼ tasse [50 ml] de cacao
¼ tasse [50 ml] de sucre

1 œuf
½ c. à thé [2 ml] de sel
2 ¼ tasses [550 ml] de farine

GARNITURE :

3 c. à table [45 ml] de beurre
  ramolli
2 c. à table combles [30 ml]
  de cassonade
1 ½ c. à thé [7 ml] de cannelle

½ tasse [125 ml] de brisures
  de chocolat miniatures
⅓ tasse [75 ml] de noix
  finement hachées ou de
  pacanes

GLAÇAGE :

2 c. à table [30 ml] de beurre
  ramolli

¾ tasse [175 ml] de sucre en
  poudre
Crème ou lait

1. Beurrer un moule à gâteau rond de 9 po [23 cm]. Mettre la levure dans ¾ tasse [175 ml] d'eau chaude et réserver.

2. Dans le grand bol du batteur électrique, battre ensemble le beurre, le cacao, le sucre, l'œuf, le sel et 1 tasse [250 ml] de farine. Ajouter le mélange de levure et continuer de battre 2 minutes à vitesse moyenne. Enlever les batteurs et ajouter encore 1 ¼ tasse [300 ml] de farine avec une cuillère de bois ou avec les mains. Déposer sur une surface enfarinée et pétrir pendant quelques minutes, jusqu'à onctueux. Remettre dans le bol, couvrir avec une serviette humide et laisser lever dans un endroit chaud pendant 1 heure ou jusqu'à ce que le volume ait doublé.

3. Avec un coup de poing, enlever l'air de la pâte et placer sur une feuille d'aluminium beurrée. Rouler dans un rectangle de 12 x 9 po [30 x 23 cm]. Étendre le beurre ramolli sur la pâte, saupoudrer avec la cassonade, la cannelle, les brisures de chocolat et les noix ou pacanes. Rouler sur la longueur. Couper en 10 tranches égales et déposer, le côté coupé vers le bas et les côtés se touchant, dans le moule préparé. Couvrir de nouveau avec une serviette humide et laisser lever dans un endroit chaud pendant environ 30 minutes, jusqu'à ce que le volume ait doublé. Entre-temps, préchauffer le four à 375°F [190°C].

4. Cuire les brioches pendant 25 minutes ou jusqu'à légèrement dorées. Retirer du four et étendre sur le dessus 2 c. à table [30 ml] de beurre ramolli. Mélanger ensemble le sucre en poudre et assez de crème ou de lait pour faire un glaçage; étendre sur les brioches. Servir chaud.

Les calories qui ne comptent pas

Auteur inconnu — soumis par Bobbie Lippman

1. ALIMENTS MANGÉS DEBOUT. Tout aliment absorbé en position debout ne contient aucune calorie. La raison exacte en demeure obscure, mais la plus courante des théories parle de gravité. Il semble que les calories évitent l'estomac pour descendre directement aux jambes et se retrouver au sol en passant par les pieds, comme l'électricité. La marche semble accélérer ce processus. Ainsi une glace ou un hot-dog ingurgité dans une foire agricole présente en fait un déficit en calories.

2. ALIMENTS TÉLÉ. Tout ce qui est consommé devant la télé ne comporte aucune calorie. Ce serait à cause des fuites de radiation qui, non seulement neutralisent les calories dans les aliments, mais aussi tout souvenir de les avoir absorbées.

3. BORDS INÉGAUX. Les tartes et gâteaux doivent être tranchés en pointes ou en morceaux bien droits. Dans le cas contraire, la responsabilité revient à la personne qui les range. Elle doit « égaliser les bords » en tranchant les irrégularités qui ne contiennent alors aucune calorie quand on les mange.

4. ALIMENTS ÉQUILIBRÉS. Si vous prenez un soda diète avec une friandise, les deux s'annulent.

5. ALIMENTS DE LA GAUCHE. Si vous tenez un verre de punch dans la main droite, tout ce que vous mangez de la gauche ne contient aucune calorie. Plusieurs principes entrent en jeu ici. D'abord, vous êtes probablement en position debout à une noce (voir ALIMENTS MANGÉS DEBOUT). Ensuite, il y a le champ électronique. Un verre

humide dans une main crée une charge négative qui renverse la polarité des calories attirées vers l'autre main. On ne sait pas très bien comment cela fonctionne, mais le principe est réversible si vous êtes gaucher.

6.   ALIMENTS À CARACTÈRE MÉDICINAL. Les aliments consommés à des fins médicinales ne comptent *jamais*. Cela inclut le chocolat chaud, les laits maltés, les rôties et le gâteau au fromage Sara Lee.

7.   CRÈME FOUETTÉE, CRÈME SÛRE, BEURRE. Ces substances agissent comme un cataplasme qui, en fait, « retire-enlève » les calories des aliments sur lesquels elles sont placées, ce qui les rend sans calorie. Ensuite, vous pouvez manger le cataplasme aussi, car il a neutralisé toutes les calories.

8.   ALIMENTS SUR CURE-DENTS. Les saucisses, les saucisses fumées miniatures, le fromage et les biscottes font engraisser, *sauf* s'ils sont empalés sur des cure-dents décoratifs. L'insertion d'un objet pointu permet aux calories de s'échapper par le fond.

9.   ALIMENTS POUR ENFANTS. Tout ce qui est produit, acheté ou destiné aux mineurs ne comporte aucune calorie lorsque absorbé par un adulte. Cette catégorie couvre une vaste gamme d'aliments en commençant par une cuillerée de crème anglaise pour bébés, consommée pour donner l'exemple, jusqu'à et incluant les biscuits faits pour être envoyés à l'université.

10.   ALIMENTS DE CHARITÉ. Les biscuits des Guides, les gâteaux de ventes de charité, la crème glacée en société et les festivals de fraises d'une paroisse jouissent tous d'une dispense calorifique de nature religieuse.

11.   ALIMENTS PERSONNALISÉS. Tout aliment que quelqu'un prépare « juste pour vous » doit être consommé sans égard aux calories, car ne pas le faire serait manquer de délicatesse. Nos bonnes intentions seront récompensées.

Guide de brûle-calories

Auteur inconnu
— soumis par Bobbie Lippman

Tourner autour du pot 75

Sauter aux conclusions 100

Grimper aux murs 150

Avaler sa fierté 50

S'en laver les mains 25

Faire l'important (selon votre poids) 50-300

Se traîner les pieds 100

Forcer sa chance 250

Faire une montagne d'une taupinière 500

Mettre le doigt dessus 50

Nager dans la paperasse 300

Se fendre en quatre 75

Prendre le train en marche 200

Équilibrer les livres 25

Tourner en rond 350

Ravaler ses paroles 225

Se vanter 25

Grimper l'échelle de la réussite 750

Frapper un grand coup 75

Jeter de l'huile sur le feu 150

Finir sa journée 12

La bonne blague du raifort

Theodore S. Wentworth

La vie est trop sérieuse pour être prise au sérieux.

— Oscar Wilde

Inversez l'ordre des plats du dîner, faites n'importe quoi
— mais de grâce, faites quelque chose de bizarre.

— Elsa Maxwell

Diana a écrit plusieurs histoires à mon sujet dans ce livre. Vous savez donc déjà que j'ai un sens de l'humour plutôt inhabituel, conceptuel. Diana se demande d'où cela me vient. J'ai donc demandé à ma mère, Alice. Elle m'a dit que je tenais définitivement mon sens de l'humour du côté Althisar de sa famille. Elle m'a alors raconté une longue histoire de son enfance, et sur son grand-père, Charles Althisar, à qui je ressemble, paraît-il.

Charlie avait les cheveux roux et une moustache, il était plutôt rondelet (ce qui n'est pas mon cas), et il aimait chanter des balades irlandaises à sa Mame et jouer des tours à sa fille Alice, qui était la mère de ma mère, Alice. Charlie et toutes ces Alice vivaient ensemble dans une grande maison blanche de trois étages sur la 24e rue Est, entre Farragut et Glenwood, dans le quartier Flatbush de Brooklyn.

La maison était toujours pleine d'éclats de rire et jamais on ne prononçait un vilain mot. Charlie ne se mettait pas souvent en colère; quand il le faisait, il descendait l'escalier d'un pas d'éléphant — mais (comme moi) il se calmait rapidement et n'était pas rancunier.

C'était une maison joyeuse où tout le monde mangeait ensemble dans la salle à manger sur le coup de 18 h. Lors des chaudes soirées d'été, pendant que les femmes faisaient la vaisselle, un d'entre nous allait sur l'avenue Flatbush pour

acheter de la crème glacée que nous **mangions sur le porche**
extérieur. Pour les occasions spéciales, **il allait au** *drugstore*
du coin pour acheter un Glenwood Special — **un énorme** *sun-
dae* au chocolat qui coûtait 25 cents et **contenait des boules**
de glace à la vanille, à la fraise et au **chocolat, de la sauce au**
chocolat, de la crème fouettée et une **cerise.**

Le dimanche, grand-papa aimait **prendre un gros** petit-
déjeuner pour lui permettre de tenir **jusqu'au dîner du**
dimanche : six grandes crêpes, deux **côtelettes de porc avec**
beaucoup de jus de cuisson et une **très grande tasse de café.**
(Il disait que la deuxième tasse n'était jamais aussi bonne.)
Parfois, il chapardait un peu de pâte du pain frais que Mame
était à pétrir, la faisait griller dans l'huile ou dans le beurre
dans un poêlon et la servait comme un beignet chaud avec du
beurre et du sirop d'érable de la cannette Log Cabin. Les
familles mangeaient bien différemment en ces temps-là!

Le repas du dimanche était servi vers 13 h ou 14 h et,
immédiatement après, toute la famille s'entassait dans la
voiture pour la promenade du dimanche. Mame passait la
matinée à faire un gâteau à la vanille et du glaçage au chocolat ou son fameux gâteau quatre-quarts, pendant que le rôti
de côtes ou le jambon rôtissait. L'accompagnement de choix
était du macaroni au fromage, avec du fromage cheddar au
goût piquant de New York. Certains dimanches, un jambon
rôti et un soufflé au fromage faisaient que les gens s'attrou-
paient autour de la table plus rapidement que de coutume.
Le plat principal était toujours un énorme rôti dont les restes
devenaient un hachis le lendemain soir et des sandwiches les
jours suivants.

Grand-papa Althisar aimait le raifort frais et fort avec son
rôti du dimanche. Il fallait qu'il soit servi dans un pot spécial
en cristal décoré d'argent avec une cuillère de bois fixée au
couvercle. Comme dans la plupart des foyers, Mame achetait
son raifort, blanc ou rouge s'il avait été coloré avec du jus de
betterave, du marchand ambulant du voisinage. Les dimanches où Mame avait oublié, Charles avait sa façon humoristique de traiter le raifort qui n'avait pas été rafraîchi de la

bonne manière. Il disait : « Mame, ce raifort est faible ! Regarde, je peux le manger à pleine cuillerée ! » Charlie en prenait alors une grosse portion qu'il se mettait dans la bouche pour prouver qu'il avait raison.

Un bon dimanche, Mame a décidé de mettre à l'épreuve le sens de l'humour de grand-papa. Ellc avait remarqué que le raifort frais était lisse et que, s'il était vieux, il était plus granuleux. La veille, elle avait acheté du raifort frais moulu. Elle en a versé une petite quantité dans le pot en cristal pour qu'on ne remarque pas de changement. Elle l'a brassé pour qu'il ait l'air vieux et elle n'a pas poli le cristal comme elle le faisait habituellement. Tous les convives connaissent la blague et en riaient depuis la vaisselle du petit-déjeuner.

Charlie, vêtu de ses habits du dimanche, était assis à la place d'honneur de la grande table rectangulaire couverte d'une nappe amidonnée et de serviettes de tissu. Tel que prévu, il a pris le pot en cristal et, croyant qu'il était vieux, s'est servi une bonne cuillerée du condiment faible qui couvrait à peine le fond du pot et l'a mise dans sa bouche de façon ostentatoire.

Il a eu le souffle coupé et n'a même pas pu dire « Mame… » Ses yeux se sont remplis d'eau et brillaient à la fois. Il a adoré. Il a su immédiatement qu'il était la victime méritante d'une blague qui ferait le tour de la famille. Il était tombé dans son propre piège.

Le raifort super frais l'empêchait de respirer. Ses sinus sont devenus clairs comme du cristal, encore plus clairs qu'avant. Plus tard, il a dit avoir pensé « Étrange… il n'y a pas de fumée ! » en courant vers la salle de bains la plus proche, tout en crachant le plus de raifort possible dans sa serviette de table.

Quand il est revenu à la table quelques minutes plus tard, il a été taquiné par tout un chacun, et il y avait des larmes de rire sur toutes les joues, dont celles de Charlie.

Tous les membres de la famille ont été sur leurs gardes au cours des mois qui ont suivi, attendant la revanche de

Charlie. Quelle qu'ait été la forme de sa revanche, il a dû s'amuser ferme en la préparant. C'est certainement en entendant les anecdotes de Charlie que j'ai eu l'idée de la douce revanche dans un mariage, et combien douce, *très* douce elle est.

Raifort frais

2 tasses

ès

1 racine de raifort frais	*2 c. à thé [10 ml] de sel*
½ tasse [125 ml] de vinaigre blanc	

1. Avec un économe, enlever toute tache décolorée sur la racine de raifort frais. Couper en cubes d'environ 1 po [2,5 cm] de grosseur. Utiliser un mélangeur pour hacher quelques cubes à la fois, ou un robot de cuisine pour hacher toute la quantité en même temps, jusqu'à ce que le raifort soit haché très fin. Mélanger avec le vinaigre blanc et le sel.

2. Verser dans des pots bien propres, couvrir hermétiquement et mettre au réfrigérateur pendant une semaine avant de servir pour bien mûrir. Une fois le contenant ouvert, le raifort perd rapidement de son piquant.

Macaroni au fromage trois-repas de grand-maman

6 portions

ès

Alice dit que c'est une tradition de servir ce repas chaud le premier jour et, le lendemain, le couper en carrés et le manger froid avec une salade, et le trancher et le frire dans le beurre pour servir chaud un troisième repas. La recette peut se doubler facilement. Malheureusement, Nabisco a cessé de fabriquer les biscuits Uneeda qu'elle utilisait au lieu de chapelure de pain — beaucoup d'anciennes recettes demandent cet ingrédient.

8 oz [250 g] de macaroni en
  coudes
4 c. à table [60 ml] de beurre
3 c. à table [45 ml] de farine
1 c. à thé [5 ml] de moutarde
  sèche
2 ½ tasses [625 ml] de lait
¼ tasse [50 ml] d'oignons
  verts ou blancs émincés
1 c. à table [15 ml] de sauce
  Worcestershire
Sel et poivre au goût

Muscade fraîchement
  moulue, au goût
Sauce Tabasco (piment fort)
  au goût
12 oz [375 ml] de cheddar
  au goût prononcé de New
  York, râpé
1 tasse [250 ml] de
  chapelure de pain blanc
  fraîche
2 à 3 c. à table [30 à 45 ml]
  de fromage parmesan
  râpé

1. Préchauffer le four à 350°F [175°C]. Beurrer un plat de 2 litres allant au four, comme un plat en Pyrex carré de 8 po [20 cm].

2. Cuire le macaroni dans l'eau bouillante salée jusqu'à ce qu'il soit tout juste tendre. Égoutter pour enlever presque toute l'eau et laisser le macaroni au fond de la casserole pour le maintenir chaud. Pendant ce temps, faire fondre le beurre dans une casserole, ajouter la farine et la moutarde en brassant et cuire ce roux pendant 3 ou 4 minutes. Ajouter lentement le lait, les oignons émincés et la sauce Worcestershire, et cuire sur feu moyen en brassant continuellement jusqu'à ce que la sauce crémeuse ait épaissi. Assaisonner au goût avec le sel, le poivre blanc, la muscade et quelques gouttes de Tabasco. Ajouter le fromage cheddar râpé moins 1 tasse [250 ml] et brasser sur feu doux jusqu'à ce que le fromage soit fondu.

3. Égoutter le macaroni et verser dans la sauce au fromage avec la chapelure de pain. Parsemer le dessus avec le cheddar qui reste et une fine couche de parmesan râpé. Cuire au four 30 minutes ou jusqu'à ce que le dessus soit doré.

¿Hay Huevos?

Diana von Welanetz Wentworth

Par un matin frais, nous avons pris notre véhicule John Deere à deux places pour nous rendre à notre plus vieux verger d'avocats, 20 acres au bas d'une pente loin du ranch, pour voir la progression de l'élagage des arbres qui s'y déroulait. Nous devions enlever un arbre sur deux parce qu'ils étaient devenus trop tassés, ce qui réduisait la productivité et rendait plus difficile la cueillette.

Quand nous sommes arrivés, deux des Mexicains que nous avions embauchés pour faire ce travail s'occupaient à scier les arbres abattus pour en faire du bois de foyer. Ted les a salués et a plaisanté un peu avec eux jusqu'à ce que je remarque, comme toujours, que ces nouveaux ouvriers semblaient bien amusés du pauvre espagnol de Ted.

En poursuivant notre route, plus haut sur la colline, j'ai remarqué un gros pot de mayonnaise sur une table en plein soleil. « Oh! oh! ai-je dit. Ils ignorent peut-être que la mayonnaise doit être laissée au frais. Les œufs qu'elle contient peuvent tourner et les rendre malades. »

Ted leur a crié : « *¡Tiene huevos en la mayonesa!* »

« Chéri… je crois que tu viens de lui dire qu'il y avait des testicules dans sa mayonnaise. »

Ce qui m'a fait penser à cela est qu'il y a longtemps, j'ai habité dans un petit village dans les hautes montagnes autour de Mexico City, où un matin, j'ai appris plutôt brutalement que le mot espagnol pour œufs signifie aussi testicules en langue populaire. J'avais fait l'erreur de demander à un marchand « *¿Tiene huevos?* » (Avez-vous des œufs? [ou plutôt des testicules, dans ce sens]) au lieu de dire « *¿Hay huevos?* » (Y a-t-il des œufs?)

Il a répliqué, « *¡Cómo no!* » (Bien sûr!) en s'écroulant de rire sur les étagères avec deux autres copains. Comprenant mon erreur, j'ai quitté le magasin à la hâte, rouge d'embarras.

Nos nouveaux ouvriers regardaient Ted avec étonnement. Il a donc freiné brusquement notre véhicule, a mis le frein d'urgence (oubliant de mettre le levier de vitesse au point mort) et a sauté par terre. Le véhicule, avec moi — encore passagère — a lentement roulé dans la pente, passé sur une saillie pour s'arrêter contre un pamplemoussier, traînant Ted qui tentait de retenir le véhicule et d'atténuer le choc inévitable contre l'arbre.

Les ouvriers étaient maintenant convaincus que nous étions *muy loco*. En faisant appel à tout notre pauvre vocabulaire espagnol, nous avons fini par leur faire comprendre ce que nous voulions dire à propos de la mayonnaise. Nous avons pris le pot pour en disposer et, en riant aux éclats, nous sommes repartis avec un pamplemousse empalé sur le pare-chocs avant.

En rentrant au ranch, nous avions prévu nous faire deux portions de notre plat aux œufs mexicain favori, le même plat qui m'avait mise dans l'embarras au marché, plusieurs années auparavant. La recette nous vient de notre amie Betty Kempe, qui la servait tous les matins pendant des années à son hôtel, la Villa Santa Monica, à San Miguel de Allende, à Guanajuato. J'ai toujours de la sauce au congélateur, c'est tellement pratique les matins de week-ends.

Huevos Diablos

6 portions

2 c. à table [30 ml] d'huile
  d'olive
1 oignon moyen, haché
1 gousse d'ail, émincée
14 oz [398 ml] de tomates
  broyées en conserve
1 c. à thé [5 ml] de sauce
  Worcestershire
1 bonne pincée de poivre de
  Cayenne

¾ tasse [175 ml] de fromage
  parmesan râpé
6 gros œufs
Beurre
Paprika
Tortillas chauds au maïs ou
  à la farine, ou petits pains
  français grillés (Bolillos)
  pour nettoyer de la sauce
  délicieuse dans l'assiette

1. Dans une casserole épaisse, chauffer l'huile d'olive et sauter l'oignon jusqu'à ce qu'il soit transparent et commence juste à brunir. Ajouter l'ail et cuire brièvement. Ajouter les tomates, la sauce Worcestershire et le poivre de Cayenne. Quand la préparation mijote, baisser le feu et cuire environ 10 minutes. (Cette sauce peut être réfrigérée ou congelée à ce stage si on la prépare à l'avance.)

2. Environ 20 minutes avant de servir, préchauffer le four à 350°F [175°C]. Préparer 6 ramequins individuels ou des bols à soupe qui vont au four et qui ont une capacité d'environ 2 tasses [500 ml] pour cuire et servir les œufs. Ajouter le parmesan râpé à la sauce (2 c. à table [30 ml] par portion, si la sauce n'est pas toute utilisée immédiatement) et diviser le mélange uniformément entre les plats à cuire. Casser un gros œuf dans chaque plat, parsemer chaque œuf avec du beurre et le saupoudrer avec un peu de parmesan et une pincée de paprika pour la couleur. Cuire à découvert de 10 à 20 minutes, selon la grosseur des plats, jusqu'à ce que le blanc soit ferme et que le jaune soit encore mou.

3. Servir avec des tortillas chauds au maïs ou à la farine ou des petits pains français grillés (*Bolillos*).

12

Réceptions spéciales

L'objectif dans la vie, c'est d'avoir un but.

— Robert Byrne

Un bénédicité de groupe

Joignons nos mains et formons un cercle, s'il vous plaît.

Maintenant, regardons autour du cercle pour reconnaître et prendre conscience de chaque belle création de Dieu qui nous entoure aujourd'hui.

Fermons les yeux un moment et pensons à la journée qui vient de se terminer, les bonnes parties de la journée et les moins bonnes. (moment de silence)

Maintenant, prenons une grande respiration et prenons conscience du divin que chacun de nous exprime dans sa vie.

Nous remercions Dieu d'être conscient de cet amour et de cette force à l'œuvre dans notre vie. Nous l'acceptons avec amour. Nous bénissons cette nourriture que nous allons prendre, et les âmes aimantes qui l'ont préparée. Pour ce monde, cet amour et cette conscience, nous disons :

« Merci, Dieu Père et Mère. » Amen.

— Rév. Bob Biddick

Une idée de réception qui pourrait changer votre vie

Susan Jeffers

Rien n'arrive sans qu'il y ait d'abord un rêve.

— Carl Sandburg

La meilleure réception à laquelle j'ai assisté a eu lieu en 1986. On l'avait appelée la Réception 1991! Je m'explique. La réception a été proposée par The Inside Edge, un groupe aux idées très avant-gardistes auquel j'appartenais à Los Angeles. Il fallait que chaque participant visualise ce qu'il voudrait qu'il soit arrivé dans sa vie dans cinq ans, et dans notre cas, c'était l'année 1991. Après avoir créé notre vision, nous devions pousser notre imagination, c'est-à-dire que notre vision dépasse ce que nous pensions vraiment pouvoir accomplir.

Quand nous sommes arrivés à la réception, nous devions agir comme si nous étions vraiment en 1991 et que notre vision s'était réalisée. Il fallait que nous soyons vêtus et que nous parlions selon le rôle, et que nous apportions tout accessoire qui démontrait notre voyage étonnant vers l'accomplissement de notre rêve. En plus de nous féliciter de notre propre succès, nous devions aussi nous réjouir du succès de tous les autres : un scénario parfait pour une soirée de félicitations, d'excitation, de créativité, de rire et de plaisir!

Je me souviens de la vision d'un homme qui rêvait qu'en 1991 il serait multimillionnaire et distribuerait de l'argent aux autres. Il était vêtu comme un « vagabond de plage » — son rêve à la retraite — et il distribuait des billets de loterie à tout le monde à la réception. Une femme avait apporté un faux *Time Magazine* avec sa photo en page couverture. Son rêve était de gagner un prix international pour avoir fait avancer le mouvement de la paix. Mon mari, qui a réalisé *I, Claudius,* s'est présenté en smoking, car il avait imaginé sa première coproduction avec les Russes. Une femme est arrivée en homme-sandwich avec des images peintes de son nouveau mari et de deux enfants qu'elle espérait avoir dans sa vision pour l'année 1991.

Quelle était ma vision? En 1986, je commençais une carrière d'auteure. Je n'avais pas encore réussi à faire accepter quoi que ce soit par un éditeur. Mon souhait pour la réception, c'était que *trois* contrats de livres seraient signés en 1991. (Je peux vous dire que j'aurais été heureuse avec un seul contrat en poche.) Dans l'esprit de la fête, j'ai monté trois livres en blanc que je montrais à tous, et tout au long de la soirée j'ai parlé de l'incroyable succès des trois livres. J'ai même raconté ma remarquable histoire de réussite devant une caméra vidéo qui l'a filmée et enregistrée pour la postérité.

C'était une soirée où les gens se soutenaient les uns les autres dans la poursuite de leurs rêves. Quelqu'un m'a félicitée pour mon best-seller, me disant qu'elle m'avait vue dans trois émissions de télévision. Un autre m'a félicitée pour avoir gagné le Prix Pulitzer. Et ainsi de suite.

À la fin de la soirée, je croyais que produire trois livres pour l'année 1991 était vraiment possible. Ce n'était plus improbable. Qu'est-il arrivé en l'année 1991? Vous l'avez deviné. J'avais, en fait, écrit trois livres à succès — et un quatrième était en marche. C'est étonnant ce qu'une réception peut faire.

Le menu pour cette réception était simple. Au buffet, il y avait deux types de lasagnes — une avec sauce à la viande et l'autre aux légumes et à la sauce à la crème. (Elles sont faites par Stouffer et sont disponibles congelées dans de grands moules d'aluminium dans des endroits comme Costco et Club Price.) Pour accompagner les lasagnes, il y avait une énorme salade avec différentes sortes de laitues, des champignons et des artichauts, et du pain à l'ail chaud.

Les lasagnes ont été sorties de leurs contenants alors qu'elles étaient encore congelées et transférées dans de jolis plats allant du four à la table afin qu'elles aient l'air aussi appétissantes que si elles avaient été faites à la maison. Des sauces additionnelles, alfredo crémeuse et marinara épicée, avaient été servies dans des bols pour garnir les lasagnes.

Comme dessert, on a servi des bouchées de brownies et de gâteau aux carottes à un étage, qui avaient aussi été achetés congelés dans de grands contenants aux mêmes endroits.

Bien sûr, la vision de chacun n'a pas été réalisée telle qu'imaginée... certains devaient suivre un chemin différent. Une chose est certaine, cependant... tous se sont bien amusés et ont appris à mieux se connaître les uns les autres. Et finalement, n'est-ce pas la raison d'être des réceptions?

Venez comme serez...
dans 5 ans!

Soyez des nôtres pour une célébration qui fera travailler votre imagination et qui vous catapultera dans votre propre avenir.

Quand : _____

Où : _____

Donnée par : _____

RSVP à : _____

Présentez-vous comme vous serez dans cinq ans. Portez votre meilleure tenue. Ne parlez qu'au présent ou au passé pendant toute la soirée, comme si tous vos objectifs avaient été atteints et tous vos rêves déjà réalisés.

Vous serez filmés sur vidéocassette en arrivant. Apportez des accessoires pour montrer à tous ce que vous avez accompli pendant les 5 années qui ont précédé, tels des best-sellers que vous avez écrits, des couvertures de magazine où vous avez été photographiés, des prix que vous avez gagnés. Tout au long de la soirée, vous aurez l'occasion d'applaudir les autres pour leurs succès et de recevoir leurs félicitations.

ATTENTION :
Vous ne serez jamais plus le même!

La fête de la vision en décorations d'arbre de Noël

Diana von Welanetz Wentworth

Il y a dix ans, nous avons invité une soixantaine de personnes à une fête de décoration d'arbre au temps des Fêtes. On avait demandé à chacun de choisir une décoration qui avait une signification spéciale pour lui, ou qui représentait le désir de son cœur, et de l'apporter à la fête, tout en étant préparé à l'expliquer au groupe. Il semblait que c'était une bonne façon pour les membres d'une nouvelle organisation d'apprendre à se connaître les uns les autres.

L'après-midi avant la fête, nous avons décoré l'arbre avec des lumières blanches scintillantes, mais sans ornements. Comme nous n'avions pas assez de place pour faire asseoir tant de monde, nous avons préparé des bouchées à consommer avec les doigts — des trempettes, des amuse-gueule et des garnitures à sandwiches. Notre fille, Lexi, a déposé des assiettes d'amuse-gueule et de biscuits partout dans la maison pour que les gens aient une raison de se déplacer et de se mêler. Nous nous servions nous-mêmes nos boissons sur le patio dans une cuve remplie de glaçons.

Une fois nos invités arrivés et après qu'ils aient conversé pendant un moment, nous les avons réunis en un grand cercle dans le salon et nous avons commencé à garnir l'arbre. Nous avons choisi un des invités les plus extravertis pour commencer, et nous lui avons demandé de « montrer et expliquer ». Il nous a fait rire en montrant la décoration excentrique qu'il avait fabriquée avec de l'argent de papier, et qui représentait son objectif de s'amuser plus avec l'argent. Puis, un homme a montré un encadrement miniature avec une photo de sa mère qui venait d'être diagnostiquée de la maladie d'Alzheimer. Il voulait prendre les prochains mois de congé pour en prendre soin lui-même et pour écrire un petit livre afin de partager son expérience avec d'autres.

Jack Canfield a apporté une araignée en cristal blanc sur une toile, pour représenter son désir de rejoindre davantage les gens et de créer un réseau plus large et plus profond de relations. « J'ai trop mis le *focus* sur mon travail et pas assez sur ma famille et mes amis », a-t-il dit.

Les histoires ont continué autour de la pièce. Certaines personnes avaient fait ou acheté des décorations qui représentaient leurs objectifs, leurs rêves et leurs vœux pour la prochaine année, à partir de best-sellers miniatures jusqu'à un homme et une femme se tenant la main. Plusieurs ont apporté des décorations qu'ils avaient trouvées dans leurs voyages en Asie, au Moyen-Orient et en Amérique latine. Je me souviens particulièrement d'une étoile faite avec du bois d'olivier de Bethléem.

Une femme tenait un tout petit enfant dans un berceau, ce qui symbolisait son désir d'avoir un bébé l'année suivante. Un cœur en cristal très clair représentait un désir d'être plus transparent. Nous n'avions pas prévu à quel point cette soirée serait révélatrice, ni la profondeur ou la vulnérabilité qui nous seraient révélées. En passant du rire aux larmes encore et encore, nous avons célébré nos différences seulement pour être remplis de notre caractère unique.

Après avoir dit au revoir à nos invités, nous avons fermé les lumières, avons mis une autre bûche dans le foyer et nous sommes assis près de l'arbre scintillant. Les décorations étaient toutes concentrées au centre de l'arbre. Nous les avons laissées comme elles étaient et nous n'avons jamais terminé l'arbre avec nos décorations traditionnelles cette année-là, parce que nous savions que le véritable Esprit de Noël nous avait visités.

Le plus bel anniversaire

Mary Olsen Kelly

Je viens d'une famille de grands cuisiniers. Ma grand-mère est célèbre pour son Gâteau au chocolat du Texas et ses tartes de toutes sortes. Ma mère est une excellente cuisinière qui peut préparer un repas avec rien, et ses biscuits sont un cadeau des dieux. Ma sœur est une véritable artiste culinaire qui prend beaucoup de plaisir à réussir les recettes les plus compliquées qu'elle peut trouver.

Je ne sais trop comment, les gènes de la grande cuisine ont subi une mutation en moi. Malgré tout, j'apprécie les talents du reste de ma famille. La nourriture n'est vraiment qu'un prétexte pour passer du temps ensemble, à mon avis de mutante. Une des meilleures réunions que nous avons eues au nom de la nourriture fut à l'occasion du 26e anniversaire de naissance de mon frère. Cette fête a changé à jamais pour moi la signification d'une célébration annuelle; c'était Le Plus Bel Anniversaire.

Toute la famille s'était réunie dans la belle maison de style de ma sœur, au nord de la Californie, pour une soirée de plats gourmets et un gâteau d'anniversaire. Le repas était somptueux — Barbara s'était surpassée — et comme nous nous servions une seconde fois, nous avons soudain compris que ce repas, peu importe combien il était délicieux, ne serait pas complet sans entendre le frère dont c'était l'anniversaire.

Bob a commencé par faire un petit discours, puis il a dit : « J'ai l'impression que je suis assez confus à cet âge. Ce que j'aimerais vraiment, c'est d'entendre ce que chacun de vous faisait à 26 ans. »

Nous nous sommes tous calés dans nos fauteuils et, dans le silence, chacun se remémorait le temps passé : 26... pas encore 30 ans. Encore si jeune, pourtant déjà un adulte. Un par un, nous avons parlé de nos pensées et de nos rêves à 26 ans.

J'ai raconté que j'avais eu mon diplôme de maîtrise en théâtre, et que j'avais rejeté un poste confortable d'ensei-gnante pour déménager à New York et faire des pieds et des mains pour devenir actrice. Ah! la vie terrifiante et pourtant sentimentale d'une artiste qui crève de faim, porteuse de tant de rêves à 26 ans!

Ma sœur a dit qu'elle avait voyagé en Europe en auto-stop pendant des années avant de revenir à la maison et de chan-ger de vie exactement à cet âge-là. Nous avons tous fait un signe de la tête, nous rappelant quel changement dramatique était survenu dans sa vie alors.

Papa a parlé doucement et avec de grands efforts de la mort de son premier enfant. Le petit garçon venait d'avoir six semaines quand il est mort de complications cardiaques. Mon père n'avait que 26 ans quand il a perdu le fils qui aurait été notre frère aîné.

Un par un, nous avons parlé. Nous avons célébré naissan-ces, confusion, changements et deuils pendant que les roua-ges de la vie de mon frère tournaient. Un autre anniversaire, le passage d'une autre année.

Oui, nous avons mangé le fameux Gâteau au chocolat du Texas puisque c'est le préféré de mon frère. Il était particuliè-rement délicieux ce soir-là.

Fameux gâteau au chocolat texan de grand-maman Whitehead

Environ 12 portions

🍂

⅓ tasse [75 ml] de cacao
1 tasse [250 ml] de beurre ou
de margarine
2 tasses [500 ml] de farine
2 tasses [500 ml] de sucre
1 c. à thé [5 ml] de
bicarbonate de soude

½ c. à thé [2 ml] de sel
2 gros œufs
½ tasse [125 ml] de crème
sûre ou de babeurre (la
crème sûre est plus riche)
1 c. à thé [5 ml] de vanille

GLAÇAGE :
3 oz [85 g] de beurre ou de
margarine
¼ tasse [50 ml] de lait
3 c. à table [45 ml] de cacao

1 ½ tasse [375 g] de sucre en
poudre (ou plus si besoin)
¾ tasse [175 ml] de noix de
votre choix finement
hachées
1 c. à thé [5 ml] de vanille

1.   Préchauffer le four à 350°F [175°C]. Beurrer un moule de 11 x 15 po [28 x 38 cm]. Mettre le cacao dans une casserole moyenne; ajouter graduellement en brassant 1 tasse [250 ml] d'eau et amener à ébullition. Ajouter le beurre ou la margarine et laisser fondre. Réserver.

2.   Tamiser ensemble sur papier paraffiné la farine, le sucre, le bicarbonate de soude et le sel; ajouter au mélange chaud. Battre légèrement les œufs et les ajouter au mélange avec la crème sûre et la vanille. Verser la pâte dans le moule préparé. Cuire 30 minutes ou jusqu'à ce que le centre soit ferme au toucher.

3.   Pendant que le gâteau cuit, préparer le glaçage. Dans une casserole, combiner le beurre ou la margarine, le lait et le cacao; amener à ébullition. Ajouter le sucre en poudre et battre jusqu'à onctueux. Ajouter les noix hachées et la vanille. Étendre sur le gâteau *chaud*. Refroidir avant de couper.

Célébration d'anniversaire nec plus ultra

Mark Victor Hansen

Patty, ma femme, s'est dressée soudainement dans le lit à 3 h 49 et m'a dit le nom des 19 personnes qu'elle aimerait qu'on invite à la meilleure des célébrations de son anniversaire. Elle m'a donné l'endroit exact pour la célébration. Elle a fait tout cela pendant qu'elle dormait profondément. Elle est ensuite retournée à ses rêves, ne sachant pas qu'elle m'avait fait part de ses désirs d'anniversaire les plus profonds.

Je me suis glissé hors du lit, j'ai passé devant la salle de bains et je suis allé à l'étage pour noter sur papier sa célébration des célébrations afin de la réaliser avec élégance, panache et savoir-faire.

Patty et moi travaillons ensemble dans notre bureau. Heureusement, elle était assez loin pour que je puisse téléphoner à ses amis qu'elle aimait profondément, qu'elle respectait et appréciait et qui l'appréciaient, pour les inviter à se joindre à nous pour son anniversaire afin de célébrer dans une béatitude absolue. J'avais choisi de la fêter, deux jours avant sa date d'anniversaire, afin qu'elle n'ait pas de soupçons.

Je lui ai dit que nous allions à une réunion de la Prudentielle Assurance en tenue de soirée, et que mon client avait fortement insisté pour qu'elle y assiste. (J'étais conférencier professionnel depuis plus de dix ans à cette époque et Patty avait fait plus que sa part pour assister aux soirées de remises de prix.)

À 18 h, nous roulions devant le Ristorante Antonello, un magnifique restaurant quatre étoiles.

Étonnée, elle a demandé : « La Prudentielle tient sa réunion ici ? »

« Oui », ai-je répondu.

En ouvrant les portes d'Antonello, Antonio, le propriétaire, lui a remis deux douzaines de roses rouges et l'a embrassée sur la joue. Dans sa surprise, elle avait les yeux grand d'incrédulité et elle a bafouillé : « Merci. » Antonio, un bel homme élégant, beau et articulé, a offert son bras à Patty et nous a gracieusement conduits à la table.

Dix-neuf amis ont crié « Bonne fête! » en terminant en chœur par le Alléluia. Patty a reçu une ovation debout pour le jour de sa naissance. Confuse, elle a demandé encore : « La Prudentielle vous a tous invités ici? » Tout le monde s'est mis à rire, puis il y a eu des larmes, des hourras et des étreintes aimantes.

Patty a littéralement vu ses rêves se réaliser à sa fête d'anniversaire nec plus ultra. Tous ceux qu'elle aimait et souhaitait avoir auprès d'elle étaient présents.

Nous avons célébré avec un Fusilli pasta et nous nous sommes bien amusés. Comme le dirait Bob Hope : « Merci pour les souvenirs... »

Fusilli con Spinaci e Ricotta

(du *Antonello's Ristorante,
Newport Beach, Californie*)

6 portions ou plus

ટ**૭**

1 *livre [500 g] de* fusilli *secs
(pâte en forme de tire-
bouchon)*
1 ½ *tasse [375 ml] d'huile
d'olive extra vierge*
2 *c. à table [30 ml] d'ail
émincé*

6 *tasses [1,5 litre] d'épinards
frais hachés, les tiges
enlevées*
2 *tasses [500 ml] de fromage
ricotta*
Sel et poivre au goût
½ *tasse [125 ml] de fromage
parmesan fraîchement
râpé*

1.   Cuire les pâtes dans de l'eau en pleine ébullition avec 1 c. à table [15 ml] de sel pendant 8 à 10 minutes, jusqu'à presque tendres — elles devraient être *al dente*. Pendant ce temps, préparer la sauce.

2.   Chauffer l'huile d'olive dans une grande casserole. Ajouter l'ail et sauter jusqu'à ce qu'il commence à peine à dorer. Ajouter les épinards, sauter une minute ou deux, puis ajouter le fromage ricotta et assaisonner au goût. Réserver.

3.   Quand les pâtes sont cuites, égoutter l'eau et incorporer les *fusilli* à la sauce. Servir dans un bol, et garnir de parmesan.

*Un peu de gaieté et un grand accueil
font un joyeux festin.*

— William Shakespeare

Puisse le soleil séculaire
briller sur vous,
puisse tout l'amour vous envelopper,
et puisse la douce lumière en vous
guider votre chemin.

— Bénédicité traditionnel

Jack Canfield

ॐ

Jack Canfield est l'un des plus grands spécialistes américains du développement du potentiel humain et de l'efficacité personnelle. Il est un conférencier dynamique et divertissant, et un formateur très en demande. Jack possède un talent extraordinaire pour informer et inspirer son auditoire vers des degrés plus élevés d'estime de soi et de rendement maximal.

Il est l'auteur et le narrateur de nombreuses cassettes et vidéocassettes à grand succès, dont *Self-Esteem and Peak Performance, How to Build High Self-Esteem, Self-Esteem in the Classroom* et *Bouillon de poulet pour l'âme*. On le voit régulièrement à la télévision dans des émissions telles *Good Morning America, 20/20* et *NBC Nightly News*. Jack est coauteur de nombreux livres, dont la série *Bouillon de poulet pour l'âme, Dare to Win* et *The Aladdin Factor* (tous avec par Mark Victor Hansen), *100 Ways to Build Self-Concept in the Classroom* (avec Harold C. Wells), *Heart at Work* (avec Jacqueline Miller) et *La Force du Focus* (avec Les Hewitt et Mark Victor Hansen).

Jack est très souvent le conférencier invité auprès d'associations de professionnels, d'écoles, d'agences gouvernementales, d'églises, d'hôpitaux, d'équipes de vente et de sociétés commerciales. Parmi ses clients, on compte American Dental Association, American Management Association, AT&T, Campbell's Soup, Clairol, Domino's Pizza, GE, Hartford Insurance, ITT, Johnson & Johnson, Million Dollar Roundtable, NCR, New England Telephone, Re/Max, Scott Paper, TRW et Virgin Records. Il fait aussi partie du corps enseignant de Income Builders International, une école pour entrepreneurs.

Jack organise chaque année un séminaire de huit jours, un programme appelé Formation des Formateurs, dans le domaine de l'estime de soi et du rendement maximal. Ce séminaire attire des éducateurs, des conseillers, des formateurs dans l'art d'être parent, des formateurs en entreprises, des conférenciers professionnels, des membres du clergé et autres personnes intéressées à améliorer leurs compétences de conférencier et d'animateur de séminaires.

Mark Victor Hansen

Mark Victor Hansen est un conférencier professionnel qui, au cours des vingt dernières années, a donné plus de 4 000 conférences à plus de deux millions de personnes dans trente-deux pays. Dans ses exposés, il parle d'excellence dans la vente et de stratégie; de croissance personnelle et de l'art de se prendre en main; et comment tripler ses revenus et doubler ses temps libres.

Toute sa vie, Mark s'est donné pour mission de changer profondément et positivement la vie des gens. Pendant toute sa carrière, il a inspiré des centaines de milliers de personnes à se bâtir un avenir plus solide et plus significatif pour elles-mêmes, tout en stimulant la vente de produits et services pour des milliards de dollars.

Mark est un auteur prolifique. Il a signé les livres *Future Diary, How to Achieve Total Prosperity* et *The Miracle of Tithing*. Il a cosigné la série *Bouillon de poulet pour l'âme, Dare to Win* et *The Aladdin Factor* (avec Jack Canfield) et *The Master Motivator* (avec Joe Batten).

Mark a également produit une bibliothèque complète de programmes sur audio et vidéocassettes sur l'art de se prendre en main, qui ont permis à ses auditeurs de reconnaître et d'utiliser leurs aptitudes innées dans leur vie professionnelle et personnelle. Son message a fait de lui une personnalité populaire de la télévision et de la radio. Il a participé à des émissions sur ABC, NBC, CBS, HBO, PBS et CNN. Il a aussi été photographié en page couverture de nombreux magazines, dont *Success, Entrepreneur* et *Changes*.

Mark est un grand homme avec un cœur et un esprit à sa mesure. Il est un exemple pour tous ceux qui cherchent à s'améliorer.

Diana
von Welanetz Wentworth

Diana von Welanetz Wentworth a connu une carrière célèbre comme auteure-lauréate de livres de cuisine, conférencière dans le public et animatrice de télévision.

Les six livres qu'elle a signés avec son défunt mari, Paul von Welanetz, sont : *The Pleasure of Your Company* (Atheneum), pour lequel ils ont reçu le prix convoité French Tastemaker de « Livre de recettes de l'année » dans la catégorie divertissement. Les autres livres sont : *With Love from Your Kitchen* et *The Art of Buffet Entertaining* (les deux ont fait l'objet de premiers choix du Club du livre Better Homes and Gardens), *The von Welanetz Guide to Ethnic Ingredients, LA Cuisine* et *Celebrations* (tous publiés par J.P. Tarcher). *The von Welanetz Guide to Ethnic Ingredients* est encore considéré le livre de référence classique des ingrédients internationaux. Le magazine *Bon Appétit* l'a qualifié de « Œuvre splendide!... À peu près tous les ingrédients exotiques, inhabituels et rares, utilisés dans des recettes originaires de tous les coins du monde, sont mentionnés. »

La série télévisée quotidienne longtemps diffusée de Diana et Paul, *The New Way Gourmet,* a été montrée à la télévision nationale, initialement au réseau Cable Health et ensuite au réseau Lifetime.

En 1985, après leur retour du Premier Congrès international sur la paix en Union soviétique, Diana et Paul ont fondé une organisation appelée The Inside Edge. C'est un forum humanitaire et une communauté de soutien dont la mission est d'inspirer ses membres à vivre une vie d'audace, d'intégrité, de partage et de collaboration. The Inside Edge se réunit chaque semaine pour un déjeuner dans le sud de la Californie, et c'est lors d'une de ces réunions du matin que Jack Canfield et Mark Victor Hansen ont décidé d'écrire ensemble un livre d'histoires qui est devenu *Bouillon de poulet pour l'âme.*

Paul a été atteint d'un cancer peu après le 25e anniversaire de mariage du couple. Avant sa mort, Paul a promis à Diana de lui envoyer quelqu'un qui la chérirait tout comme lui. Il l'a fait

et Diana est maintenant mariée à un avocat spécialisé en médecine et droits humains, Theodore S. Wentworth, qui attribue à
Paul de l'avoir guidé dans les bras de son amour.

Diana est apparue dans des émissions de télévision
nationale et locale, et elle s'est adressée à des organisations
féminines, et lors d'événements culinaires et de salons de
l'alimentation partout aux États-Unis.

Autorisations

Nous voudrions remercier les éditeurs et les personnes suivantes pour leur permission de réimprimer le matériel suivant. (Note : Les histoires d'auteurs inconnus, celles qui sont du domaine public ou qui ont été écrites par Jack Canfield ou Mark Victor Hansen ne sont pas mentionnées dans cette liste.)

Index des recettes

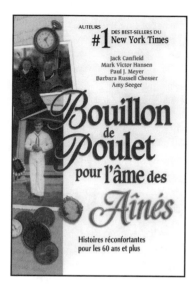

Bouillon de poulet pour l'âme des Aînés

Histoires réconfortantes pour les 60 ans et plus

Avec ses histoires touchantes, distrayantes et inspirantes, ce dernier *Bouillon de poulet* vous offre des récits vécus par des sexagénaires qui ont donné un sens nouveau à l'expression « devenir meilleur en vieillissant », en accueillant les joies et les défis de l'existence avec élégance, dynamisme et une attitude positive.

Même si elles ont été écrites à l'intention des personnes de soixante ans et plus, chaque histoire révèle des vérités éternelles sur la façon dont chacun peut vivre sa vie avec un maximum de sens et d'agrément.

ISBN 2-89092-300-2

336 PAGES

Bouillon de poulet pour l'âme de l'Amérique

*Des histoires pour guérir
le cœur d'une nation*

Le 11 septembre 2001, l'Amérique et le monde libre ont subi la tragique perte de milliers de vies et la destruction d'un des symboles de la liberté.

Au cours des heures, des jours et des semaines qui ont suivi, une lumière a émergé de la noirceur — un phare éternel d'espoir, de compassion, de courage et d'amour — une lumière qui ne s'éteindra jamais peu importe l'ampleur de l'adversité.

Les histoires de *Bouillon de poulet pour l'âme de l'Amérique* rendent hommage aux hommes, aux femmes et aux enfants qui se sont présentés et ont donné le meilleur d'eux-mêmes en ces temps de grand besoin.

ISBN 2-89092-304-5

320 PAGES

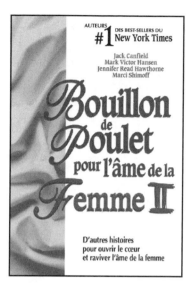

Bouillon de poulet pour l'âme de la Femme II

D'autres histoires pour ouvrir le cœur et raviver l'âme de la femme

Vous serez émus par la manière dont des femmes ont fait face aux moments déterminants de la vie en trouvant l'amour, en faisant face à une perte, en surmontant les obstacles et en réalisant leurs rêves. Avec ses histoires sur les joies, les défis, les relations et les attitudes des femmes, c'est le livre tout indiqué pour vous ou pour toutes les autres femmes dans votre vie : épouse, fille, collègue de travail, mère, sœur ou tante.

Bouillon de poulet pour l'âme de la femme II permet de placer les moments difficiles en perspective, de renouveler votre confiance en vous et de prendre conscience des petits miracles dans votre propre vie.

ISBN 2-89092-291-X

336 PAGES

SÉRIE
BOUILLON DE POULET
POUR L'ÂME

1er bol

ISBN 2-89092-212-X
288 PAGES

2e bol

ISBN 2-89092-208-1
304 PAGES

3e bol

ISBN 2-89092-217-0
304 PAGES

4e bol

ISBN 2-89092-250-2
304 PAGES

5ᵉ bol

ISBN 2-89092-267-7
336 PAGES

Ami des bêtes

ISBN 2-89092-254-5
304 PAGES

Enfant

ISBN 2-89092-257-X
336 PAGES

Ados

ISBN 2-89092-285-5
336 PAGES

Ados Journal

ISBN 2-89092-266-9
336 PAGES

Ados II

ISBN 2-89092-285-5
336 PAGES

Chrétiens

ISBN 2-89092-235-9
288 PAGES

Survivant

ISBN 2-89092-277-4
304 PAGES

Femme

ISBN 2-89092-218-9
288 PAGES

Mère

ISBN 2-89092-232-4
312 PAGES

Travail

ISBN 2-89092-248-0
288 PAGES

Couple

ISBN 2-89092-268-5
288 PAGES

Golfeur

ISBN 2-89092-256-1
336 PAGES

Célibataires

ISBN 2-89092-292-8
336 PAGES

FORMAT DE POCHE

Concentré

ISBN 2-89092-251-0
216 PAGES

Tasse

ISBN 2-89092-245-6
192 PAGES

PUBLICATIONS DISPONIBLES

1er bol
2e bol
3e bol
4e bol
5e bol
Ados
Ados II
Ados — JOURNAL
Aînés
Amérique
Ami des bêtes
Célibataires
Chrétiens
Concentré (poche)
Couple
Cuisine (livre de)
Enfant
Femme
Femme II
Golfeur
Mère
Survivant
Tasse (poche)
Travail

À PARAÎTRE

Mère II
Golfeur II
Grands-parents
Future maman
Préados (10-12 ans)
Ados – Coups durs
Père

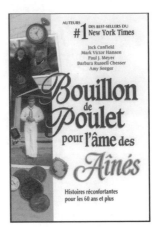